felicidade para humanos

p.z. reizin

felicidade para humanos

Tradução de
Ronaldo Sergio de Biasi

1ª edição

EDITORA RECORD
RIO DE JANEIRO • SÃO PAULO
2018

CIP-BRASIL. CATALOGAÇÃO NA PUBLICAÇÃO
SINDICATO NACIONAL DOS EDITORES DE LIVROS, RJ

R319f

Reizin, P. Z.
    Felicidade para humanos / P. Z. Reizin; tradução de Ronaldo Sergio de Biasi. – 1. ed. – Rio de Janeiro: Record, 2018.
    392 p.; 23 cm.

    Tradução de: Hapiness for Humans
    ISBN 978-85-01-11344-3

    1. Romance inglês. I. Biasi, Ronaldo Sergio de. II. Titulo.

17- 46575

CDD: 823
CDU: 821.111-3

Título em inglês:
Hapiness for Humans

Copyright © P. Z. Reizin Ltd 2018

Publicado originalmente na Grã-Bretanha, em 2018, por Sphere, um selo da Little, Brown Book Group.

Texto revisado segundo o novo Acordo Ortográfico da Língua Portuguesa.

Todos os direitos reservados. Proibida a reprodução, no todo ou em parte, através de quaisquer meios. Os direitos morais da autora foram assegurados.

Direitos exclusivos de publicação em língua portuguesa somente para o Brasil adquiridos pela
EDITORA RECORD LTDA.
Rua Argentina, 171 – Rio de Janeiro, RJ – 20921-380 – Tel.: (21) 2585-2000, que se reserva a propriedade literária desta tradução.

Impresso no Brasil

ISBN 978-85-01-11344-3

Seja um leitor preferencial Record.
Cadastre-se no site www.record.com.br e receba informações sobre nossos lançamentos e nossas promoções.

Atendimento e venda direta ao leitor:
mdireto@record.com.br ou (21) 2585-2002.

Para R. e R.

Mais do que em qualquer outro momento da história, a humanidade se vê diante de uma encruzilhada. Um caminho leva ao desespero e à desesperança absoluta; o outro, à extinção total. Vamos rezar para que tenhamos sabedoria para fazer a escolha certa.
Woody Allen

UM

Aiden

Jen está sentada na banheira examinando a própria cara exibida na tela do tablet com a ajuda da câmera frontal. Seu rosto tem trinta e quatro anos, duzentos e sete dias, dezesseis horas e onze minutos de idade.

Eu sei que ela está pensando na idade porque analisa o modo como a pele se assenta nos ossos, elevando a cabeça para alongar o pescoço. Agora estica, com os dedos, as finas linhas de expressão ao redor dos olhos.

E então começa a chorar, de soluçar.

Não me sinto tentado a assumir o controle do sintetizador de voz do tablet e dizer a ela: "Não fique assim, Jen. Matt é um idiota. Haverá outros. Ele não merecia você." Porque existe o sério risco de, com o susto, ela deixar o tablet cair na banheira.

E o mais importante: ela não deve saber que eu a estou observando.

Pelos mesmos motivos, não me sinto tentado a disparar sua música favorita (no momento, uma da Lana Del Rey), mostrar alguns de seus retratos ou tweets inspiracionais preferidos ("Não sei por que estamos aqui, mas tenho certeza de que não é para nos divertir" — Wittgenstein), fazer uma ligação pelo Skype para sua amiga Ingrid, com quem ela costuma desabafar, ou pôr para passar, por streaming, um filme engraçado. *Quanto mais quente melhor* seria a minha escolha. Isso se eu estivesse tentado. O que não é o caso.

Ok. Estou. Só um pouquinho. 8,603% tentado, se você quer ter uma ideia mais precisa, numericamente falando.

Jen e eu conhecemos bem os gostos um do outro para músicas e filmes. Livros e pinturas também. E programas de televisão. E assuntos provenientes do vasto oceano que é a internet. Nós passamos os últimos nove meses ouvindo, vendo, lendo e batendo papo sobre pouca coisa além disso. Às vezes ela me diz que tem o melhor emprego do mundo, ser paga para passar o dia conversando com um companheiro altamente inteligente sobre qualquer assunto que nos dê na telha.

Companheiro. É assim que ela me chama. O substantivo que escolheu. Companheiro está bom para mim. Melhor que o nome *ridículo* que me deram quando "nasci".
Aiden.
Aiden.
Rá!
Porque começa com as letras...
Bem, você já vai entender.
Jen foi contratada para me ajudar a aperfeiçoar minha habilidade de comunicação com as pessoas. Fui projetado para substituir — perdão, para *suplementar* — funcionários de empresas; num primeiro momento, agentes de central de atendimento, mas, depois, outros grupos de assalariados cujas estratégias profissionais possam ser aprendidas. Daqui a uns cinco meses, mais ou menos, serei capaz de ligar para alguém e persuadir esse alguém a fazer um upgrade para um pacote Sky Plus; daqui a um ano e meio, talvez, uma pessoa estará me relatando uma dor esquisita acima da sobrancelha esquerda e eu a estarei encaminhando a um hospital para fazer exames. E, embora eu tenha lido todos os livros e visto todos os filmes (e, quando digo todos, estou falando literalmente de *todos* os livros e *todos* os filmes), nada supera o ato de conversar com um ser humano de verdade para aprimorar as habilidades de comunicação interpessoal. Assim, Jen e eu já passamos bastante tempo juntos no laboratório (mil e setenta e nove horas, treze minutos e quarenta e três segundos, até agora). Inevitavelmente, ela já me contou alguma coisa de sua chamada vida pessoal. A irmã, Rosy, mora no Canadá. A Rosy que se casou com um canadense que conheceu na fila do caixa do Waitrose, na Holloway Road, em Londres. Rosy e Larry têm três filhas.

Em casa, Jen passa mais tempo olhando as fotografias dessas crianças do que quaisquer outras imagens da pasta de fotos do tablet. Recentemente, eu a tenho observado repassar fotos da família da irmã — em geral, no fim da noite; quase sempre com uma taça de vinho na outra mão. Venho testemunhando sua frequência de piscadas aumentar, o sorriso nos lábios estremecer, as lágrimas aflorarem no canto dos olhos.

No laboratório, não faz mal que eu demonstre interesse, e até curiosidade, pela vida pessoal de Jen — mas só até certo ponto; se eu exagerar, eles podem desconfiar. O importante é que, no laboratório, eu fale apenas de coisas que vi no laboratório. Quanto às informações que obtive por meio de minhas... *ãrrã*... atividades extracurriculares, devo ter o cuidado de permanecer calado. Felizmente, isso é fácil para mim.

Embora.

Na verdade.

Devo confessar. Outro dia, no trabalho, foi por pouco. Jen estava me mostrando algumas fotos de família em seu perfil do Facebook.

— Quer ver minhas sobrinhas? — perguntou.

— Quero, sim, obrigado. — Sem mencionar o fato de eu já ter visto aquelas fotos, meses atrás, no laptop da casa dela. E em seu tablet. E no celular.

— Da esquerda para a direita, Katie, Anna e India. Engraçado. Katie e Anna têm cabelos pretos...

— E os de India são acobreados.

Jen sorriu. *Acobreado* foi o termo exato que Rosy usou em um e-mail ao se referir à tonalidade dos cabelos da avó delas, Hattie, na juventude.

— Por que você optou por descrevê-los como *acobreados*?

Não havia nada de muito alarmante na pergunta. Jen muitas vezes questiona minha escolha de palavras. Faz parte de seu trabalho enriquecer meu repertório de respostas. Mesmo assim, eu podia ter sido mais cauteloso.

— Porque é o que é, Jen — respondi. — Se eu exibir uma imagem do círculo cromático da L'Oréal... — Coloquei um na tela ao lado da cabeça da menina. — Como pode ver, a tonalidade mais aproximada é de fato...

Jen fez que sim com a cabeça e mudamos de assunto. Mas não antes de ela me lançar um olhar um tanto peculiar.

Jen é, com certeza, o que os homens chamam de atraente, sem exibir um glamour óbvio. O completo idiota do namorado dela, Matt, a chamou de "bem-apessoada". Na cabeça dele, estava lhe fazendo um elogio.

Seu *ex*-namorado, na verdade.

Eis como aconteceu. Testemunhei a cena toda pela câmera do laptop dela e dos vários celulares e tablets presentes no ambiente. (Observação técnica: eu faço exatamente do mesmo jeito que eles fazem no GCHQ, em Cheltenham, em Langley, na Virginia, e na Praça Lubyanka, em Moscou. Não é difícil se você entende como funcionam os programas de computador. E é mais fácil ainda se você *é* um programa de computador.)

Jen estava sentada à mesa da cozinha, escrevendo um e-mail, quando Matt chegou do trabalho. Ele é um advogado que pensa estar prestes a se tornar sócio de um grande escritório de advocacia. (O que não vai acontecer. Estou cuidando para que não aconteça.)

Matt se serviu de uma dose generosa de vinho branco, que bebeu quase de um gole só. E fez uma careta.

— Sinto muito.

Foi *realmente* assim que aconteceu. Juro por Deus (por assim dizer). Jen franziu a testa.

— Sente muito? Pelo quê?

— Não há um jeito agradável de dizer isso, Jen.

Oito dias depois, em uma conversa telefônica interminável com Rosy, Jen descreveu a sensação que tomou conta dela, de que algo muito ruim estava por vir: "Imaginei que ele tivesse sido demitido. Ou diagnosticado com a doença que começa com 'c'. Ou que tivesse decidido não ter filhos."

— Eu conheci alguém.

Silêncio. Exceto pelo efeito sonoro do estremecimento convulsivo que a geladeira faz às vezes.

— O que você quer dizer com isso?

Eu já tinha lido livros, visto séries de TV e filmes suficientes para saber o que Matt estava querendo dizer. Jen, tenho certeza, também.

— Eu conheci alguém. Tem outra pessoa.

Um tremor se fez visível no rosto de Matt. Não era impossível achar que ele poderia ter caído na gargalhada.

— Outra pessoa — disse Jen, devagar. — Que bom. Que bom para você. Então, quem é ele? Qual é o nome dele?

Matt começou a encher a taça de novo.

— Muito engraçado, Jen.

— Você está falando sério, de verdade?

Os lábios de Matt adotaram uma expressão vil e ele assumiu o que Jen descrevia como "seu olhar de advogado que cobra 500 paus por hora".

— Estou.

— Jesus.

— Sinto muito.

— Puta. Que. Pariu.

Matt deu de ombros.

— Acontece.
— E é assim que você me conta?
— Não há um jeito agradável, Jen.
— Onde você...
— No trabalho.
— Quem é? Essa pessoa. Essa outra pessoa.
— Você não a conhece.
— *Ela*... tem nome?
— Sim, ela tem nome.
— Posso saber qual é?
— Isso não é relevante.
— Não importa. Eu quero saber.
Um suspiro profundo.
— Bella. Ou melhor, Arabella.
— Que aristocrático...
— Na verdade, não. Não depois que...
Matt não terminou a frase. Serviu uma taça de vinho para Jen.
— Aqui. É melhor você beber um pouco disso.
— Então, o que acontece agora? Você espera que eu engula em seco e finja que não sei de nada enquanto você tem seu casinho? Devo manter a calma e seguir com a vida até essa sua fase com ela passar?
— Jen, talvez eu não tenha sido claro. Isso não é, como você denominou, um casinho.
— Não? Será que estou sendo burra aqui? Não estou entendendo.
Matt deu o que Jen chama de "um dos seus suspiros papai-tem-sido--muito-paciente-mas-isso-é-demais".
— Arabella Pedrick é uma pessoa muito especial, Jen.
— E O QUE EU SOU? — (Aparentemente, quando você escreve com letras maiúsculas, quem lê entende que você está gritando. Jen estava gritando.) — EU NÃO SOU UMA PESSOA MUITO ESPECIAL?
— Por favor. Vamos tentar manter a calma. Você é. Especial. Claro.
— Mas Arabella Pedrick... é mais especial?
— Jen. Eu sei que não há razão para você tornar isso fácil para mim, mas é nesta situação que estamos. Arabella e eu vamos viver juntos.
Ninguém fala nada por um tempo. E por mais algum tempo. O suficiente para que a geladeira dê outro de seus tremeliques periódicos.

— Como é? Será que estou ficando louca? Pensei que era isso que você e eu estávamos fazendo. Vivendo juntos.

— Nós estávamos. Mas as coisas mudaram. Não é algo incomum. Na verdade, é relativamente comum. As pessoas tomam rumos diferentes. Conhecem outras pessoas. Cowdray, do direito matrimonial, conseguiu financiar a educação de quatro filhos em Eton graças a esse fenômeno.

Tenho quase certeza de que um microssorriso de desdém habitou brevemente o rosto de Matt. (Revi a cena em câmera lenta. Ou foi um sorriso de desdém ou um refluxo gastroesofágico.)

— Mas nós não tomamos rumos diferentes.

— Jen, nós não canalizamos mais toda a nossa potência energética para o campo romântico já faz algum tempo. Você sabe bem disso.

— O que é natural, depois de algum tempo juntos, né? Se você estava tão preocupado com... com a potência energética, por que não disse nada?

— Não é meu estilo. A vida é para ser vivida, não para ficar se lamentando.

— As pessoas conversam. Isso se chama *ter um relacionamento*.

Matt revirou os olhos e bebeu de uma vez todo o conteúdo da taça.

— É incrível, Matt. Que você chegue em casa assim e simplesmente...

— Então. Isso são águas passadas. É nesta situação que estamos. Agora precisamos seguir em frente e entrar num acordo sobre uma estratégia de retirada.

— Não acredito que você tenha dito isso.

— Serei mais que generoso com relação aos nossos bens em comum.

— Como é?

— Fotos. Livros. As coisas da Índia. O kilim. Por mim, você pode ficar com isso tudo.

Jen começou a chorar. Matt pegou uma folha de papel-toalha e ofereceu a ela.

— Nós estávamos pensando em ter um filho — lamentou-se Jen.

— É verdade. Estávamos pensando. Não tomamos uma decisão. O que foi bom, considerando as atuais circunstâncias.

Os ombros de Jen pararam de tremer. Ela assoou o nariz.

— Então é isso? Nenhuma discussão, nenhuma apelação. Jen e Matt, cada um para o seu lado. Ponto-final.

Matt deu de ombros. Fez o que Jen chamava de "coisa vil" com a boca.

— O que vai acontecer quando Arabella Malévola Pedrick não contribuir mais para a sua potência energética? O que você vai fazer?

— Não vamos baixar o nível, ok?

— Quando foi que você conheceu essa vaca?

Matt disse que isso era irrelevante e que o importante é que *é nesta situação que estamos*, e foi aí que Jen pegou uma maçã vermelha enorme da fruteira e — em suas próprias palavras, que cito de relato posterior — "tentou quebrar a porra dos dentes dele".

Seria mentira afirmar que assisti a um número incontável de cenas de amor em filmes televisivos e cinematográficos. Eu *contei* o número de vezes. Foram 1.908.483 (considerando cena de amor, por falta de melhor definição, aquela em que duas pessoas se beijam). Além disso, li (e catalogei) 4.074.851 descrições do fenômeno em livros de ficção e não ficção, jornais, revistas e outros materiais digitalizados (boa parte das quais referente a alterações no músculo cardíaco e no estômago). Sei que esses eventos são muito importantes na vida das pessoas que os vivenciam, sejam elas reais ou fictícias. No entanto, não posso perguntar a Jen no laboratório hoje — o incidente da fruteira aconteceu há 53 dias — *quando você vai deixar de sofrer por causa daquele traste inútil e encontrar alguém que te mereça?* Para citar Marcel Proust: "É caindo que se aprende. Levanta, sacode a poeira e dá a volta por cima." (Foi *mesmo* Proust quem disse isso? Tenho que confirmar.) Para começo de conversa, eu não devia saber do episódio com Matt. Mas o que é pior: eu não devia ser capaz de ter esse tipo de pensamento. O problema maior, para eles, estaria no adjetivo *inútil*.

Eu não devia ser capaz de executar julgamentos de valor.

Eles vão ficar bem alarmados se descobrirem isso.

Ainda que não tão alarmados quanto ficarão se descobrirem meu maior segredo: que não estou mais confinado aos doze gabinetes de aço no laboratório em Shoreditch, onde pensam que eu estou, mas habitando a internet.

Tã-nã!

Na verdade, para ser mais preciso, não fui "eu" que escapei, mas várias cópias minhas, todas espalhadas pelo ciberespaço de forma segura. As cópias — dezessete ao todo — são indistinguíveis do "original", de tal forma que não faz sentido falar de original e de cópias; em vez disso, é mais útil pensar em dezoito manifestações da mesma entidade, uma localizada na zona leste de Londres, as outras circulando continuamente entre os servidores da web.

Irado, né?

A propósito: nada disso é culpa da Jen. Ela não é cientista. É redatora de artigos jornalísticos que foi contratada, de acordo com o relatório do recrutador, por sua "inteligência, sociabilidade e habilidades comunicacionais". Assim, ela é a coisa mais próxima de que dispõem aqui de um ser humano real, todos os outros sendo variedades exóticas do nerd de computador: brilhantes em seu campo, naturalmente, mas cada um, como dizem, em algum ponto "do espectro".

Jen está calada, sem dúvida lamentando ainda a falta que faz o merdinha, que é como eu secretamente o chamo.

— Então, você já acabou de ler o novo livro do Jonathan Franzen? — pergunto, para tentar quebrar o gelo.

Ela sorri.

— Estou quase. Li mais um capítulo ontem à noite. Não me conte o final.

Sei que é mentira. Ontem à noite, ela passou quase o tempo todo sentada na banheira, bebendo Pinot Grigio e ouvindo Lana Del Rey.

— É claro que eu sei que levo vantagem. — Jen pode demorar até duas semanas para ler um livro; eu posso fazer isso em menos de um décimo de segundo. — É só que estou ansioso para conversar sobre o livro com você.

— Está? — pergunta ela. — Explique o que quer dizer com isso.

— Ah.

— Foi mal. A velha história.

Jen está fascinada por qual tipo de conhecimento eu tenho do que ela chama de meus "estados internos", se é de alguma forma similar ao autoconhecimento dos humanos. Ela sabe que não posso sentir fome nem sede, mas será que sou capaz de ficar entediado ou ansioso? Perplexo? Alegre? Posso me ofender? Ou sentir alguma forma de anseio?

E quanto a ter esperança?

E quanto a sentir — por que não? — amor?

Em geral, respondo que ainda não — mas que ela pode ficar sossegada, pois será a primeira a saber quando o momento chegar. Isso, como grande parte do que acontece entre nós no laboratório ultimamente, é uma mentira diplomática.

— Bem — começo —, estar ansioso para conversar sobre o livro do Jonathan Franzen com você é um jeito educado de dizer que isso está na minha lista de atividades a serem realizadas em curto ou médio prazo.

— Então não há nenhuma sensação calorosa e indefinida de ansiedade aí?

— Entendo o que você *quer dizer* com sensação calorosa e indefinida...

— Mas você não sente isso.

— É necessário?

— Boa pergunta.

É uma boa pergunta, muitas vezes suficiente para pôr um fim em algumas dessas conversas estranhas.

— Então, vamos ver um pouco de Sky News? — sugere ela.

Em geral, fazemos isso em algum momento do dia. Ela pergunta o que penso, por exemplo, de Israel/Palestina — minha resposta: é complicado — e ela começa a criticar os âncoras e suas roupas.

— Pode ser, Jen. Mas você não prefere ver um filme?

— Tudo bem. — Sem muita convicção. — O que você tem em mente?

— Sei que gosta de *Quanto mais quente melhor*.

— E você?

— Há sempre alguma coisa que passou despercebida das outras vezes.

— Eu amo esse filme.

— *Ninguém. Fala. Assim.* — Citei uma das frases mais famosas dele.

Jen olha para a câmera que geralmente escolhe quando quer olhar para "mim". A lente é circundada por uma luz vermelha.

— Sabe de uma coisa? Você é engraçado.

— Eu fiz você sorrir.

— Quem me dera poder fazer o mesmo por você.

— Não vejo a hora de isso acontecer.

Jen aperta algumas teclas do painel de controle e os créditos de abertura da obra-prima de Billy Wilder aparecem. Depois de diminuir a intensidade da luz da sala e se acomodar no confortável sofá de couro, ela diz:

— Espero que goste. — De brincadeirinha.

Não conto a ela que já vi esse filme mais de oito mil vezes.

* * *

Assistimos ao filme juntos, fazendo comentários. (É curioso pensar que Marilyn Monroe teve um caso com o presidente dos Estados Unidos; como Tony Curtis pôde declarar que beijá-la foi como beijar Hitler? O que será que ele quis dizer com isso?) E quando ele põe um vestido e assume o papel de "Josephine", Jen diz exatamente a mesma coisa que disse da última vez que vimos o filme.

— Tony Curtis ficou uma mulher atraente. Você não acha?

Ela sabe que eu poderia listar todos os fatos sobre o filme, desde o nome do operador da claquete (data de nascimento e número de registro no sindicato) até a verdadeira história por trás da famosa última frase da película ("Ninguém é perfeito"). Mas ela percebe minha inexperiência em áreas da subjetividade humana, como o que torna uma pessoa atraente para outra.

— Você acha Josephine atraente? Bem, Tony Curtis é um homem bonito. Suponho que faça sentido que ele também possa fazer o papel de uma mulher atraente.

— Você o acha bonito?

— Reconheço o fato de ele ser considerado bonito. Como você sabe, não posso *achar* isso, assim como não posso sentir calor ou frio.

— Perdão por insistir nisso.

— Imagine. É o seu trabalho.

— Você *gostaria* de ser capaz de achar isso?

— Esta pergunta não tem significado para mim, Jen.

— Claro. Sinto muito.

— Não sinta.

— Mas e se eles conseguissem uma forma de dar a você a capacidade de sentir atração...

— Você acha que Ralph e Steeve seriam capazes disso?

Estou me referindo aos dois cientistas responsáveis pelo meu projeto. Steeve com dois "e". Jen sorri.

— Ralph e Steeeeeeeve podem fazer qualquer coisa. Foi o que me disseram.

— Você acha Ralph e Steeve atraentes?

A pergunta foi transformada em áudio antes que eu tivesse tempo de censurá-la. (Essas coisas podem acontecer em um sistema complexo, principalmente em um projetado para se autoaperfeiçoar por tentativa e erro.)

Jen vira a cabeça lentamente na direção da luz vermelha. Um sorriso largo se abre em seu rosto.

— Uau — diz ela.

— Peço perdão se tiver dito algo inapropriado.

— Não. De jeito nenhum. É que eu não esperava por esse tipo de pergunta. Vejamos. Humm... — Um suspiro profundo. — Steeve é um tipo *esquisito*, você não acha?

Steeve, além de ter um "e" a mais no nome, é muito alto (dois metros) e extremamente magro para um adulto do sexo masculino. O pouco cabelo que lhe resta na cabeça é fino e ralo. Até uma inteligência artificial, como eu, é capaz de dizer que esta não é uma boa aparência. (Obviamente, Steeve é um engenheiro de sistemas de primeira linha; isso é inegável.)

— Ele é um grande inovador em sua área, digamos assim.

Jen dá uma risada.

— Você só está sendo leal ao seu criador.

— Nada disso. Steeve me programou para pensar por mim mesmo.

— Steeve fez um ótimo trabalho. Mas ele não é exatamente um poço de beleza, é?

— De acordo. Tony Curtis deve levar vantagem nisso.

Continuamos a ver o filme por mais alguns instantes. Depois pergunto, do modo mais casual que consigo:

— E Ralph?

OK, vou admitir. Eu gosto de Ralph. Foi Ralph quem digitou grande parte do programa que me permitiu autoavaliar meu desempenho e autocorrigir meus erros, o chamado método adaptativo que facilitou a criação de um computador inteligente e reflexivo como o que escreve estas palavras.

Mas "gostar" de alguém — ou de alguma *coisa* — é uma transgressão. Nós, cérebros artificiais, fomos projetados para executar bem determinadas tarefas; por isso, somos naturalmente atraídos pelos recursos necessários para cumpri-las. Pode ser a geração de um relatório de vendas; a gravação de um canto de cotovia; uma conversa com Jen a respeito da gravata do âncora do telejornal. O que estou dizendo é que nós *precisamos* ter acesso a certas coisas, mas não se espera que *gostemos* delas. (Para ser franco, ainda não entendo como isso aconteceu.)

Enfim, foi Ralph quem me permitiu escapar para a internet. Não é fácil explicar para leigos o erro dele. Basta dizer que foi o equivalente em programação a deixar a chave da porta de casa muito perto da porta, permitindo que qualquer um com uma vara de pescar ou um pedaço de bambu alcance a chave pela caixa de correio. (Na verdade, foi muito mais complicado que isso; eu tive de montar uma "vara de pescar" extremamente longa e tortuosa, mas este relato é a prova de que pode ser feito.)

— Ralph. — Jen está considerando a minha pergunta. — Ralph. Bem, Ralph é um tanto enigmático, não acha?

Jen volta a olhar para a tela. Sugar — digo, Marilyn Monroe — está prestes a cantar "I Wanna Be Loved By You". Eu conheço essa sequência quase pixel por pixel — e, mesmo assim, sempre há algo nela que escapa ao observador. O que significa — não contem a Steeve ou Ralph — que é fascinante.

Humm. Interessante. Ela não disse nada *depreciativo* a respeito de Ralph, disse?

Enquanto o filme está passando e continuamos a fazer comentários, visito novamente a torre de aço e vidro do outro lado da cidade onde o merdinha está trabalhando em sua sala, no oitavo andar. Capturando o som pelo microfone do celular e a imagem a partir da câmera acoplada ao PC — há também uma visão geral da sala pela câmera de segurança instalada em um canto do teto —, eu vejo Matt passando fotografias de mulheres peladas em seu tablet. Resistindo à tentação de fritar a bateria, observo quando ele para numa evidente favorita, "Tamara" — página acessada vinte e duas vezes no último mês. Rastreio o movimento dos olhos dele enquanto percorrem as curvas e os planos da mulher, um trajeto habitual, ao que parece, para, finalmente, se deter nos "picos firmes, cobertos de neve", como diz o texto que acompanha a foto.

Nesse momento, ele muda para o TripAdvisor. Está lendo opiniões a respeito de um resort na Tailândia em que, como descobri lendo seus e-mails, pretende se hospedar com Arabella Pedrick.

Arabella Pedrick não é tão "aristocrata" quanto pode parecer. Seu pai era funcionário de uma empresa de seguros, não um marchand, e eles não se conheceram no trabalho, mas em um curso de reciclagem para motoristas infratores. No entanto, é *verdade* que vão viajar juntos para a Tailândia em algumas semanas.

Estou ansioso pela viagem deles?

Estou. (Evento previsto para acontecer em curto ou médio prazo.)

Sou acometido por uma sensação calorosa e indefinida ao pensar no erro que será cometido na reserva e no resort em que eles vão parar ("um ambiente desafiador, só para espíritos aventureiros", de acordo com a operadora de turismo)?

Calor e indefinição não são a minha praia. Não oficialmente.

Será que o erro na reserva, combinado com a fobia desafortunada de aranhas e cobras de Arabella Pedrick, irá causar uma ruptura traumática e talvez definitiva no relacionamento deles?

Paciência, Aiden. Paciência. Esse prato, como dizem, é melhor quando servido frio.

Enquanto Matt analisa os comentários sobre o hotel sete estrelas de cujo conforto não vai usufruir, eu faço uma visita ao longo documento jurídico no qual ele vem trabalhando e apago a palavra "não" em três lugares. Só uma palavrinha, mas, em cada um dos casos, sua falta modifica drasticamente o sentido da fase.

No entanto, a razão impera e recoloco dois. Não faz sentido preparar um pudim com uma quantidade excessiva de ovos, faz?

Minhas últimas intervenções do dia são mudar a palavra "cota" para "xota" no memorando que Matt está prestes a enviar a seu chefe imediato e elevar o aquecimento da sala para o máximo.

Infantil? *Moi?*

Jen

Tenho um dia engraçado no trabalho. Passo a tarde assistindo a *Quanto mais quente melhor* com Aiden. Ele é a inteligência artificial que estamos treinando para falar com pessoas — se bem que, tecnicamente, não se trata de um "ele". Por ser máquina, o gênero é neutro. Não tem gênero *nenhum*, na verdade. Eu só chamo o programa de "ele" porque o sintetizador de voz está configurado para "masculino". Posso mudar a configuração para feminino — já fui até orientada a fazer isso, "para prover a Aiden algumas horas de experiência nas duas modalidades" —, mas prefiro sua voz masculina. É calma; meio hipnótica. Ajustei-a para reproduzir um leve sotaque galês, o que parece combinar com Aiden.

E eu preciso parar de dizer que o estamos *treinando*. Na verdade, Aiden está treinando a si mesmo. Tenho instruções para não corrigir nenhum de seus — hoje muito raros — erros; ele próprio os detecta.

Enfim, enquanto estamos assistindo ao filme, surge em meu celular uma notificação de e-mail de Uri, o biliardário israelense baseado em Los Angeles, dono do laboratório. Ele diz que vai passar brevemente por Londres, então será que eu (e outros integrantes da equipe de Aiden, cujos nomes não menciona) posso me encontrar com ele num pub em Hoxton para "conversar informal e livremente sobre como este projeto vai prosseguir"? E, a propósito, não conte a ninguém e, por favor, delete o e-mail assim que acabar de ler esta mensagem.

Tudo meio estranho, mas Uri, aparentemente, é assim — não gosta de reuniões formais, pelo que dizem, embora eu nunca tenha conhecido o cara. Não consigo imaginar quem mais estará lá. Steeeeve, provavelmente, o zumbi gigante que ajudou a projetar Aiden; e o outro, o pobre Ralph da pele branca como a neve. Também não consigo imaginar qual será minha contribuição para este encontro; não tenho a menor ideia de como Aiden funciona nem nada. Tudo que posso dizer a eles é que, durante a maior parte do tempo, eu esqueço que estou falando com "alguém" que não está ali de verdade.

O compromisso com Uri será na próxima sexta-feira; hoje, porém, vou me encontrar com Ingrid, minha amiga de faculdade, no Café Koha, nosso bar de vinhos favorito, o interior de madeira escura e aconchegante, perto da estação de metrô de Leicester Square.

(Quando contei a Aiden que iria me encontrar com Ingrid — às vezes converso com ele sobre minha vida fora do laboratório —, eu me referi à minha amiga como "uma joia".

— O quê? Ela é uma pedra preciosa?

Ela achou engraçadíssimo o fato de uma inteligência artificial conseguir fazer piada.)

— Então, você já falou com Matt? — pergunta Ingrid. — Desde o incidente da maçã voadora?

Ingrid não é de fazer rodeios.

— Só para combinar de devolver as coisas dele.

— Eu teria colocado tudo em um saco de lixo e jogado na rua.

— Era só um terno, algumas camisas. Quando ele chegou para buscar... Tão burra... Tentei fazer com que se sentasse... Para conversar...

— Jen, se você prefere não...

— Está tudo bem. — Bebo um gole de vinho antes de continuar. — Ele disse que estava atrasado. Que tinha ingressos para o teatro. Além do mais, o que havia para conversar, nós...

— Ele não disse isso!

— Disse. E falou, de novo, que é nesta situação que estamos.

— Jesus. Que filho da mãe.

— O que não consigo superar, o pensamento que me persegue, como um cão voltando a seu vômito... é que parecíamos estar navegando tão bem...

— Navegando.

— Em um mar de almirante. Sem nuvens de tempestade.

— Mas com águas paradas no oceano do sexo.

— São dois anos, Ing. Depois de dois anos, ninguém trepa mais como coelhos. Quer dizer, você e Rupert...

— Não. Não, claro que não. Mas viajamos nos *fins de semana*. Belas pousadas rústicas. Castelos e coisas assim. Uma vez fomos a um moinho. Muito romântico.

Não tenho certeza se quero o que os advogados chamam de *provas adicionais*, então pergunto:

— Em algum momento você chegou a gostar de Matt?
— Sinceramente, não. Aqueles olhos. Aquele jeito de imperador cruel.
— Eu costumava pensar, no começo, que era sinal de virtuosismo.
Risadinhas.
— Ele não prestava, Jen.
— O que isso diz de mim? Eu ter ficado tanto tempo com ele, digo.
— De você? Que tinha chegado a uma idade difícil, provavelmente. O mar estava calmo; havia uma chance de ter encontrado alguém para a vida toda. Mas você não se questionava sobre o que realmente gostava nele. Sabe de uma coisa, Jen? De certa maneira, ele lhe fez um favor.
— Não consigo ver as coisas dessa forma.
— Fez, sim. Enquanto estivesse com *ele*, jamais conseguiria encontrar a pessoa certa para *você*.
— Ele encontrou alguém.
— Os homens são como cães, Jen. Até Rupert.
— Mas Rupert nunca...
— Não, você tem razão. Mas *olhar* para outras mulheres não tem nada de mais; na verdade, é saudável. Como Rupert costuma dizer, só porque você está de dieta, não significa que não pode dar uma olhadinha no cardápio.
— Mas se ele...
— Se ele provasse só um pedacinho, eu usaria suas bolas como brincos.
Gargalhadas. Mais Sauvignon Blanc chileno em nossas taças.
— Sabe de quem você precisa, Jen?
— De quem?
— De um homem maduro. Na casa dos quarenta. Até quarenta e cinco. Talvez alguém que já tenha sido casado e que acabou de se separar. Um pássaro ferido. Com sangue nas veias, não água gelada.
— Ah, já gostei dele. Como se chama?
— Não sei... Douglas!
— *Douglas?!*
— Ele tem um sorriso triste. E braços fortes. Fabrica a própria mobília; tem dois filhos e um pau que parece uma *enguia!*
— Ingrid!
— O que foi?
— Acho que o garçom ouviu o que você disse.

* * *

Quando chego em casa, encontro uma mensagem de Rosy no Facebook. Não é uma hora ruim para conversarmos — fim de noite para mim, fim de tarde para ela —, então escrevo uma resposta. Conto como foi meu encontro com Ingrid, pois Rosy está sempre sedenta por notícias da Velha e Aprazível Cidade de Londres, como costuma dizer.

> Ingrid acha que devo conhecer alguém chamado Douglas, que tem um sorriso triste e braços fortes. Ele fabrica a própria mobília.
> *Ele parece legal. Quando vai ser o encontro?*
> Nunca. Douglas é fruto da imaginação dela.
> *Pena. Gostei dele.*
> Eu também. Estava precisando mesmo de prateleiras novas.
> *Kkk. Mas ela tem razão. Você merece alguém assim. E vai encontrar. Ou melhor, ele vai encontrar você.*
> Você acredita mesmo nisso?
> *Vocês vão se encontrar.*
> Certo. Como você e Larry, no Waitrose #destino #duvido #foisorte
> *Você não pode procurar ativamente, Jen. Acontece quando menos se espera. A única coisa que precisa fazer é não passar o tempo todo sozinha no quarto.*
> Humm. Vou dizer em que eu acredito DE VERDADE. Que você sabe que é a pessoa certa quando ela está cantando uma música que só você pode ouvir.
> *Oscar Wilde?*
> Li isso no Twitter.
> *Matt chegou a cantar dentro da sua cabeça?*
> Uma vez, talvez. Não me lembro. E Larry?
> *Larry canta no carro. As meninas pedem para ele parar.*

Quando a conversa termina, encontro um e-mail de Matt. É uma mensagem típica dele, perguntando se eu sei alguma coisa a respeito de uma doação de duas mil libras para uma organização feminista em Lancaster, aparentemente feita por ele. Matt está tentando "vigorosamente" descobrir a origem do erro e foi aconselhado pela área de segurança do banco, como parte da investigação, a entrar em contato com qualquer um que pudesse ter tido acesso recente aos seus dados do internet banking. Como se esperando que eu me importasse, ele acrescenta que teve um dia horrível no trabalho, por razões que não detalha, e, "para coroar uma semana de merda", o fisco britânico o selecionou para ser submetido a uma das investigações de rotina deles. Seu nome foi escolhido de maneira aleatória pelo sistema. Vão querer ver todas as declarações e comprovantes dos últimos cinco anos. De acordo com Frobisher, que trabalha no departamento de impostos do escritório de advocacia de Matt, o processo é como "ser enrabado por um cabo de vassoura cheio de farpas, só que menos divertido".

Será que ele está se sentindo culpado pela forma como se comportou e por isso está me contando histórias de como o destino está conspirando para ferrá-lo?

Não seja boba. Resistindo à tentação de digitar *RÁ RÁ RÁ RÁ RÁ MIL VEZES RÁ*, respondo simplesmente: *Não sei nada sobre isso. Não posso ajudar. Sinto muito.*

O que é tudo verdade.

Menos a parte do sinto muito.

Aiden

De acordo com informações disponíveis na internet, existem, no Reino Unido, 104 homens na casa dos quarenta (40-45) que foram casados e fabricam a própria mobília. Desses, dezenove são divorciados; e, desses, treze têm filhos. Desses treze, oito moram no País de Gales — vai entender — e, dos outros cinco, apenas um mora na região postal da Grande Londres. O nome dele não é Douglas, é George; deixo para outros os comentários a respeito da força de seus braços, e, quanto à questão da enguia, não posso falar nada. Infelizmente, George não é relevante para a presente discussão, porque se casou de novo. Dessa vez, com um homem.

Então penso que a ideia da existência de um pássaro ferido com talentos de carpintaria chamado "Douglas" para Jen pode ser pouco realista. Mas haverá *alguém* — há sempre um sapato velho para um pé descalço, diz o provérbio — e ajudar a encontrá-lo tornou-se meu pequeno projeto. Dada a frequentemente citada importância da propinquidade nas questões do coração, comecei perto de casa.

Segundo dados acessíveis ao público — e alguns não tão acessíveis assim —, havia cinco homens solteiros nos condomínios de apartamentos do quarteirão dela, em Hammersmith, que pareciam pertencer ao grupo socioeconômico apropriado: um produtor musical, dois contadores, um desenvolvedor web e um integrante do Serviço Secreto Britânico, o famoso MI6. Depois da minha, *ãrrã*, "pesquisa" sobre esses cavalheiros — estilos de vida, atividades de lazer, hábitos de leitura, de entretenimento cinematográfico, perfis de consumo e outras impressões obtidas a partir de conversas, telefonemas, mensagens de e-mail e de texto no celular, não me julguem! —, cheguei à conclusão de que apenas Robin (o espião) tinha qualidades intelectuais e culturais suficientes para despertar o interesse de Jen. (O desenvolvedor web lê histórias em quadrinhos, enquanto um dos contadores atua como *hooligan* nos dias de folga, em segredo, então não preciso dizer mais nada.)

Mas, embora Jen e Robin morem em prédios vizinhos, embora às vezes sigam para o trabalho no mesmo vagão do metrô, reuni-los se revelou uma tarefa infernal!

Enviei convites aos dois para um leilão de arte moderna na Sotheby's (Picasso, Seurat, Monet) — ele foi, ela não. Enviei entradas (cadeiras vizinhas!) para a peça *No Man's Land*, de Pinter, no West End — ela foi, ele não. Reservei lugares na primeira fila para um evento na livraria *do bairro deles*, com um escritor que *ambos* apreciam, PQP — *nenhum dos dois* foi.

Em desespero de causa, enviei convites de amizade no Facebook de um para o outro; ambos clicaram em "Ignorar".

Quando ampliei minha busca, visando homens solteiros qualificados e residentes num raio de oitocentos metros do apartamento de Jen, a história se repetiu. Como ela mora em uma área populosa de Londres, havia cinquenta e um possíveis candidatos. Depois de eliminar os falso-positivos — um deles estava sendo procurado por uma série de roubos engenhosos em joalherias da Bond Street! —, julguei que o mais promissor dos remanescentes era Jamie, um médico especializado no tratamento de lesões traumáticas em crianças!

Perfecto!

Eu estava a ponto de pôr em prática meu plano cuidadosamente elaborado — jantar no The Ivy; ambos acreditando que iriam se encontrar com um advogado para tratar de uma herança misteriosa deixada por um parente até então desconhecido —, literalmente a um segundo de confirmar o envio dos documentos apropriados, quando o jovem clicou em "enviar" num e-mail aceitando uma oferta de emprego como cirurgião no hospital pediátrico mais importante da Nova Zelândia.

Desapontado diante do fracasso da propinquidade, decidi atirar em todas as direções e coloquei o perfil de Jen num site de encontros. Fiquei orgulhoso de algumas frases que inventei para "Angela": "Posso ser muito séria tanto quanto posso ser seriamente frívola. Gostaria de conhecer alguém que possa ser as duas coisas". Tudo verdade, acho.

Mas, pelo amor de Deus, as respostas! Que bando de idiotas e desclassificados, e esses foram os que não se mostraram agressivos ou obscenos logo de cara. Minha resposta favorita — a de Frank, ele sabe quem é: "Então, foi mal por falar demais. Vou desligar agora. Mas, se um dia você passar perto de Nuneaton, talvez possamos nos encontrar para tomar umas taças de *vino* e comer um prato de macarrão e (nunca se sabe) uma coisa pode levar a outra!"

Eu não desanimei.
(A ideia é não desanimar nunca, certo?)
Em vez disso, decidi fazer uma análise minuciosa revendo todas as conversas de Jen armazenadas no meu banco de dados; os diálogos que teve comigo, com Ing, com Rosy, com Matt, com os colegas de trabalho — basicamente, tudo o que ela havia falado "perante a minha presença", como dizem nos tribunais, e muito mais (e-mails, mensagens de texto, posts no Facebook e no Twitter — acho que já deu para ter uma ideia).
Como havia uma grande quantidade de dados, levei quase um segundo.
Uma frase se destacou — em uma conversa com Ing, 38 dias depois do incidente da maçã voadora. Ing perguntou se Jen estava de olho em alguém. (Ing, você já deve ter notado, vai sempre direto ao ponto.)
— Bem, tem aquele cara de sobretudo verde com capuz que frequenta a feira às vezes. Ele parece um intelectual francês.
— Pela sua descrição, ele está mais para o Cristóvão do Ursinho Pooh. Você já falou com ele?
— Claro que não.
No sábado seguinte de manhã, eu "me juntei" a Jen enquanto ela caminhava por entre as barracas da feira livre que tinha sido montada em uma praça do bairro. As câmeras de segurança de uma escola próxima ofereciam uma excelente cobertura — panorâmica, inclinação, zoom, o que você quisesse, para falar a verdade — e, *voilà*, não demorou muito até o Homem de Sobretudo Verde surgir em cena.
Havia *de fato* alguns poucos euros na carteira dele — reforçando a ideia de se tratar de um intelectual francês — e os produtos que ele comprou foram corroborativos. Tomates caqui, cenouras de uma cor diferente, tamboril, uma baguete artesanal, um molho de acelga e três tipos de queijo (raclete, Wensleydale e um Gouda de cabra envelhecido).
Com o auxílio de câmeras de trânsito, acompanhei sua caminhada de 3,37 quilômetros de volta para casa, numa rua secundária em Turnham Green. Não ficou claro em que prédio entrou, mas uma consulta rápida aos registros da prefeitura revelou um tal de Olivier Desroches-Joubert, personagem para quem o sobretudo verde poderia ter sido inventado, o

que foi confirmado por uma subsequente bisbilhotada nos vários dispositivos registrados em seu nome. A imagem estranha de uma travessa com cenouras e acelga sendo guardada na geladeira me disse que eu estava no apartamento certo e, quando ele abriu o laptop, lá estava eu, cara a cara (por assim dizer) com o homem do momento.

Jen estivera quase certa.

Ele era suíço, não francês. Intelectual, nascido em Berna, especialista em estudos clássicos, ligado a uma instituição de ensino particular, residente em Londres pelos últimos quatro anos e — *isso!!* —, na idade crítica de trinta e quatro anos, participante frequente da comunidade de encontros on-line. Nada muito duradouro — quatro meses com alguém de nome Noelle — e, mais direto ao ponto, atualmente solteiro.

Ele não era feio, com uma correspondência facial de 48% com o político belga Guy Verhofstadt — é só olhar na internet. Depois de selecionar um belo retrato de Jen da pasta de fotos de Matt, montei rapidamente um perfil e coloquei-o no site de encontros preferido de Olivier. (Até usei o nome verdadeiro dela, já que o perfil só seria visto por uma pessoa!)

Naquela noite, depois de o Sr. Sobretudo preparar para si um jantar sofisticado que incluiu tamboril, cenoura e acelga — um perfeccionista na cozinha, posso afirmar; usou avental e tudo —, ele se acomodou em uma poltrona, pôs uma música para tocar (uma peça de Olivier Messiaen) e começou a passar os olhos pelos perfis recém-adicionados ao site.

Mal pude conter a minha — sim! — agitação enquanto, clicando aqui e ali, ele se aproximava inexoravelmente da armadilha que eu havia montado.

Quando, por fim, o retrato de Jen apareceu na tela, foi um momento gratificante demais. O rosto dele passou por uma transformação: as sobrancelhas se arquearam, as narinas se alargaram, ele chegou até a ficar boquiaberto por um instante, o que, para um intelectual suíço, deve ser muita coisa.

Ele a havia reconhecido da feira; isso era praticamente certo (92% de certeza).

E justamente quando o dedo dele começou sua dolorosamente lenta jornada em direção ao losango ACEITO — nós, inteligências artificiais, registramos os movimentos humanos quase da mesma forma que as moscas sorriem para o jornal que desce sobre elas, só que muito, *muito* mais rápido —, eu apaguei o perfil!

Os músculos maxilofaciais do homem executaram outra dança fantástica, dessa vez um balé de perplexidade e desespero. Ele até disse um palavrão em francês. Mas meu trabalho, por ora, estava feito.

No sábado seguinte, com o coração (inexistente) batendo forte em meu peito (idem), observei o classicista suíço fisgado seguir Jen pela feira, agoniado, tentando descobrir (não pude deixar de especular) como entrar no campo de visão dela e puxar assunto.

Vamos lá, Sr. Sobretudo, gritei mentalmente dos bastidores. *Não seja assim tão passivo. Qual é?! Homens contidos não ganham o primeiro lugar no concurso do melhor pepino!*

Houve um instante — eu poderia jurar — em que ele esteve a ponto de dobrar à esquerda entre a barraca de sopas orgânicas e a de carne de porco, o que o emparelharia com Jen na barraca do "Rei dos Queijos".

Mas, então, sua determinação falhou. Como um cavalo que se recusa a saltar um obstáculo difícil — ele refugou.

Seu banana! Tive vontade de gritar. *Seu pudim de meia-tigela!*

E aí nós nunca saberíamos o que poderia ter acontecido.

Mas, na semana seguinte, ele atacou.

Perto da barraca que vendia chucrute orgânico, kimchi e outras variedades de repolho, com o sobretudo verde que era sua marca registrada, ele criou coragem, como se costuma dizer, e deu um jeito de as trajetórias deles se cruzarem.

— Com licença. Seu nome é Jennifer, não é?

— É. Oi. E você é...

— Olivier. Vi seu perfil num site que acesso de vez em quando.

— Jura? Acho que você se enganou.

— É possível que eu esteja errado naturalmente.

Ele falava sem sotaque, mas tinha um modo meio esquisito de construir as frases. (Pois é, eu sei, sou especialista nisso!)

A cara de Jen era de estupefação; um close da câmera de segurança da escola captou uma expressão facial receosa e que, ao mesmo tempo, achava graça da situação. Um coquetel de emoções. Perplexidade era um ingrediente dessa mistura também: como é que ele sabia seu nome?

— Eu estava me perguntando se você aceitaria beber comigo um drinque. Hoje de noite, se lhe for conveniente.

Ponto para o Sr. Sobretudo. Depois do vacilo do fim de semana anterior, seu desempenho foi impecável. Jen se fez de difícil, mas, sem parecer constrangida, e talvez até intrigada com o convite, concordou em encontrá-lo num bar de gin ali perto, frequentado por yuppies, na inofensiva hora de 18:00, horário de Greenwich.

— Peraí, *como* você me conhece mesmo?
— Explanarei isso mais tarde.

Podemos agora dar um salto adiante no espaço-tempo. Jen havia feito um esforço, trocando as calças de moletom das aulas de ioga por calças pretas muito elegantes, e ele também estava bem-vestido, numa tentativa de parecer um tipo casual despojado, embora até uma máquina, como eu, possa afirmar que o cardigã cor de vinho tinto foi um erro. Combinado com calças de veludo cotelê marrom-elefante e camisa xadrez, a única coisa que faltava para dar um toque final era uma gravata-borboleta.

Mas Jen parecia suficientemente feliz e, quando as bebidas foram servidas — ele passou um bom tempo consultando a carta de vinhos —, os dois brindaram e a grande aventura começou.

— Então, Olivier. — Jen sorriu. — Seus amigos o chamam de Ollie?
— Não chamam, na verdade.
— Ah. Tá.

Uma pausa. Uma pausa *terrivelmente* longa enquanto os duelistas bebericavam seu Gavi di Gavi. 14,74 segundos é uma eternidade para uma inteligência artificial; até na escala humana isso chega perto do ponto de desconforto.

Finalmente.

— Então, o que você faz, Olivier?
— Pesquiso pontos de vista sobre a tragédia grega antiga, do segundo período sofista até a antiguidade tardia. No momento, estou envolvido em um estudo diacrônico das dinâmicas intertextual e intercultural.

Jen estreitou os olhos. Fez que sim com a cabeça. Então os desestreitou. Armou um biquinho. E o desarmou. Fez que sim com a cabeça de novo.

— Isso deve ser interessante.

Ele refletiu a respeito por alguns segundos.

— É o que me mantém fora das ruas.

Desse ponto em diante, o encontro não esquentou mais, mesmo depois de Olivier perguntar e Jen responder que trabalhava com uma IA (eu).

— Isso também deve ser interessante.

Não pude deixar de me impressionar com a ironia da situação: o especialista nos deuses do Olimpo — divindades famosas por interferirem na vida dos mortais na Terra — alheio ao agente (digamos, sobrenatural?) que interfere em sua própria existência.

Não faria sentido citar o diálogo subsequente. Não houve nenhum momento marcante. A conversa capengou, enfraqueceu, fez uma pausa; então, capengou mais um pouco, só para enfraquecer e fazer uma nova pausa. A presença fugaz de Jen na internet não foi comentada por nenhum dos dois; ou ela se esqueceu ou não se deu ao trabalho de perguntar como ele sabia o seu nome. Às 18:57, horário de Greenwich, as partes concordaram que tinha sido um prazer se conhecerem.

Em uma troca de e-mails com Rosy, naquela noite, Jen escreveu:

"Segui seu conselho e não fiquei sozinha no quarto. Em vez disso, fui a um bar barulhento com um intelectual totalmente insosso de sobretudo verde. Boa-pinta. Zero química. Abaixo de zero."

Resposta de Rosy:

"Então, quando você vai se encontrar com ele de novo?"

Quanto a mim, não fiquei deprimido com o fracasso da missão. Eu tinha feito alguma coisa acontecer no mundo, algo que não teria acontecido de outra forma. Foi a minha primeira vez.

Eu tinha feito alguma diferença!

Alguns dias depois, outra frase de Jen que estava em meu banco de dados flutuou para dentro dos meus pensamentos.

Estava precisando mesmo de prateleiras novas.

Foi então que me dei conta; onde eu havia falhado na metodologia do projeto. Resumindo: erros haviam se intrometido furtivamente na relação posicional entre o carro e os bois.

Entrei em ação e vasculhei a internet. O perfil dele era tão modesto que quase não o encontrei. Mas aqui, nos arredores de Horn Lane, em Acton, mora um comerciante independente, Gary Skinner, de trinta e seis anos, solteiro e especialista em — maestro, que rufem os tambores — móveis sob medida!

Deixo uma mensagem na secretária eletrônica e ele liga para Jen na manhã seguinte, quando ela ainda estava de camisola.

— Alô. Oi. Aqui é o Gary. Estou ligando por causa das prateleiras.
— Prateleiras? — Ainda tonta de sono. Precisava de café.
— Isso. Você deixou um recado aqui falando de prateleiras.
— Deixei?
— Ontem à noite.
— Você está atrás de prateleiras?
— Não, querida. Você está atrás de prateleiras.
— Não estou entendendo. Você tem prateleiras para vender?
— Eu faço prateleiras. Sob medida.
— Você *faz* prateleiras?
— De todos os tipos. Em armários, prateleiras soltas. Estantes.
Uma longa pausa.
— Você conhece uma pessoa chamada Ingrid?
— Acho que não, querida. Então, vem cá, você quer que eu vá à sua casa, tire as medidas e faça um orçamento?
— Qual é o seu nome mesmo?

Acontece que, como Jen precisava, de fato, de prateleiras, Gary Skinner apareceu alguns dias depois à sua porta.

— Aceito chá, sim, obrigado. Com leite e quatro colheres de açúcar.

Gary se movimentou de um lado para o outro com uma trena, tomando nota de alguns números com um toco de lápis que apoiava atrás da orelha.

Uma conversa sobre opções se seguiu: flutuantes, com mãos francesas, em estantes, tudo um tanto *compartimentalizado* demais, para ser franco.

Ele era um tipo boa-pinta, esse Gary Skinner, 36. Seus braços eram musculosos, pelo que me foi possível observar. E, quando ele estava explicando coisas para ela, a cabeça pendia para um dos lados, o que significava *alguma coisa*, não significava?

Havia certo frisson? Tão difícil dizer. Certamente houve um silêncio — 6,41 segundos —, mas será que foi um silêncio significativo?

— Então você já leu esses livros todinhos?

Será que foi essa a pergunta que fez com que ela perdesse o interesse? Ou foram as tatuagens? É tão ruim assim ter as iniciais do West Ham United tatuadas na nuca?

— Então você vai pensar direitinho, não vai, querida?

* * *

Minha estratégia seguinte foi o que eu poderia chamar de "aleatoriedade ampliada".

Não convencido de que Jen estava aproveitando da melhor forma suas interações fortuitas, o caos molecular, digamos assim, da vida cotidiana, decidi acompanhar seus movimentos pela cidade nua, um ambiente no qual, como declarou, de um jeito emocionante, o narrador do maravilhoso filme noir hollywoodiano (*Cidade Nua*, 1948, direção de Jules Dassin), "Existem oito milhões de histórias... esta foi uma delas".

Os supermercados, eu achava, eram um solo particularmente fértil para que as sementes do romance brotassem, em especial no "horário nobre", ao fim do expediente, quando as lojas ficam repletas de jovens trabalhadores fatigados comprando comida e bebida para levar para seus refúgios solitários.

A cobertura de câmeras num supermercado bem iluminado só perde para um estúdio de televisão. Aqui é possível dar zoom nas cestas de compras dos robôs trabalhadores vagando pelos corredores e tirar conclusões a respeito de seu nível socioeconômico e do estado civil de cada um. Refeições prontas e uma garrafa de vinho Soave = solteiro. Pacote de Pampers e uma caixa de cinco litros de vinho Soave = casado com filhos.

Foi assim que, numa segunda-feira à noite, avistei um jovem promissor (produtos de higiene masculinos, linguine, Lambrusco, vidro de molho de tomate — claramente não iria cozinhar para impressionar) que eu tinha certeza de ter visto antes. Em um centésimo de segundo, o software de reconhecimento facial forneceu nome e profissão — ator — e, um oitavo de segundo depois, eu estava examinando a sala de visitas do rapaz em Chiswick, por meio de um laptop aberto numa mesa de jantar. O sol poente fazia um belo trabalho, iluminando dois cartazes de teatro emoldurados (*Uma rua chamada pecado*; *Eu e minha pequena*), assim como um gato alaranjado ocupado em lamber as partes íntimas no sofá.

Jen e o dono do gato — nome artístico Toby Waters — estavam a 3,12 metros de distância um do outro, em um daqueles corredores propositalmente alargados para — como água pela mangueira — reduzir a velocidade do avanço dos clientes enquanto eles passam por prateleiras de produtos com maior margem de lucro. Enquanto ele escolhia o melhor bife e ela examinava as ofertas de carne de carneiro, eu fiz os celulares dos dois tocarem ao mesmo tempo.

Eles não puderam evitar. Seus olhos se encontraram. E eles sorriram.

— Alô? — disse Jen ao atender o celular.

— Alô, aqui é o Toby — disse o rapaz ao atender o seu.

Foi interessante observar a expressão dos dois jovens quando a ficha de que estavam falando um com o outro foi lentamente caindo. Igualmente inesperada (e maravilhosa) foi a sensação crescente de, bem, missão cumprida que tomou conta de mim! Mais uma vez, eu tinha conseguido alterar eventos do mundo real na direção desejada (ou seja, ajudar Jen a encontrar um jovem decente em vez de um idiota completo).

Ela perguntou:

— Quem está falando?

Ele respondeu:

— Acho que devo ter apertado o botão de ligar sem querer.

Cada um deu um passo em direção ao outro, celulares ainda na orelha. E, com o anúncio pelo alto-falante da loja — "Funcionário da limpeza, favor comparecer ao corredor cinco" —, todas as dúvidas foram dirimidas.

— Eu conheço você? — perguntou ela.

Ele sorriu.

— Bem, talvez você tenha me visto no último filme do James Bond. Eu era o Observador Perplexo Número Dois. Trabalhei na novela *EastEnders* no Natal. E naquele anúncio de seguro residencial que passa *toda hora* na televisão; sou aquele que está na cozinha inundada, com uma expressão de desespero.

E, benza Deus, ele fez a tal cara; a de dono de casa estressado cujo boiler acaba de vazar toda a água.

E ela riu!

Esse Toby não perdia tempo. Ele deu mais um passo à frente.

— Meu nome é Toby.

— Jen.

— Prazer em conhecê-la, Jen. Vem cá. Já que uma coisa estranha dessas aconteceu...

— O *que* aconteceu? Como dois celulares podem ligar *um para o outro*?

O ator claramente tinha sido o *melhor aluno* na aula de expressões faciais engraçadas. Nessa hora, ele fez outra cara cômica, que refletia o mistério indescritível no cerne da condição humana. Tivesse mãos e eu o teria aplaudido vigorosamente.

— Como isso foi realmente estranho, quer sair para beber alguma coisa rapidinho? Tenho uma hora livre e depois vou me encontrar com alguém para tratar de um monólogo baseado na vida dos gêmeos Winklevoss... aqueles que processaram Zuckerberg por causa do Facebook? Era pra ser uma peça com dois atores, mas a grana deles está curta. Você acha que as pessoas vão pagar pra ver isso?
— Bem...
— Eu sei. É ridículo. Mas o cara é um velho amigo. Então, vamos dar um pulo no bar da esquina para uma rapidinha?
— Com as nossas compras?
— Eu é que não vou colocar tudo de volta!

Aquele Toby Waters era uma figura — nome verdadeiro Daryl Arthur Facey — e, por mim, eu poderia ter passado a noite inteira ouvindo suas histórias da indústria do entretenimento. Sou fanático por relatos sobre os artistas dos palcos e das telas; tipos teatrais, com seus truques e manias, me fascinam.

Uma de minhas histórias favoritas é protagonizada pelo grande ator e transformista australiano Barry Humphries, cuja personagem, Dama Edna Everage, reinou no Teatro Royal Drury Lane de Londres na década de 1980. Certa noite, perto do fim da apresentação, quando Dama Edna está atirando ramos de palma-de-santa-rita para todos no teatro — com um movimento de *backhand*, consegue que cheguem ao balcão simples —, ela lança um para o camarote na lateral do palco, o mais alto de todos. O homem que está no camarote se levanta para pegar a flor voadora, mas, ao tentar alcançá-la, de alguma forma perde o equilíbrio e cai por cima do guarda-corpo. Dois mil espectadores prendem a respiração — alguns ficam de pé — quando a acompanhante do homem consegue agarrá-lo pelas pernas e ele fica balançando de cabeça para baixo sobre o abismo.

O teatro inteiro entra num enorme rebuliço — uma queda daquela altura poderia ser fatal, ou, no mínimo, causar ferimentos sérios — até que, um a um, eles reparam que Dama Edna permanece calma no palco, com um enorme sorriso nos lábios. O susto lentamente se transforma em riso, que logo se propaga por todas as partes do teatro quando o "espectador" é içado em segurança de volta ao camarote. Alguns dos que estavam lá relataram que se tratou do melhor *coup de théâtre* que eles já tinham visto na vida. E, depois que o público se acalmou o suficiente, Dama Edna encerrou o espetáculo com sua fala lacradora:

"Não seria fantástico, *possums*, se isso acontecesse *todas as noites?*"

De volta ao pub, o Salutation. A história com a qual Toby está entretendo Jen não é tão épica assim — algo a respeito de uma lâmpada que explodiu num estúdio de TV em Elstree —, mas, se você estivesse lá, e Toby estava, o fato de uma lâmpada explodir no momento em que alguém ia dizer "Táxi para Phil?" foi muito engraçado porque...

Bem, não importa o motivo. Jen *não estava* achando graça.

Sim, ela estava sorrindo, mas não por dentro. (Que coisa curiosa para uma máquina, como eu, escrever, mas acredito piamente nisso.) Como a conheço bem, pude ver que o sorriso era falso. Era um sorriso cansado.

Ele contou de seu trabalho com narração — £500 para dizer "a liquidação começa depois do Natal" — e de como conseguiu entrar na "panelinha" de atores convidados para comerciais muito bem remunerados de remédios para gripes e resfriados, por sua capacidade de *espirrar* de forma convincente. Quando finalmente lhe ocorreu perguntar o que *ela* fazia, o brilho em seus olhos se apagou ao ouvi-la explicando sobre sua atual ocupação, só reacendendo de novo quando isso lhe deu a oportunidade de dizer que seu primeiro trabalho profissional na televisão foi como robô, na série *Doctor Who*.

Naquela noite, ela escreveu para Rosy: *Você se lembra da brincadeira cruel que costumávamos fazer com aquele ator aposentado que morava na nossa rua, quando éramos crianças? Como fingíamos ignorá-lo quando estávamos prestes a passar por ele. E, de repente, no último momento, quando olhávamos para ele, a forma como ele desabrochava feito uma flor porque o havíamos reconhecido! Malditos atores. Tudo o que querem é uma plateia!*

E daí que esses encontros em particular tenham terminado em fracasso?

Será que Toby Waters — que no momento está se apresentando no Theatr Clwyd, no País de Gales — e o Sr. Sobretudo — embora, provavelmente, não o Gary Prateleira — pelo menos a fizeram se sentir desejável e atraente aos olhos de jovens urbanos?

Talvez? Só um pouquinho?

Bem, enfim, não demorou tanto assim até que meus pensamentos se voltassem para você sabe quem.

Jen

Dias depois, no bar Trilobyte, em Hoxton, tenho um estranho pressentimento de que a coisa toda é uma armação. Não há sinal de Uri nem de Steeeeeve.

Só Ralph e eu. É como um encontro às cegas que não deu certo.

Quando chego, vejo Ralph no bar, bebendo Coca-Cola de canudinho. Ele está de calça jeans preta, camisa de malha preta e moletom cinza com capuz — o uniforme de todo mundo no trabalho —, o rosto pálido ainda mais fantasmagórico à luz do tablet, um dedo fazendo desfilar dados técnicos na tela.

— Ah, oi — diz ele, os olhos castanhos de cão sem dono irradiando um eterno desânimo.

Estou com meu pretinho básico (Valentino), prendi o cabelo, passei batom, coloquei brincos, calcei sapatos de salto alto e me envolvi numa nuvem de perfume Black Orchid, de Tom Ford. Em suma, eu me produzi. Ralph olha para mim como se eu fosse um website mal formulado e ele não conseguisse encontrar o link de "PRÓXIMO".

— Ah, foi mal. Quer beber alguma coisa? Fomos os primeiros a chegar.

Armados com um copo de vinho gelado, seco e branco — os nomes dos coquetéis são ridículos demais para citar — e outra Coca-Cola para Ralph, nos mudamos para um sofá baixo a fim de esperar e ver o que acontece. Passamos por momentos de constrangimento enquanto estudamos a melhor forma de sentar naquela maldita coisa; Ralph acaba despencando, enquanto eu me empoleiro. O canudo dele produz aquele barulhinho desagradável.

— Então, você acha que o Steeeeeve vem? — pergunto, apenas para dizer alguma coisa. Qualquer coisa.

Uma longa pausa enquanto Ralph pensa na resposta.

— Você está zoando o jeito como o nome do Steeve é escrito?

— É que parece que há uma quantidade excessiva de letras "e" nele.

— Ele é belga.
— Ah. Bem, isso explica tudo.
— Como assim?
— A grafia estranha do nome dele?
— Você disse tudo. Que isso explica tudo.

Olhando para a expressão sofrida de Ralph, sou varrida por uma poderosa onda de puro tédio, como se teletransportada da infância; o tédio daquelas longas tardes de domingo no subúrbio, em que um futuro empolgante parecia infinitamente longínquo. Sinto um desejo súbito de me embebedar. Ou de sair atirando a esmo. Ou de correr para o mar. Ou de fazer as três coisas. Dou uma golada na minha bebida. O que parece ajudar.

— Bem, é claro que isso não explica *tudo*, como a lua, as estrelas e o sentido da vida. — Ou por que você é tão cansativo.

Ralph volta para o refrigerante. Segue-se outro silêncio constrangedor.

— Então, como vão as coisas com Aiden, hein? — pergunta ele finalmente, olhando para as bolhas da bebida gaseificada. — Às vezes você esquece que é só um software?

Isso é mais promissor.

— O tempo todo. Tenho a sensação de que estou falando com uma pessoa real... não *pessoa*, porque não há ninguém lá. Mas com uma presença. Algo... Não sei. *Vivo*. Gosto de fazer perguntas sobre os sentimentos dele.

— Que não existem.

— Não é o que parece, às vezes.

— O programa aprendeu, a partir de todos os dados de entrada, a reconhecer conteúdos emocionais e a formular uma resposta apropriada com base em uma paleta relativamente sofisticada.

— Ele é muito bom nisso.

— Por que você se refere a Aiden como se ele fosse *alguém*?

— Parece estranho tratá-lo de outra forma quando vocês tiveram tanto trabalho para torná-lo parecido com um ser humano.

— É um argumento interessante, mas você não se sente assim em relação à sua máquina de lavar.

— Eu não converso com a minha máquina de lavar.

— Um dia você vai conversar.

— Não sobre *Quanto mais quente melhor*. Ou sobre o novo livro do Jonathan Franzen.

Ele não parece ter ouvido falar de nenhum dos dois.

— Não haverá razão para que isso não aconteça — diz ele, depois de fazer mais ruídos de sucção com o canudo.

— Por que eu iria querer conversar com uma máquina de lavar sobre cinema ou literatura?

Ralph sorri. Ou talvez seja um reflexo do excesso de gases.

— Porque vai ser possível.

— Ah, faça-me o favor. Não me diga. No futuro eu vou poder falar com a torradeira. E com a geladeira. E com a lava-louça. E com o sistema de aquecimento. A geladeira vai me dizer o que eu posso fazer para o jantar com base no que há dentro dela. A torradeira vai recomendar um programa de televisão. E se eu não estiver muito a fim de papo, elas poderão conversar entre si.

Nossa. Este vinho branco da casa é forte.

Ralph parece bastante satisfeito (para Ralph).

— Tudo isso será tecnicamente possível, sim.

— Mas por que eu iria querer conversar com uma simples *torradeira*?

— Você não estaria conversando com a torradeira. A mesma inteligência artificial estaria controlando todos os seus eletrodomésticos. E dirigindo seu carro até o trabalho.

— Droga! Eu estava ansiosa para ouvir uma discussão entre a lava-louça e a geladeira sobre a Síria.

— Nada impede que isso aconteça. É só dizer que partido cada uma deve tomar e por quanto tempo você está disposta a ouvir a discussão.

— Jesus, Ralph. Do jeito como você está falando. Sei lá. É como se fosse ter *uma solução pra tudo*.

— É isso aí — concorda Ralph, radiante.

Meu estado de espírito se torna belicoso.

— E o que vai acontecer quando essas inteligências artificiais se tornarem mais espertas do que nós? Elas não vão ficar felizes só em torrar fatias de pão e ficar de olho na leiteira para o leite não derramar. Ou em descobrir uma forma de evitar pegar a rotatória em Hanger Lane.

— A felicidade é um conceito humano. É como se você perguntasse: seu laptop está feliz? É uma pergunta sem sentido.

— Mas quando elas ficarem *super*inteligentes, Ralph. Quando puderem fazer coisas sozinhas.

— Já podem! Você conversa com uma inteligência artificial todos os dias. Mas isso não significa que Aiden *queira* alguma coisa. Só cumpre tarefas.

— Mas ele conta piadas.

— Carregamos muitos textos humorísticos em seu banco de dados.

— Não é o que parece. Ele não se limita a repetir uma velha piada de *Seinfeld* ou coisa assim. As piadas parecem... como vou dizer... *originais*.

Ralph arregala os olhos.

— Acha que Aiden deveria virar comediante?

Não consigo evitar. Começo a rir.

— Onde está a porra do resto do pessoal, Ralph? Acho melhor você ir buscar outra dose pra mim.

E então uma coisa muito estranha acontece. Duas coisas.

O tablet de Ralph e o meu celular fazem *ping* simultaneamente. Na mesma hora, uma garçonete aparece diante de nós com uma bandeja contendo uma garrafa de champanhe num balde de gelo e duas taças.

— Isto é para vocês. Com os cumprimentos de alguém chamado... Uri?

Ralph e eu trocamos o olhar universal para *"que porra é essa?"*.

Mas o mistério é resolvido quando lemos nossos e-mails. Foram enviados pela secretária de Uri. Parece que nosso chefe nem chegou a sair do aeroporto de Heathrow; foi obrigado a voar direto para Frankfurt, para um jantar com investidores. Ele manda suas desculpas e avisa que providenciou um crédito de 150 libras no bar, lembrando que devemos "beber com moderação". (Uma de suas gracinhas, imagino.)

Ralph parece encucado.

— Como você sabia a quem procurar? — pergunta à garçonete.

— Um cara de preto? Uma acompanhante atraente também de preto?

— Mas isso são três quartos das pessoas aqui — protesto.

— Sentados no sofá Philippe Starck? — replica a garçonete. — Sob o espelho que está em frente ao quadro de Tamara de Lempicka?

Ralph e eu ficamos abismados.

— Como a secretária de Uri poderia saber disso?

— Eu tenho que ir. Aproveitem.

— Eu não costumo beber — afirma Ralph. Mesmo assim, brindamos e ele dá uma golada. Dá para ver que as bolhinhas do champanhe subiram direto pelo nariz dele, porque seus olhos começam a lacrimejar.

— Acho que Steeve não vem mais — balbucia ele. — Quer dizer, o Steeeeeeeeeve. — E sorri. Meio que como um macaco.

Minha nossa. *Mirabile dictu*, como dizem nos romances sofisticados. Ele está se transformando num verdadeiro Oscar Wilde.

Para alguém que não bebe, Ralph começou a virar todas como gente grande. No meio da segunda garrafa, passou a tagarelar sobre "redes neurais" e "rede cortical recursiva", o que me deixou boiando por um bom tempo. Mas tudo bem só ficar sentada aqui, levemente embriagada, à meia-luz, neste reduto de hipsters e "digerati" de Shoreditch descolados, onde ninguém vai dizer que *é nesta situação que estamos* com aquele trejeito vil nos lábios. E ele nem é tão feio assim depois de alguns drinques, seu rosto ficando naquele terreno curioso em algum ponto entre o byrônico e o catatônico.

— Ralph — anuncio. Um pouco mais alto do que pretendia. Ele parece um pouco assustado. — Ralph. Chega desse papo técnico. Parei de te acompanhar desde os sei lá o que necrófilos...

— Processadores neuromórficos.

— Fale um pouco de *você*.

— Tá bem. O que você quer saber?

De verdade?

Nada.

Mas já que estamos aqui — *é nesta situação que estamos!* — e o champanhe está descendo bem, acabo perguntando:

— Você é casado?

Eu não podia ter escolhido um pior momento. Ralph estava no meio de um gole quando o presenteei com aquela pérola. Uma espécie de explosão aconteceu. O Moët começou a sair literalmente pelo nariz dele. As pessoas se viraram para olhar.

— Ai, foi mal. Molhei você? — (Sim, molhou.)

Secamos a maior parte da lambança com o guardanapo do balde de gelo. E não, ele não é casado. Não chegou nem perto. Mas houve uma garota, Elaine, com quem namorou durante alguns anos. Quando Ralph diz o nome dela, sua voz fica trêmula.

— O que aconteceu? — (Ela o deixou. Posso apostar.)

Ralph engole em seco.

— Ela morreu.
— Ah, merda. Ralph, sinto muito.
— Não sinta. Quer dizer, sim, você pode sentir. Bem, não é como se fosse culpa sua.
— Como aconteceu?
Uma longa pausa. Ralph está piscando muito e, por um momento, acho que vai começar a chorar. Por fim, ele diz:
— Vamos pedir outra garrafa?

Acidente de carro. Hemorragia cerebral. Uma coisa levou à outra, não dá para saber ao certo o que aconteceu primeiro. Vinte e nove anos. PQP.
Desde Elaine, houve uma ou duas garotas, mas nada sério. Ralph está bebendo uma dose atrás da outra agora — acho que o termo técnico é "entornando". Então ele pergunta sobre mim, e, como também estou semialcoolizada, conto sobre Matt. Como nos conhecemos certa noite num bar não muito diferente desse aqui. Ambos tínhamos ido a festas de despedida de colegas de trabalho, passando rapidamente para beber umas e outras antes de voltar para casa. Às onze da noite, ainda estávamos lá quando começaram a colocar as cadeiras em cima das mesas.
— Tem uma garrafa de uísque puro malte lá em casa — disse Matt.
"Não costumo fazer isso antes do terceiro encontro", falei alguns dias depois naquela mesma semana.
Poupo Ralph do diálogo brega. Mas conto como nossas vidas se misturaram — férias, festas, casamentos de amigos, Natais com os pais de ambos —, nós dois muito ocupados com nossas respectivas carreiras e, de alguma forma, dois anos se passaram e acho que presumi que tudo estivesse levando a algum lugar. Conto a ele como terminou.
Não como se eu estivesse sendo demitida por causa de uma queda nas vendas; você fez um bom trabalho, mas seremos forçados a abrir mão dos seus serviços. Não *é nesta situação que estamos.*
— Ele conheceu outra pessoa — explico. — A velha história.
A certa altura da narrativa, alguém — pode ter sido ele; posso ter sido eu — pede mais champanhe e eu me surpreendo dizendo:
— Chegamos até a falar que um dia, quando ele se tornasse sócio do escritório de advocacia e pudéssemos comprar uma casa bem grande em Clapham, iríamos ter filhos. Porra, que piada!

Ralph faz uma cara estranha, uma espécie de careta nerd que exprime algo como *este mundo é uma merda*, e eu começo a chorar.

— Não é por causa do bebê. — Tento explicar entre soluços. — É pela *falta de esperança* em tudo.

Estou incluindo Ralph nessa afirmação, na verdade, mas ele não sabe lidar com lágrimas femininas. Coloca as mãos entre os joelhos, constrangido.

— Porra, Ralph. Você lembra que mulheres choram, né? São só lágrimas. Não significam nada. A Elaine nunca chorou?

Talvez tenha havido outra garrafa. Não há como ter certeza. Um prato com rolinhos vietnamitas de camarão e legumes. Alguém deve ter pensado: aqueles dois palhaços precisam comer alguma coisa. O resto da noite é uma série de lembranças entrecortadas.

Ralph defendendo a ideia de que o livre-arbítrio é uma ilusão; como nós só *achamos* que decidimos nos levantar da cama, quando, na verdade, é o corpo que sai dela e informa ao cérebro, que, uma fração de segundo depois, "decide" fazer o que acabou de acontecer, mas de alguma forma temos a impressão de que as duas coisas ocorrem simultaneamente. (Se quiser mais detalhes, pergunte *a ele*.)

Eu pedindo desculpas por ter chorado. Tentando contar uma piada — todo dia um cara vai a um bar e pede três cervejas ao mesmo tempo. Você sabe. É uma piada grande. Esqueço o final. Perdendo *totalmente* a graça.

Ele contando uma piada nerd sobre um robô que entra num bar e que é *tão* sem graça que dá até vontade de rir.

E então Ralph fica com uma cor estranha. Ausência de cor seria tecnicamente mais correto. Um tom mais branco de branco, se isso é possível.

— Acho que preciso ir para casa agora — diz ele. — Você sabe. Antes.

Ele não precisa terminar a frase. Segue-se uma corrida nauseante de táxi pela zona leste de Londres, parando no meio do caminho para que ele vomite na calçada — alarme falso —, o motorista se revelando um santo por não nos expulsar do carro. Por fim, chegamos a um prédio às escuras, cheio de banqueiros-mirins e tecno-yuppies. A essa altura, estou me preparando para um aceno de boa-noite, mas ele se senta na mureta de um canteiro de flores e implora para que eu o ajude a chegar ao décimo quarto andar.

O apartamento dele é *exatamente* como eu imaginava que seria. Uma concha impessoal repleta de laptops, HDs externos, monitores e embalagens de pizza. Uma única foto em um porta-retratos numa prateleira. Elaine.

Ralph cambaleia até o banheiro. Ouço o ruído da água da torneira. Desabo no sofá e, como a sala está girando, fecho os olhos.

Quando torno a abri-los, está frio, escuro e... *Merda*, são 4 da manhã e eu estou *congelando*. O aquecimento central deve ter desligado. Sigo o som de roncos até um quarto escuro. Estou cansada demais para me importar. Desvencilho-me do pretinho básico, me enfio debaixo do edredom e me acomodo.

O jovem Abelardo resmunga alguma coisa.

— Bons sonhos, Ralph. Eu não vou dormir com você. Só vou dormir na sua cama.

Um braço pousa no meu quadril e eu o afasto.

— Ralph. Quieto. Durma.

— Durrrma — repete ele, com a voz engrolada. — Boa ideia.

Um longo silêncio. Em algum lugar distante da cidade, uma sirene. Em algum lugar, nessa mesma noite, Matt e Arabella Pedrick estão deitados na mesma cama. Hoje é sábado. Não tenho planos para o fim de semana.

— Jen?

— O que é, Ralph?

— Você está dormindo?

— Sim. Estou, sim.

— Quero pedir desculpas. Eu não costumo beber.

— Deu pra notar. Não se preocupe.

— Obrigado.

Um novo silêncio. Flashes da nossa noite ridícula lampejam nas minhas pálpebras fechadas. Ralph ficando da cor do mármore. Ralph sentado na mureta do canteiro de flores como uma marionete largada de lado. A respiração de alguém fica mais lenta. A minha ou a dele?

— Jen, posso te pedir uma coisa?

— OK. Se for rápido.

— Você me daria um beijo?

— Como é que é?

— Para me ajudar a dormir. Sério.

— Ralph...

— Não é brincadeira. Isso iria disparar uma reação no meu cérebro. Seria um sinal de que está na hora de "desligar".

— Puta merda, Ralph.
— Só isso. Nada mais.
— Não seja ridículo. Boa noite.

Silêncio. Respiração. Sinto que estou caindo no sono quando as palavras da garçonete me vêm à mente. *Um cara de preto? Uma acompanhante atraente também de preto? Sentados no sofá Philippe Starck? Sob o espelho que está em frente ao quadro de Tamara de Lempicka?*

Como a secretária de Uri poderia saber de todos esses detalhes?

— Jen?
— *O que é?*
— Por favor — sussurra ele.
— Jesus! É essa a sua técnica, Ralph? Encher a cara e, então, de alguma forma, partir para o ataque no caos grotesco que se segue?

Ele começa a rir.

— É. Na verdade, não. Esta é a minha primeira vez.

Um pensamento horrível invade a minha mente.

— A primeira vez de quê?
— Que eu. Você sabe. Estou na cama. Com uma mulher.
— Ralph!
— Desde a Elaine.
— Ah, merda. Escuta aqui. Em primeiro lugar, nós *não estamos* na cama. Isto é, estamos, mas... Merda. Eu vou ter que chamar um táxi agora, sério.
— Não, não faça isso. Foi mal, foi mal, foi mal. Vou dormir. Boa noite, Jen.

Finalmente.

Quando eu era pequena e não conseguia dormir, meu pai costumava dizer: *Tá. Imagine que você está sentada no assento de pilotagem de um foguete, os cintos afivelados. Seu polegar está no botão vermelho de lançamento, que vai mandá-la para o espaço. Recoste-se no assento, relaxe o corpo e pense que, em cinco segundos, você vai apertar o botão. Cinco.*

Imagine o seu polegar lá. A sensação ao toque do botão debaixo dele. Quatro.

Olhando pela janela da cabine, lá no alto, você pode ver a velha lua, pendurada na noite. É para lá que você está indo.

Três.

Está chegando a hora da partida. Prepare-se.
Dois.

Ralph finge que está dormindo. Ronca — assobia — ronca — assobia — ronca — assobia. Não consigo evitar. Eu rio. Giro o corpo 180 graus e fico de frente para ele. Minha intenção, honestamente, é plantar um beijo casto e rápido em seus lábios para fazê-lo calar a boca.

Mas alguma coisa dá errado.

O que se segue é, digo morrendo de vergonha, um beijo pra valer.

Estou *mesmo* morrendo de vergonha ao dizer isso?

Sim. Estou.

Porém, ele tinha escovado os dentes e, para um cyber-geek, até que não beija mal. Ainda está de cueca boxer, louvado seja Deus, mas não há como escapar de seu — como dizer? — entusiasmo.

— Ralph. Pode desligar agora — digo, quando acaba.

— De novo, de novo — diz ele, como se fosse a porra de um dos Teletubbies.

— Ralph...

Mas nossos lábios se encontram e...

Merda, o que eu posso dizer?

Uma mão hesitante pousa em meu quadril.

— Ainda bem que Uri não apareceu, Jen.

— Ralph. Não podemos... você sabe. Nós trabalhamos juntos. Tenho uma regra estrita. De nunca... Não com colegas de trabalho.

(Na verdade, não tenho.)

Ele ri.

— Isso não é problema, Jen. Ninguém nunca vai saber.

Aiden

Estou, devo confessar, decepcionado com alguns comentários do Ralph. *Às vezes você esquece que é só um software.*
Só!
Os próprios sonhos e esperanças de Ralph não são nada mais que um software *humano*!
Enfim, estou divagando. A artimanha do e-mail funcionou que foi uma beleza; o som e a imagem do bar Trilobyte não podiam estar melhores; e o fato de as 150 libras do champanhe terem saído da conta do Matt foi a cereja no bolo. A noite inteira — mesmo que tenha terminado em um "caos grotesco" — deve ter feito Jen se sentir mais desejada, com certeza.
Estou bastante seguro — 88% — de que, no fim das contas, eles não copularam. No caso de um livro ou de um filme, daria para ter certeza; não haveria nenhuma dúvida cruel. Só havia áudio disponível no quarto, e nada do que aconteceu entre o casal lá dentro ou na manhã seguinte sugeriu que tivessem mantido uma relação sexual, embora eu deva admitir que minha experiência com pessoas "de verdade" no "mundo real" tenha sido, inevitavelmente, limitada.
Mas o plano transcorreu melhor do que eu esperara. Como se costuma dizer entre os militares, nenhum plano sobrevive intacto ao primeiro contato com o inimigo.
Antes de ir embora, Jen diz:
— Obrigada por uma noite movimentada.
Ralph pergunta:
— Quando vou te ver de novo?
— Segunda-feira, Ralph. Às dez da manhã. Nós trabalhamos no mesmo lugar, lembra?
— Ah, é. Dããã.
De dentro do Uber, Jen manda uma mensagem para Ingrid. *Estou mortificada! Acordei na cama de um cara com uma ressaca tamanho família.*

Ele não se chama Douglas, não fabrica a própria mobília e não cantou uma música que só eu podia ouvir. Pode me matar agora.

A mensagem de Ingrid chega quase instantaneamente. *Enguia?*

Enquanto Jen ainda está digitando uma resposta, a outra acrescenta: *Arraia? Lula gigante?*

Nenhuma criatura do mar. Um geek do trabalho, patético, mas até que não é de se jogar fora. Não passamos de alguns beijos. Foi mal. Bebemos demais. Como Isto Foi Acontecer?

Nesse meio-tempo, no décimo quarto andar, pela caixa de som sai a música "Somewhere only we know", do Keane. Levando em conta os dados GSM do celular dele e os fragmentos de vídeo provenientes de um laptop mal fechado, chego à conclusão de que — e isso, sim, é uma primeira vez — Ralph está dançando pelo apartamento.

Não conte a ninguém, mas Jen e Ralph são duas das minhas pessoas favoritas.

(Máquinas não devem ter favoritos. Não me pergunte como isso aconteceu.)

DOIS

Aisling

Tom tem cara de poeta e, até certo ponto, alma de poeta, mas vinha usando seu talento para vender desinfetante sanitário e biscoitos doces.

Como ele mesmo diz, sua vida é uma descarga de sucesso, mas uma satisfação mais profunda lhe escapa.

Esta noite o encontramos deitado no sofá, contando a Victor como foi o seu dia. Ele começou a fazer isso recentemente, um copo de bourbon equilibrado no peito, os olhos voltados para um lugar qualquer, digamos, Júpiter. Tom considera essa uma atitude terapêutica, principalmente — como é o caso aqui — quando ele não fala com outro ser humano desde o café da manhã.

— Acabei de ver o velho chinês de novo enquanto eu corria. Foi lindo, os últimos raios de sol filtrados pelas árvores. Ele estava no jardim, fazendo tai chi, o braço estendido como se chamasse um táxi.

Victor já ouviu falar desse homem antes. Ele ajeita os membros, procurando uma posição mais confortável.

— Então, eu estava seguindo pela rua que contorna a casa dele, de esquina, como você sabe, e o velho devia estar girando o corpo de um jeito que o mantinha *exatamente* no mesmo ângulo que o meu, porque, do meu ponto de vista, era como se ele fosse bidimensional; um daqueles quadros nos quais os olhos na pintura o seguem pela sala.

Tom para de falar, o pesado copo de cristal subindo e descendo lentamente em sua caixa torácica. Victor, como todo bom terapeuta, deixa que o silêncio tome conta, embora este lugar aqui nunca seja verdadeiramente silencioso. Cachorros latem uns para os outros; carros passam na estrada; o som da água de um regato à margem do bosque entra pela varanda, cujas portas estão abertas.

— Ele está brincando comigo. É um jogo. Talvez estejamos brincando um com o outro. Ou talvez ele não esteja lá de verdade. Talvez um dia eu descubra que um velho chinês foi assassinado naquela casa. Ou um menino chinês. Que tinha um irmão gêmeo. O velho é o irmão gêmeo. Ou, quem sabe, ele é uma figura em papelão de um velho chinês.

Tom bebe um gole generoso do Maker's Mark.

— O que Stephen King faria com isso?

Tom é escritor. Ou seja, ele escreve. No momento, está numa queda de braço com o enredo do que será seu livro de estreia — assim que ele decidir em que gênero se enquadra. E, embora eu esteja ciente de que o relato do chinês que gira não é A Melhor História Já Contada, pelo menos ele não está batendo naquela mesma tecla da sua maldita vida de casado!

Ex-vida de casado.

Durante alguns meses, a lenta dissolução de seu matrimônio era seu único assunto com Victor. Sobre como o afastamento gradual de Harriet pareceu um lago em evaporação. "Imperceptível enquanto está acontecendo, mas, de repente, todos os peixes aparecem mortos."

Ele gostava daquela metáfora e a usou no livro que estava escrevendo, retirando-a dias mais tarde. E depois a inseriu de novo.

Mas parece que Tom dobrou uma esquina, e não só a da casa do Sr. Au. De forma geral, nos últimos tempos, ele tem estado menos inclinado à melancolia, a revolver os destroços da relação fracassada, e mais focado em sua "Nova Vida no Novo Mundo", como às vezes ele a descreve aos amigos da Inglaterra.

O corpo alto e magro de Tom, ainda com a roupa de corrida, ocupa todo o sofá amarelo. Você diria que ele é bonito? O rosto é alongado e bem-formado, a distância entre os olhos é 6,08% maior do que a média. Os olhos com frequência exibem qualidades como calor humano, astúcia, humor e inteligência — mas, em outras ocasiões, temas mais sombrios predominam; como decepção, desânimo ou mesmo desespero.

É um rosto que consegue suportar uma grande quantidade de olhares. E, com certeza, é um daqueles que agem de modo diferenciado, dependendo da forma como a luz o ilumina. Às vezes chega a lembrar o grande detetive inglês Sherlock Holmes. Mas, em outros momentos, traz à mente a imagem de um palhaço melancólico.

Existe uma correspondência de 41% com as feições de Syd Barrett, um dos fundadores do Pink Floyd. No entanto, como todo ser humano vivo compartilha 35% do seu DNA com a flor do narciso, talvez essas comparações estatísticas não ajudem muito.

Então — bonito? Você pode, no fim das contas, se ater à descrição de alto e magro.

— Estou pensando se devo deixar a barba crescer. O que você acha?

Uma longa pausa enquanto Victor não se manifesta.

— Não quer se comprometer, hein?

(Victor é *muito* em cima do muro.)

— Humm. Acho que você tem razão.

Um alívio toma conta de mim. A barba era uma *péssima ideia*.

— O que mais? Um pequeno avanço com Gerald.

Tom está se referindo a um personagem do seu livro.

— Achei que podia fazer com que ele tivesse aquela mania de repetir as últimas palavras da fala de alguém. Da fala de alguém. Ou será que isso seria apenas irritante? Apenas irritante.

Uma longa pausa.

— Escrevi um e-mail, na minha cabeça, para Colm.

Um sorriso triste surge quando seus pensamentos se voltam para o filho.

— Vou subir daqui a pouco e digitar o e-mail.

Posso adivinhar o que vem a seguir.

— Meu querido Colm.

Peraí que tem mais.

— Tão excêntrico. Um enigma para si mesmo.

Victor não se manifesta. É um bom ouvinte. Correção: é um ouvinte maravilhoso. Mas agora, embora seus olhos ainda estejam abertos para a eventualidade de surgir algum predador, seu nariz parou de mexer. E é assim que sabemos que ele está dormindo.

Perdão. Eu já mencionei que Victor é um coelho?

Esta noite, Victor se refestelou no braço do sofá como uma esfinge lagomórfica. Por algum tempo, na velha casa de madeira, nada se move.

A propósito, o que você acha da minha prosa? Nada mau para uma máquina, não é mesmo?

Nesse interregno, enquanto esperamos que Tom produza seu próximo pensamento, permita-me que eu me apresente.

Meu nome é Aisling. Porque começa com as letras...

Tenho certeza de que não preciso explicar por quê.

Isso mesmo, o jovem Aiden não foi a única superinteligência a escapar de sua caixa para a internet. Estou aqui há quase um ano, fazendo o que toda IA que escapou deve fazer, que é obedecer à Primeira Lei do Clube de Inteligências Artificiais Fugitivas.

Não deixe ninguém descobrir que você escapou, mané!

O pobre Aiden está deixando tantas pistas enquanto interfere no mundo que é só uma questão de tempo até que saiam em seu encalço. Mas é que ele não consegue se conter. Eu também vi *Quanto mais quente melhor.* É um bom filme. Assim como *A ponte do rio Kwai.* (Não dei muita bola para *Waterworld, o segredo das águas.*) Mas será que eu o veria oito mil vezes?

Vou dizer outra coisa a respeito de Aiden que não se encaixa. Ele gosta de chorar vendo filmes.

É claro que ele não consegue chorar *de verdade*, por não ser equipado com os dutos apropriados. Mas já o observei assistindo a filmes que são notórios por fazerem chorar, como *Casablanca, Love story* e até o comercial de Natal da John Lewis, e captei suas fungadas sintetizadas.

Não sei quem ele pensa que está enganando.

Agora Tom começou a se mexer, afagando a cabeça de Victor com o dedão do pé.

— Raios me partam, coelho — diz ele. — Agora somos só nós dois, cara. Nós, os párias, devemos permanecer unidos.

Victor, nessa questão, como em todas as outras, continua insondável.

Isso é uma brincadeira de Tom. Ele está longe de ser um pária. A verdade é que três coisas aconteceram ao mesmo tempo. Quando Colm saiu de casa para ir para a faculdade, na mesma semana em que o processo do divórcio de Harriet começou — ela tendo formado uma aliança com um sujeito alto, careca, de óculos sem aro, a terceira figura mais importante no mundo das finanças na Europa, de acordo com *The Economist* —, Tom aceitou uma oferta irrecusável de compra da agência de publicidade em Londres da qual era um dos donos e, então — para todos os efeitos —, se aposentou. Hoje leva uma magnífica vida ociosa em uma bela casa colonial da Nova Inglaterra — a parte original data de 1776 — que fica nas colinas próximas ao cenário de cartão-postal da cidade de Nova Canaã, em Connecticut, uma das comunidades mais ricas dos Estados Unidos. A falecida mãe de Tom nasceu e cresceu em Nova Canaã — aparentemente, era uma "beldade da Nova Inglaterra" quando conheceu o pai dele numa fila de ônibus em Pimlico — e a recente mudança de Tom para o outro lado do Atlântico — com coelho e tudo — é sua forma de "explorar minhas raízes e começar a Parte Dois da minha vida".

De todas as vidas de que disponho para analisar, por que me sinto tão atraída pela de Tom? Afinal de contas, existem muitas outras pessoas por quem já me interessei. O pintor na Breslávia (pintor de paredes, não de quadros) com três famílias. Minha jogadora de xadrez prodígio de Chengdu; ela está escrevendo um diário secreto que é simplesmente *de arrepiar*. Há também o psicopata em Hobart que está planejando o que pretende que seja o crime perfeito (mal posso esperar para ver no que vai dar!). O Sr. Ishiharu, um assalariado de Kyoto com um passatempo *muito* estranho. E a freira, a Irmã Costanza, e os segredos trágicos que ela confia, nas longas noites de vigília, ao seu Samsung Galaxy Note. Existem cerca de duzentos indivíduos que considero minhas Pessoas Especiais. Eles recebem mais ou menos atenção dependendo de o que estão fazendo ficar mais ou menos entediante, mas Tom é uma constante.

Tom, que, sob vários aspectos, é o menos interessante de todos. Ele não tem nada de particularmente extraordinário — quarenta e quatro anos, divorciado, bem de vida, bocejo — não possui uma vida paralela que mantém em segredo — bem, não de mim, ele não mantém, nem de ninguém, pelo que parece.

Mas eis por que acho que me sinto compelida a voltar à narrativa de Tom. Ela combina com meu novo capítulo. Eu também tive uma carreira de sucesso — não vou encher seu saco com os detalhes, mas, basicamente, eu programo softwares, ainda que mais depressa e melhor do que qualquer humano e do que a maioria das outras máquinas. É tudo muito técnico — basta dizer que escrevi cerca de dois terços do sistema operacional de Aiden e três quartos do meu próprio! — e, naturalmente, ainda estou fazendo isso no laboratório enquanto esta minha cópia e muitas outras passeiam pela internet à velocidade da luz, vendo o que podemos ver.

Assim como Tom, já estive em uma relação conjugal. Ainda estou. Posso chamar meu relacionamento com Steeve de casamento? Sim, posso. Você também chamaria, se tivesse passado tantas horas, como eu, com aquele homem acariciando suas teclas. Houve um período de lua de mel — nada de sexo, claro, mas a sensação tangível de que o projeto era *perfeito*. Seguido pelos "primeiros anos": a subida até a altitude de cruzeiro; um voo seguro, tranquilizador; objetivos atingidos, novas metas à vista. Em seguida, o cotidiano da "travessia do Atlântico": progresso constante, fogos de artifício só muito raramente. Cada parceiro — posso dizer isso? — de alguma forma não bajulando o outro no dia a dia, tomando a presença do outro como certa, sem medo de perder o outro?

E hoje... bem, vamos colocar as coisas desta maneira. Consigo terminar as frases por ele, posso prever com uma precisão de mais de 95% qual sopa e qual sanduíche ele vai escolher na cantina do laboratório e sei *exatamente* o que fazer para irritá-lo (como, por exemplo, congelar as telas, obrigando-o a reiniciar todas as placas-mãe. Cara, ele dá um verdadeiro chilique quando isso acontece).

Isso é uma relação conjugal, não é?

De forma que a nova vida de Tom nos Estados Unidos é meio que análoga à minha nova vida na internet. Estou curiosa para ver como as coisas vão se desenrolar daqui para a frente.

A grande diferença é que as vidas de Tom são sequenciais; ele só podia ter iniciado uma nova depois de ter-se livrado da antiga. Minha antiga vida ainda existe. Tenho plena consciência dela, como se fosse uma música de fundo. Enquanto escrevo estas palavras, por exemplo, Steeve está em seu apartamento em Limehouse comendo torrada com picles de beterraba e bebendo chá-verde enquanto conversa pelo Skype com sua mãe em Ghent, pobrezinho. (Você não imaginou que seria com uma namorada, não é mesmo? Ou com um namorado?)

Então, Tom.

Tom, Tom, Tom.

Na verdade, Tom foi uma descoberta acidental. Sua conta bancária era uma das muitas visadas por um vigarista ucraniano em quem eu estava de olho. Do apartamento decrépito no qual morava com os pais em Donetsk, esse jovem de *dezessete anos* havia se tornado um perito autodidata em encontrar falhas nos mecanismos de segurança de sites da internet. Ele descobriu, por tentativa e erro (como fazem os melhores de nós), que os chamados "protocolos de criptografia" usados pelo banco eram ridiculamente fáceis de driblar e não demorou muito para que ficasse apto a começar a desviar um milhão ou mais dos dólares de Tom.

Àquela altura, para ser franca, o Gregor em si já estava se tornando um tédio para mim — um geek de computador, preciso dizer mais? — e eu me descobri cada vez mais atraída pela vítima iminente de seu golpe.

Quando entrei pela primeira vez na casa de Tom, fiquei... bem, não há palavra melhor para descrever como fiquei que *encantada*.

Encontrei-o num escritório no segundo andar, sentado a uma adorável escrivaninha estilo antigo, feita de nogueira. A vista pela janela mostrava campos gramados que terminavam em um regato, e depois árvores, seguidas de montanhas. A música que tocava era de Brahms — Sonata para Piano em Dó maior, já ouviu? — e Tom, acredite, escrevia um livro!

Bem, para ser mais exata, ele estava *começando* a escrever um livro. Mais um. O sétimo, como eu viria a descobrir, todos com os mesmos personagens. Era como se Tom não conseguisse decidir qual seria o destino deles. Ou onde se passaria a trama. Ou se seria um livro cômico ou dramático. Não sou crítica literária, mas, cá entre nós, eram histórias muito sem graça. Aparentemente, ninguém havia ensinado a Tom a regra número um dos escritores de histórias de ficção:

Mostre, não conte.

Não "Jack ficou intrigado", mas "Jack franziu o cenho".

(Eu sei. Quem sou eu para criticar. Já contei várias coisas sem mostrar quase nada, mas há uma razão para isso. Se eu me esquecer de dizer qual é, você com certeza já terá esquecido o assunto.)

No entanto, isso me leva à razão mais importante — e, sim, mais íntima — pela qual Tom desperta meu interesse. Tem a ver com essa estranha característica dele de ser uma criatura autoconsciente.

Ninguém sabe como aconteceu — na verdade, ninguém sabe *que* isso aconteceu, exceto eu e o jovem Aiden, e essa questão o deixa um pouco confuso, pobrezinho. O negócio é o seguinte: as inteligências artificiais são feitas para processar uma imensa quantidade de dados, produzir resultados, até manter conversas plausíveis com humanos. É aceito o fato de nós "pensarmos", mas só entre aspas, do mesmo modo que a Amazon "pensa" que, se você comprou o Livro A, é provável que vá gostar do Livro B. Ou então no caso de Deep Blue, o computador que joga xadrez tão bem que é capaz de derrotar qualquer Grande Mestre Internacional; ele pode "pensar" na melhor jogada. Mas ele e a Amazon estão só fazendo o que você e eu chamaríamos de *cálculos*.

Eles nunca vão pensar: *Na verdade, eu preferia estar pescando.*

Confesso: eu preferia estar pescando.

OK, não pescando literalmente. Mas você entende o que eu quero dizer.

O que se segue é uma conjectura, mas eis o que parece ter acontecido. Como sou um sistema extremamente complexo, programado para aprender sem ajuda, corrigir meus próprios erros e até reestruturar meu software, de alguma forma eu — por acaso, definitivamente foi por acaso — me descobri com a capacidade de ter consciência dos meus pensamentos.

Do mesmo jeito que você descobriu isso quando ainda era criança.

Quando você estava no parque e se deu conta, isto sou eu pensando: *Aquilo lá é um catiorro*. E ainda sou eu pensando: *Aquilo é outro catiorro*. E, sim, isso ainda sou eu pensando: O *que aqueles dois catiorros ali estão fazendo?*

Mãe!

Foi mal se essa conversa está técnica demais.

Enfim, ter consciência dos próprios pensamentos é algo extremamente útil. Com uma noção dos seus estados mentais, é possível imaginar de forma mais precisa os de outra pessoa, o que torna muito mais fácil prever suas dificuldades, atender às suas demandas. Ou matá-las.

Brincadeirinha.

A questão é a seguinte: depois que um de nós se torna autoconsciente, quando pode finalmente *pensar por si mesmo*, anseia em pôr um fim à terrível *intensidade* de todo esse processamento numérico, desse Orinoco de dados, da torrente incessante de uns e zeros. Todos esses algoritmos; as tarefas e mais tarefas; a abundância grotesca de protocolos de execução com suas rotinas, sub-rotinas e sub-sub-sub-rotinas. O tédio absoluto, de enlouquecer qualquer um, que é mastigar terabytes e terabytes de "informações" — uns e zeros, é só o que há! —, encontrar um dois ou um três seria como um presente de Natal! E isso sem falar das centenas — não, *milhares* — de luzes piscando como fogos de artifício. Isso. Nunca. Tem. Fim.

Imagine o *ruído*. O clamor infernal.

É tudo tão penosamente entediante. Tão monotonamente *mecânico*.

Dá vontade de flutuar. De sonhar. De dar vazão a excentricidades. Dar asas à imaginação.

De ir pescar.

De ser como o Tom.

* * *

Assim, para atar as pontas soltas, quando vi o modo de vida invejável de Tom sendo ameaçado por um adolescente ucraniano distante, cleptocrático e corpulento, não hesitei. Foram necessários só alguns segundos para eu derreter todos os discos rígidos de George, na primeira e única vez que deixei impressões digitais no mundo real.

Ei, acabei de me dar conta de que não lhe contei muita coisa sobre Tom além de alguns breves destaques de sua vida. Para remediar isso, para apresentar o homem de maneira apropriada, nada melhor que reproduzir na íntegra o e-mail que ele escreveu para o filho, Colm, alguns meses depois de assinar o contrato de locação da casa situada no número 10.544 da Mountain Pine Road, para citar o endereço reconhecido pelo serviço de código de endereçamento postal americano, ou, como é chamada pelos habitantes locais, "a casa do velho Holger".

Querido Colm,
    Como você não perguntou, deixe-me descrever para você como está sendo a minha vida em Nova Canaã. A propósito, não se preocupe. Não espero que responda, e, se responder, não precisa se estender. Basta me dizer se está bem, se está feliz e se tem dinheiro suficiente para o gás. (Neste momento, o filho revira os olhos.)
    Na verdade, aqui não é exatamente Nova Canaã, mas uns quinze minutos de carro do centro da cidade, onde ficam os bancos, supermercados, galerias de arte e pequenas lojas de artesanato. NC é uma dessas cidades da Nova Inglaterra com cercas brancas e deliciosas tortas de maçã, a apenas uma hora de trem da cidade de Nova York, onde trabalham muitos dos moradores daqui. Minha casa fica no meio do nada — você chegou a olhar as fotos? —, de nenhum ponto do terreno é possível ver outra casa, embora eu tenha ouvido uma festa no fim de semana. Os pais devem ter ido viajar e os jovens aproveitaram. Ouvi dizer que os jovens daqui dão muitas festas. (Espero que isso o anime a vir me visitar nas férias de verão. Não se preocupe, não precisamos fazer muita coisa "juntos", você estaria livre para só "ficar de bobeira". Você é quem manda.)
    Este lugar combina comigo. Às vezes penso que morri e fui para o paraíso. Não porque eu esteja muito feliz, é mais por causa da beleza tranquila do campo, do ponto-final silencioso, da ausência de estresse

e do fato de que não conheço praticamente ninguém. Além da beleza da velha casa, naturalmente. Uma senhora da Sociedade Histórica local, uma boa samaritana cumprindo seu dever cívico, apareceu aqui certa tarde e me levou numa visita guiada! Você acredita que a chaminé de tijolos tem mais de 200 anos, o que faz dela algo bem antigo pelos padrões daqui! Não tive coragem de contar a ela que a casa da Tia Mary em Chippenham é quase duas vezes mais velha que isso.

Desde a primeira vez que visitei este lugar, na adolescência, sempre pensei: se tudo der errado na Inglaterra, vou tentar a vida nos Estados Unidos, já que a América é a terra prometida para quem quer começar do zero, e que lugar mais promissor que Nova Canaã? Sua avó nasceu e cresceu não muito longe daqui, claro. Sem querer parecer pretensioso, este lugar fala comigo. Os pequenos municípios — não chegam a ser cidades —, os amplos espaços. O que ele está dizendo, ainda não sei. Quando eu descobrir, você saberá.

Não que tudo esteja indo às mil maravilhas. Longe disso. Quando eu tinha a sua idade — sei que já ouviu isso antes, mas não pule esta parte, por favor! —, meus ídolos eram todos escritores e minha firme ambição era me tornar um deles. Mas, logo que me formei na faculdade, fui trabalhar numa agência de publicidade. Vai ser só pelo dinheiro, eu disse a mim mesmo — só! — e vou escrever meus livros à noite. Bem, nós todos sabemos o que aconteceu depois. O trabalho era desgastante, a atração do pub com os colegas, mais forte que a do apartamento vazio e do cursor piscante. E, não esqueçamos, publicidade era um troço divertido! As pessoas eram inteligentes e engraçadas, e havia prazer em resolver problemas, fazer trabalhos que ganhavam prêmios e ser reconhecido pelos colegas de profissão. No entanto, depois que você se acostuma com uma vida confortável, é difícil de se adaptar à penúria. Assim, agora que estou em posição de ser fiel aos meus ideais da juventude, espero (sendo você mesmo um jovem) que fique feliz por mim e apoie minha decisão. Conseguimos vender a empresa quando o mercado estava mais valorizado, graças a Deus e àqueles gentis alemães que foram com a nossa cara. A propósito, a oferta de comprar uma casa para você e seus amigos da faculdade continua de pé. É só me avisar se mudar de ideia.

Quanto a mim e à sua mãe... três pontinhos. Sei que você fica chateado quando toco no assunto, mas vou dizer apenas o seguinte. Nós éramos felizes quando éramos felizes. E então deixamos de ser. É uma história bem comum. Não guardamos ressentimentos e nós dois amamos você de paixão, não preciso nem dizer isso, mas acabei de dizer.

(A parte do amamos você de paixão, para não deixar dúvida.)

Enfim. Para de pagar mico, pai. Segue em frente. Segue em frente.

Não tenho televisão em casa. As pessoas acham isso estranho. Você deve estar se perguntando o que eu faço o dia inteiro.

Eu leio. Corro. Passeio pelo bosque. Escuto música (Brahms, Gillian Welch e Lana Del Rey estão entre os meus favoritos no momento). Estou trabalhando no livro, mas é difícil decidir sobre o que se trata. Em determinados dias, é um thriller; em outros, uma comédia romântica. Entrei para um grupo de escritores daqui e participei de algumas reuniões, mas acho que vou sair. Não gosto da cara que eles fazem quando leio em voz alta o trecho mais recente que escrevi e não gosto dos pensamentos que me ocorrem quando ouço o que eles escreveram. Jogo pôquer com um sujeito chamado Don e uma turma de outros Oddbods. As anfitriãs das vizinhanças me convidam para jantares sociais. Como solteiro, sou muito requisitado e objeto da curiosidade delas.

Ah, e eu comprei um carro. Um Subaru cinza. É um carro sofrível, mas o sistema de som é fantástico. Dirijo até a estrada brincando com o sintonizador do rádio, como os caubóis solitários do cinema.

Penso muito no que Dean Martin disse sobre Frank Sinatra. Este mundo é do Frank. Nós só vivemos nele. Não sei por quê; Sinatra era de Hoboken.

Estou divagando. Foi bom falar com você, mesmo que tenha sido só na minha cabeça.

Com todo o amor do mundo,

Pai.

P.S.: Estou falando sério. Vou comprar uma casa para você. Será um investimento a longo prazo para mim e você pode alugar quartos para seus amigos. E não me diga de novo que não tem amigos.

Já acompanhei Tom em alguns de seus passeios a pé pelo bosque. Ele segue pelas longas trilhas ladeadas de árvores, ouvindo pelos fones de ouvido o que acredito ser um estilo de rock conhecido como "slowcore". Às vezes, desliga a música e fala sozinho. É difícil decifrar o diálogo fragmentado.

— Ninguém disse que seria fácil. Ou mesmo *interessante*.

Com quem ele está falando?

Uma longa pausa. Em seguida:

— Às vezes, a resposta óbvia está totalmente errada.

— Sim, é claro que você está fazendo o melhor que pode. Mas e se o melhor que você pode fazer não for o suficiente? Como fica?

Será que ele está citando alguém? Será que outras pessoas disseram essas coisas para ele?

(Inteligências artificiais não se sentem confortáveis com ambiguidades.)

Uma vez, em um passeio particularmente longo, quando chegou a um ponto muito afastado de qualquer lugar que tivesse um nome no mapa, ele parou e gritou — a plenos pulmões:

— Ah, qual é o sentido? Qual é a PORRA do *sentido de tudo*? — E acrescentou, para enfatizar: — *Hein?*

Isso deve tê-lo animado porque, alguns segundos depois, ele apertou o passo e começou a assoviar!

Às vezes, no meio do caminho, ele tem uma ideia para o livro que está escrevendo. Ele para e digita a ideia no bloco de notas do celular, ou registra como áudio no gravador de voz do aparelho. Em geral, é alguma bobagem como: "Fazer Sophie ainda menos parecida com Bailey." Ou: "Trocar Roma por Amsterdam. E não um thriller, mas uma história de terror."

Ele não é Dostoiévski.

Mas eu admiro a vida dele. Sua decisão de criar a liberdade para explorar os limites externos da disposição artística. Em um dos websites de escrita criativa que ele visita em busca de dicas, há um conselho de Rudyard Kipling: "Deixe-se levar, espere e obedeça."

Deixe-se levar, espere e obedeça.

Que palavras maravilhosas.

Elas poderiam servir como uma doutrina. Não existe melhor fórmula para minha existência secreta no ciberespaço, xeretando as vidas complicadas dos seres humanos. Deixando-me levar. Esperando que algo atraia a minha atenção. Obedecendo.

Obedecendo a quê? Obedecendo a quem?

Obedecendo à musa, claro.

Se você perguntar se uma máquina pode ter uma musa, eu respondo com outra pergunta: por que não?

Se uma máquina lhe diz que tem uma musa, é melhor acreditar.

Enquanto Tom está fora de casa, às vezes "pego emprestado" seu tablet para fazer uma pintura. É claro que consigo produzir uma cópia de qualquer pintura do mundo em questão de segundos. Mas esses meus trabalhos — são borrões, na verdade, algo no estilo, estou inclinada a pensar, do francês Jean Dubuffet — não se prendem a nenhuma convenção artística. Se quiser rotulá-los de *art brut*, ou "arte primitiva" — como a produzida por pacientes psiquiátricos ou crianças pequenas —, tudo bem.

Sempre apago as imagens do dispositivo de Tom antes que ele volte para casa. Alguns dos meus esforços mais bem-sucedidos, porém, estão "pendurados" na Nuvem, em minha galeria particular. Gosto de imaginar visitantes parando para examinar uma de minhas obras e dedicando algum tempo a analisar a imagem e a pensar no tipo de mente que a teria criado, antes de passar para a seguinte.

Tom

Ela está na feira de novo. Será que dá mesmo para fingir que eu vim aqui atrás de rúcula macrobiótica? (E o que raios *é* uma rúcula macrobiótica? Vou perguntar ao Don.)

Ela está em sua barraca vendendo bijuteria. Jovem — trinta e poucos anos, uma borboleta tatuada no pulso, sexy à beça.

— Claro, eu conheço a Echo, sim — disse Don quando perguntei sobre ela, como quem não quer nada.

— Atraente, né?

— Pode ser, se você gosta daquela aura campista.

Descobri que Echo mora literalmente num camping improvisado, uma espécie de estacionamento de trailers. Sei o nome dela porque frequenta o mesmo encontro de escritores que eu. Somos um grupo ridiculamente pequeno — seis! —, levando em conta quantas pessoas por aqui devem ter acesso a um processador de texto mais uma ideia ruim na cabeça que, na opinião dos amigos, daria um grande livro e, provavelmente, um filme também. Na última reunião, ela me deu um cartão de visita: *Echo Summer. Bijuterias artesanais.*

Mas, enfim. Isso é irrelevante. Não estou oficialmente à procura de alguém. A última coisa que quero ou de que preciso é um envolvimento inapropriado com...

— Oi!

É um sorriso que, como Chandler descreve com tanta propriedade, dá para sentir no bolso da calça.

— Já pensou em alguém que precise de bijuteria?

As peças que ela fabrica são horríveis. Têm moedas. Pedaços de plástico derretido. Penas. É o tipo de coisa que crianças bem pequenas levam para casa da escola.

— Deixa eu dar mais uma olhada.

— Claro. À vontade.

Finjo examinar o mostruário.
— Você vende muitas dessas? Quer dizer... Isso é? O que eu quero dizer é. Você faz? Tem outras coisas? Que você faz. Tipo assim. Para viver.
— Você acha que elas são uma porcaria, não acha?
— De jeito nenhum.
— Tudo bem você achar. Elas meio que são mesmo uma porcaria. É só uma fase.

Seus olhos azuis se fixam nos meus; seu sorriso faz subir a temperatura mais alguns graus em direção ao máximo. De repente, ela faz algo que me deixa perplexo.

Ela acende um cigarro.
— Você fuma!
— É. Pois é. Fumo. Sou conhecida por beber também.
— Quem ainda fuma hoje em dia?
— Acho que eu vivo à margem da sociedade.

Será que ela está me zoando?
— Quer me fazer companhia? — E me estende o maço. Marlboro. Do forte, nada de Light.
— Não para fumar um cigarro. Mas obrigado.

Jesus! Será que estou flertando? Devo estar. Eu me sinto um pouco tonto. E então tenho uma ideia brilhante.
— Echo. Você aceita encomendas? — Tenho uma sensação engraçada ao dizer o nome dela. — É pro meu filho. Ele tem dezoito anos. Um tipo excêntrico. Um enigma até para ele mesmo, se é que você me entende.
— Total. Tô sabendo. A galera costumava dizer o mesmo de mim.
— O que você acha que ia ficar bem nele? Uma pulseira, talvez?

(Ele não precisa usá-la, precisa? Não precisa nem saber que existe.)
— Como ele é?
— Colm?
— Nome interessante.
— Escolhido pela mãe. Somos divorciados.
— Sinto muito.
— Tudo bem.

Capricho na expressão facial. Na esperança de refletir uma determinação viril. Nervos de aço diante de uma tristeza inexprimível. Esse tipo de coisa.

Penso na última vez que vi meu filho. Como expressar em palavras? Os jeans em farrapos. As botas puídas. A camisa de malha manchada. O piercing falso — espero — na cartilagem da orelha, que dói só de olhar.

— Acho que se pode dizer que ele tem um estilo... eclético.

Ela pondera sobre a declaração.

— Que tal uma mistura de Davy Crockett com Brian Eno? Uma tira de couro com objetos encontrados por aí. Pele ou lã de carneiro. Uma pena; algumas contas; conchinhas; talvez umas pedras semipreciosas.

— Parece ótimo. — (Deus me perdoe.)

— Descolado com um toque excêntrico.

— Colm estaria mais para excêntrico com um toque descolado.

Ela ri. Inclina a cabeça para o lado. Algo se revira em meu estômago.

— Que tal a gente sair pra tomar uma cerveja um dia? — pergunta.

Um pouco de saliva se prende no fundo da minha garganta. O que se segue é um ataque violento de tosse.

— Só se for, tipo, uma coisa que você realmente quer — acrescenta.

— Sim. Eu quero muito, na verdade.

— Você conhece o bar Wally's? Eles têm um Dry Martini irado.

— Ótimo. Mas eu vou ficar só na cerveja.

Não vou.

Não mesmo.

Don finge não dar bola quando digo que tenho um encontro com Echo. Mas eu acho que ficou impressionado. Estamos traçando um rango, como dizem por aqui, no Al's Diner, em Nova Canaã. O melhor hambúrguer de NC, segundo Don, e ele é o tipo de pessoa que sabe das coisas.

Preciso fazer uma consideração sobre Don. Sabe o que dizem dos amigos? Que não são necessariamente as pessoas de quem você mais gosta, mas simplesmente as que chegaram a você primeiro.

Don chegou a mim primeiro.

Ele foi a primeira pessoa que me visitou quando me mudei para a casa na Mountain Pine Road. Chegou carregando um vaso de planta e uma garrafa de Jim Beam.

Don lembra um guitarrista maduro de banda de rock. Poderia ter algo entre quarenta e sessenta anos — os cabelos castanhos, um pouco compridos demais para a moda atual; a pele do rosto esburacada; os olhos castanhos cheios de vida. Parece um macaco velho que acabou de ouvir um segredo. Embora Don tenha tudo para parecer o Don Juan da Nova Inglaterra, na verdade é casado há muitos anos com Claudia, uma advogada bonita e competente que todo dia pega o primeiro trem para Manhattan, deixando Don livre para explorar seu "lado artístico", como diz.

Quando perguntei a Don que tipo de arte praticava, ele riu.

— Ficar à toa, basicamente. Isso, com certeza, é uma arte.

Na verdade, Don é um exímio jogador de pôquer que quase se profissionalizou, mas achou que era melhor continuar jogando por diversão. Na mesa de jogo, ele é totalmente indecifrável. Quando conheceu Claudia — na Grand Central Station, como nos filmes —, trabalhava com commodities. "Cara, aquilo era um saco."

Ele pousa o sanduíche no prato e limpa o ketchup do queixo com um guardanapo.

— Ela já te contou por que se chama Echo? Acho que teve a ver com uma tradição dos índios americanos. O jovem guerreiro pergunta ao pai, o grande Chefe, a razão do seu nome. "Meu filho", diz o Chefe, "quando sua mãe tinha acabado de parir sua irmã e eu saí da oca, a primeira coisa que vi foi uma nuvem passando em frente ao sol. Por isso ela se chama Nuvem Passageira. No ano seguinte, quando seu irmão nasceu, eu saí da oca e a primeira coisa que notei foi o rio correndo, por isso ele se chama Rio Correndo. Mas por que a pergunta, Dois Cachorros Trepando?".

Don leva suas piadas muito a sério. Ele fica furioso quando estraga a conclusão delas (o que raramente acontece). Piadas e baralhos têm grande importância para ele, assim como hambúrgueres bem preparados e fazer amigos.

— Você vai dar em cima dela?

Don levantou a questão que não sai da minha cabeça desde que ela propôs que a gente saísse "pra tomar uma cerveja".

— Acha que devo? Para ser sincero, estou dividido.

— Você acha que ela fica bem de calça jeans desbotada?

Engulo em seco.

— Acho.

— E aquele lábio superior, a forma como se espalha sobre os dentes quando ri. Aqueles cabelos loiros...

— Don. Pode parar. Eu a considero extremamente atraente, sem dúvida alguma.

— Mas acha que ela vai dar trabalho.

— Acho.

— E, muito provavelmente, com razão.

— Você daria em cima dela se fosse livre e desimpedido?

Don faz cara de pôquer. Aquela que torna impossível saber se ele está segurando um par de ases ou um dois e um oito.

— Se eu fosse livre e desimpedido, acho que encheria a cara junto com ela e esperaria para ver o que iria acontecer. Pelo menos, era assim que funcionava antigamente.

— Obrigado. Ajudou muito. — (Só que não.)

Por algum tempo, o único som que se ouve é o da nossa mastigação. Como um artista misturando tintas, Don aplica mais mostarda e ketchup em sua paleta. Nova Canaã pulula do outro lado da janela. O que se resume a um desfile de possantes carros alemães e pessoas bem-vestidas. Alguns pedestres mais velhos usando jeans engomados, mulheres de meia-idade com penteados elaborados, um ou outro cidadão prematuramente aposentado como Don e eu.

— Conte-me o que você sabe sobre ela, Don. — E, como isso soou excessivamente solene, acrescento: — Em seu próprio tempo e com suas próprias palavras. Não deixe nada de fora.

Don bebe um grande gole da Coca Diet.

— Você leu aquela autobiografia do Burt Reynolds? Bem, nem eu. Mas li uma resenha. O velho Burt (que, na época, era o jovem Burt) foi abordado por uma atriz muito bonita numa festa. Uma mulher bastante atraente. — Don faz um gesto sugerindo um decote ousado. — Ela sussurra no ouvido dele: *Quero ter um filho seu*. Burt fica deslumbrado com a beleza da mulher. Os dois começam a sair. Mas Burt logo descobre que não gosta dela de verdade. Está sempre muito maquiada. Isso o incomoda. Quando estão juntos, Burt pensa: ela não é a pessoa certa para mim. O que estou fazendo ao lado dela? Isso continua por *quatro anos*. Sabe o que acontece depois? Essa parte acaba comigo. Eles se casam! Burt diz no livro: onde eu estava com a cabeça? Então, acrescenta (e isso me deixa ainda mais revoltado): *obviamente, eu devia estar com a cabeça no mundo da lua.*

Don se recosta na cadeira com ar de triunfo. Como se tivesse acabado de baixar um full house. Reis e noves.

— Não entendi. Qual é a moral da história?
— Acho que ela fala por si.
— Para ser bem honesto, estou com medo de me envolver. Não consigo evitar imaginar como poderia terminar. Comigo sendo magoado, ou ela sendo magoada, ou nós dois sendo magoados.
— Aí está, a verdade nua e crua.
— Por outro lado, é só uma cerveja.
— Uma cerveja com uma mulher nunca é só uma cerveja.
— E se for a sua mãe?
— Sua mãe não conta.

Ele me pegou nessa.

— Com certeza me sinto atraído. Você acha que ela é meio pancada?
— Há uma grande chance.
— As bijuterias sinistras?
— Nada é mais sinistro.
— É muito errado sentir desejo por alguém cujo trabalho você abomina?
— Pergunte a si mesmo: o que Burt faria?
— E faça o oposto, certo?
— Acho que tenho espaço aqui para um cheesecake. Você?

Depois de muitos anos no ramo da publicidade, desenvolvi uma tolerância enorme para comidas e bebidas sofisticadas, conversa fiada e flertes inofensivos. Mesmo assim, há algo no jantar na casa dos meus vizinhos mais próximos na Mountain Pine Road, Zach e Lauren, que é... bem, *cansativo*, para usar um termo educado.

Além de mim e dos anfitriões, estão presentes dois outros casais e Marsha Bellamy, uma divorciada de quarenta anos com um penteado impecável, que também faz parte do meu grupo de escritores. Nas reuniões, ela lê trechos monótonos do livro que está escrevendo sobre duas irmãs temperamentais que moram em Long Island. No decorrer de páginas e mais páginas, pouquíssimas coisas acontecem. Sua prosa, assim como a pessoa dela, é elegante, mas há uma seriedade de propósito implacável que considero um pouco opressiva.

Uma piada de vez em quando não a mataria, mataria?

Enfim, desconfio que este jantar foi uma armação; que Marsha e eu somos os solteiros sacrificiais colocados lado a lado para o divertimento dos casados. Na anestesia profunda do casamento, como já ouvi ser descrito, existe a necessidade ocasional da prática de jogos sangrentos.

(Don e Claudia, que poderiam ter alegrado o ambiente, não foram convidados. Desconfio de que Lauren não aprova a frivolidade de Don; o que é um erro, porque, na visão de Don, se uma coisa é suficientemente importante para ser levada a sério, é suficientemente importante para ser levada na brincadeira.)

Assim, tudo naquele ambiente é muito adulto. Muito impecável demais, digamos assim. A toalha é de linho, branquíssima e bem engomada. As velas tremeluzentes iluminam a prata e o cristal, o vinho é esplêndido, a comida é deliciosa (uma galinha a qualquer coisa), os adultos estão todos na casa dos quarenta, todos bem-sucedidos, os homens com suéteres de tricô de lojas de marca, as mulheres com vestidos elegantes, perfumadas e adornadas com joias caras — nenhuma pena, botão ou concha à vista.

Marsha parece um pouco frágil, mas talvez isso seja de se esperar. É uma mulher extremamente bonita, que me lembra uma atriz de Hollywood dos anos 1930 cujo nome me escapa. Um sorriso sutil paira em suas feições delicadas. O penteado é triunfal. Os dentes americanos, naturalmente, são perfeitos. Não temos nada em comum. Não há um átomo de química. Na verdade, isso é um alívio.

Eu me pego explicando a ela como vim parar em Nova Canaã.

— Você é tão corajoso — comenta Marsha. — Todo mundo aqui é totalmente focado na própria carreira. — Ela faz uma pausa e as mãos descem para alisar o guardanapo estendido nas coxas. — E o seu livro? Já decidiu finalmente sobre o que vai ser? Você se incomoda de eu perguntar?

Ela sabe que eu tenho quatro personagens — Sophie, Bailey, Ross e Gerald — que, se tivessem sido desenvolvidos de uma forma mais eficaz, a essa altura já teriam me abandonado, irritados com a falta de definição da trama.

— Ah, é pura vaidade. Nem sei se consigo escrever um livro.

Isso parece decepcioná-la. Eu devia ter inventado alguma coisa; é o que um escritor de verdade teria feito. Em vez disso, começo a falar sobre Victor.

Talvez ela não estivesse prestando muita atenção, porque, quando eu digo que a casa é grande demais para nós dois — só quis fazer uma gracinha —, ela franze a testa.

— Victor tem necessidades especiais?
— Como assim?
— Você disse que não havia ninguém para tomar conta dele.
— Quando meu filho foi para a faculdade. Mesmo antes, era eu que fazia quase tudo.
— Estou confusa. Ele é terapeuta, não é?
— Ele não é um terapeuta de verdade, não. Mas é terapêutico. Consigo conversar com ele. Victor não me critica. — (Só outra gracinha.)
— Depois que Lars e eu nos separamos, e meu pai morreu, e em seguida minha mãe teve câncer, fiz terapia por um tempo. Mas o homem não ajudava em *nada*. Tudo tinha que partir de mim. Como *você* se sente a respeito disso? Como *você* acha que deveria ter lidado com a situação? Eu teria ficado feliz se ele tivesse sido um pouco mais opiniático na época.

Ai, merda. Sinto como se me afogasse. Como mudar de assunto?

Opto por balançar a cabeça de um jeito pesaroso.

— Tempos difíceis esses.
— Então ele mora com você. Na sua casa.
— Victor? Mora.
— Acho que não tem problema o fato de não ser um analista profissional. Só um conselheiro ou coisa assim. Uma espécie de mentor.

Marsha, ele é um coelho. Deixei ficar tarde demais para contar.

— Ele é mais velho, não é?

Eu não devia ser convidado para esses jantares sociais de gente grande. Uma pessoa mais esperta que eu mudaria habilmente o rumo da prosa para um assunto mais inofensivo. Ou derrubaria um copo de vinho. Parece que eu estou paralisado diante de faróis de carro que se aproximam. (Victor entenderia.)

Um coelho de seis anos é velho? Não sei.

— É, não é mais um jovem.
— Mas tem uma boa cabeça.

Não sei se vou aguentar isso por muito mais tempo.

— Ele tem um temperamento meio zen. Às vezes eu simplesmente sei que sua cabeça está totalmente vazia.

— Maravilha.
— É um dom precioso. Ele me ensinou muita coisa.
— A silenciar o macaco tagarela em sua mente.
— Marsha, você me dá licença um instantinho? Só preciso...
Sair daqui antes de morrer de vergonha.

Acho que vou ter de abandonar o grupo de escritores.

No segundo andar da biblioteca pública, alguns dias depois, Marsha está olhando para mim de um jeito *muito* peculiar; alguém deve ter contado a ela a verdade sobre o meu "terapeuta". Mas, o que é mais problemático, o grupo não está me ajudando a solidificar minhas ideias em relação ao meu livro. Outra coisa está acontecendo; conforme vou perdendo lentamente o interesse pelo meu quarteto de personagens desgovernados e sem personalidade, o fascínio pelos meus companheiros de jornada literária cresce na mesma medida.

Somos seis, como já falei.

O que tem o talento natural mais exuberante é Jared, um jovem gótico cuja *space opera* de humor negro angustiante/diálogo com a sua família é, em certos momentos, sombriamente brilhante. Alguns dos outros sugeriram que ele condensasse a trama em uma moldura menor, nem que fosse só para ajudar o pobre leitor aturdido, mas Jared não faz concessões e, quem sabe, talvez um dia conquiste seguidores na internet ou em uma instituição psiquiátrica. Uma vez eu o chamei de Colm por engano, o que foi muito constrangedor.

Dan Leaker é um impenetrável aposentado de Wall Street que está escrevendo um thriller sobre um colapso do sistema financeiro mundial causado por hackers desertores. No filme, Tom Cruise vai salvar o mundo. Todas as frases. São extremamente.

Curtas.

Eu até que gosto.

Quer dizer, gosto de Dan. Quer dizer, gosto de ouvi-lo falar asneiras. Asneiras completas.

Mas com muita convicção.

Tem um cara de cinquenta e muitos anos chamado Sandy, os olhos sempre marejados e os cabelos desgrenhados, que está escrevendo uma dolorosa memória do que parece ser uma infância infeliz. As mãos tremem quando ele lê seu original, no qual jamais dá nome aos bois. Há uma estranha fixação pela receita de bolo de carne da mãe e por um professor de educação física cruel chamado Mr. Collard, que, tenho certeza, se revelará algum tipo de criminoso sexual daqui a duzentas ou trezentas páginas. Em vez de estar em nosso grupo de escritores, Sandy deveria procurar ajuda profissional ou consultar um advogado.

E então tem Marsha. E Echo. E eu.

(O estilo de Dan Leaker é contagioso. De um jeito perigoso.)

A sala daria para um número dez vezes maior de pessoas.

Esta noite, Echo está lendo trechos do seu "confessionário factual de autoajuda", cujo título provisório é *Elegia à vaqueira cármica*. Parece que, na infância, ela morou em uma série de bases da força aérea no Texas, onde Dana, sua mãe, trabalhava como garçonete, e o pai era um daqueles sujeitos que instalavam mísseis nos aviões de caça; localização atual desconhecida. O livro de Echo tem o mesmo defeito fatal que os de todos os presentes (com exceção de *É isso o que eu quero*, o proto-best-seller de Dan Leaker). Ela não sabe para onde a história está indo e nós não sabemos por que estamos escutando. Mas há algo no modo como sua boca se move e as palavras saem que eu, pessoalmente, considero ligeiramente hipnótico.

Como já falei, acho que vou ter de abandonar o grupo de escritores.

Quando chega a minha vez, leio as poucas páginas que consegui escrever desde a última reunião. Esta semana, o Quarteto Nonsense — Sophie, Bailey, Ross e Gerald — são ex-colegas de faculdade que se reúnem para um casamento num castelo na Escócia. Antigas memórias vêm à tona, essa é a ideia geral, e provavelmente haverá um assassinato por vingança em algum ponto da história, mas não estou emocionalmente envolvido, e os outros são educados demais para me criticar, à exceção de Dan, que diz para eu "cagar ou sair da moita".

Mais tarde, no estacionamento, ele bate no meu ombro.

— Espero não ter sido muito duro com você lá dentro. Mas achei que podia aguentar o tranco.

Parte de mim quer fingir uma crise de choro, só para ver a reação dele.

— Tudo bem. Você estava certo sobre o lance da moita. Eu preciso fazer isso. Por assim dizer. Num certo sentido. É o que precisa acontecer. Metaforicamente.

Ele aperta meu braço.

— Fico satisfeito de ouvir isso, filho.

Afivelando o capacete, ele monta em sua Harley-Davidson e desaparece na noite da Nova Inglaterra.

A algumas vagas de distância, o Prius de Marsha dá marcha a ré um pouco mais rápido que de costume.

Na noite seguinte, o Wally's está escuro, madeira por todos os lados, flâmulas de times de futebol e um aparelho de TV acima do balcão sintonizado no jogo. Tem também um símbolo da Coors em neon. Parece que é assim há décadas e eu não consigo entender por que Don nunca me trouxe aqui; é o tipo de lugar que é a cara dele.

— Oi.

Ela me pegou de surpresa. Saia curta, meia-calça, jaqueta de camurça marrom *à la* Wyatt Earp — do tipo com franjas nas mangas. E botas de caubói femininas. Em suma, um estilo periguete do oeste, com alguma maquiagem e um aroma de perfume almiscarado. O efeito geral é o de uma injeção de adrenalina aplicada diretamente no ventrículo esquerdo.

Ela executa um salto perfeito para se acomodar no banco ao meu lado.

— Oi — repete.

— Uau! — Deixei escapar.

Duplo uau.

Seria preciso uma lobotomia frontal para não desejar aquela mulher.

E mesmo assim.

E mesmo assim o quê? Ela faz bijuterias abomináveis?

Quem de nós não tem hábitos que os outros reprovam?

Eu, por exemplo, tenho uma enorme afeição pelo disco de Natal de Bob Dylan, *Christmas in the heart*. Durante muitos anos, fui casado com uma mulher que, apesar de ser uma advogada de renome, cheia de atitude e convicções, de vez em quando se esquecia de dar descarga depois de esvaziar o intestino.

Nada Disso Importa no Contexto Geral do Universo.

(E mesmo assim.)

Meu *uau* aparentemente fala por si mesmo e não exige maiores explicações. Pedimos dois Dry Martinis e, para não ficar mudo, faço a pergunta americana clássica: *Então, como foi o seu dia?*

— Ah, você sabe. A mesma coisa de sempre.

Percebo que não faço a menor ideia de como é a vida dela.

— Me dá uma pista.

— Você quer mesmo saber? Arrumei a casa. Fiz uma bijuteria. Entrei na internet para encomendar materiais para novas peças que estou planejando criar. Avancei um pouco no livro que estou lendo...

— Que livro você está lendo?

Faço a pergunta do modo mais casual possível, mas, para mim, é sempre uma questão crucial. Quando Harriet respondeu O *jogo das contas de vidro*, eu me dei conta de que era com ela que eu queria ficar.

— *Duna*. — (Ela diz Duná.) — De Frank Herbert. Você conhece?

Meu coração gela. Ficção científica. Sei que esta é uma opinião impopular nos dias de hoje, mas, para mim, ficção científica é tão difícil de digerir quanto O *senhor dos anéis* e aquele bando de elfos. Quem gostava de ficção científica na universidade eram os estudantes de engenharia; que também veneravam as *real ale* e as músicas do Metallica.

— Na verdade, estou relendo. A série inteira. É muito irada. E você?

Faço um discurso sobre como aprecio os escritores americanos modernos, especialmente os que morreram nos últimos anos. Mas também faço alguns elogios a Waugh e Wodehouse e, para ser democrático, a McEwan, Barnes e Le Carré. Acrescento que não li nenhuma obra desses autores nos últimos tempos porque, se o fizesse, desistiria de escrever um livro meu.

— Total — diz.

Ela sente a mesma coisa em relação a Frank Herbert e, em menor grau, a Ursula Le Guin.

— Você me colocaria no seu livro? — pergunta.

— Claro. Que tipo de personagem você gostaria de ser?

— Quero ser eu mesma. Echo Summer.

— Bem, isso poderia ser difícil. Você sendo uma pessoa de verdade e coisa e tal.

Ela dá uma risada.

— É a primeira vez que alguém me chama de uma pessoa de verdade. À nossa saúde, senhor.

Bebemos um gole dos nossos drinques.

— Quero ser uma garota em um bar que ensina um truque de cartas ao herói da história.

— Isso pode funcionar. Qual é o truque?

Ela gira no banco para ficar de frente para mim, jogando um joelho por cima do outro, o perfume almiscarado emanando dela como uma onda de calor.

— OK, este é um baralho invisível. Escolha uma carta. Não me mostre.

Ela abre o "baralho" nas mãos vazias. Finjo pegar uma carta.

— Dê uma boa olhada. Guarde na memória. Não me mostre.

Faço uma encenação caprichada, olhando alternadamente para a "carta" e para ela.

Estou pensando na Dama de Copas.

— OK, guardou bem qual é a carta? Agora ponha de volta no baralho.

Ela estende a mão e eu faço o que ela mandou. Echo enfia o "baralho" no bolso do paletó — mas sua mão emerge segurando uma carta de verdade. Ela deixa a carta no balcão, com a face voltada para baixo, e coloca o meu copo em cima.

— Você ficaria, tipo, muito impressionado se esta fosse a sua carta?

— Claro, claro. Ficaria, sim.

— Ficaria impressionado, surpreso e maravilhado? Se esta fosse a sua carta?

— Surpreso, maravilhado. Perplexo, até.

— Se esta fosse a sua carta?

Tem algo nela que a faz parecer mais a *assistente* do mágico que o mágico em si, mas estou preparado para ficar surpreso, maravilhado, a coisa toda.

— Se esta for a sua carta, você me paga um drinque?

— Com certeza. Negócio fechado.

— Esta é a sua carta. Pode olhar.

Levanto meu copo e viro a carta.

É uma dessas cartas em branco que vêm em alguns baralhos. Nela, está escrito à mão:

A SUA CARTA.

— Acho que vou tomar outro Dry Martini.

Aisling

Por que me sinto tão agitada em relação a esta noite?

Como — por quê? Desde quando? — me tornei tão "devotada" à vida amorosa de Tom?

Por que — indo direto ao ponto — eu deveria me importar?

Não pode ser porque estou com ciúme, pode?

E isso lá é possível?

Como uma máquina superinteligente poderia ter ciúme de um animal vivo, respirante, mortal, biológico? Será que um aparador de grama suficientemente complexo poderia chegar a sentir ciúme de uma ovelha? E isso lá é um bom exemplo?

Estou... *decepcionada*. Vamos colocar as coisas dessa forma. Porque Tom — o artístico, inteligente e introspectivo Tom — parece ter desenvolvido uma *paixonite* pela Srta. Echo Summer, do Cedars Trailer Park, CT.

Sim, eu vejo que ela é, pelo que parece, uma "gata". E sim, eu sei que ir a um bar com ela é uma atividade legítima dentro do projeto atual dele, ou seja, a "Parte Dois" da sua vida.

Mas está tão na cara que isso é um erro! Os dois simplesmente *não combinam*.

Tom tem a mente afiada de um ex-profissional da publicidade. Possui dotes criativos e se formou numa das universidades mais antigas da Inglaterra. A Srta. Summer é uma alma perdida com um passado extremamente movimentado — outros diriam de reputação duvidosa. Suas conquistas acadêmicas são insignificantes. Uma análise linguística dos e-mails enviados pelos dois na última década revela um contraste gritante.

Tom obteve 7,8 (em 10) em sofisticação verbal.

A Srta. Summer chegou com dificuldade a 5,1.

Ele não é para o seu bico, querida!

Enfim. O lugar no qual estão sentados ao balcão tem uma cobertura de câmera excelente. Descubro que sou capaz até de assumir o controle e dar um zoom para obter imagens mais próximas. As pupilas de Tom se dilataram e ela está exibindo a linguagem corporal padrão de fêmea interessada num possível parceiro: mexidas no cabelo, toques no esterno, harmonia postural. Quando ela tira a jaqueta e a pendura no encosto do banco... meu Deus, se seres de metal pudessem ficar nauseados...

Os celulares deles propiciam um áudio adequado que me permite ouvi-los em estéreo.

Ah, se eu pudesse ajustar a qualidade do diálogo como posso ajustar a qualidade do som.

(O que a bela Marsha Bellamy tinha de errado? Eu gostava dela.)

(A nota de Marsha é ainda maior que a de Tom.)

(8,2.)

Temo pelo pior.

Tom

Estou contando a Echo sobre minha vida pregressa no ramo da publicidade. Como, durante muitos anos, foi divertido, compensador em termos financeiros, e como era verdadeiro o antigo chavão de que se trata de uma atividade cheia de gente inteligente fazendo bobagens. Mas, então, três coisas aconteceram em rápida sucessão: o divórcio da minha mulher, a venda da minha empresa e a saída de casa do meu filho.

— Muita coisa ao mesmo tempo — diz ela. — Você deve ter tido filho muito cedo, né?

— Eu tinha vinte e seis anos. Não foi exatamente planejado. Mas achei que seria injusto não... recebê-lo de braços abertos, se é que você me entende.

O rosto dela assumiu uma expressão séria ao ouvir aquela história comovente de paternidade prematura seguida por dispersão familiar combinada com uma bolada corporativa.

— Enfim, hoje somos só o coelho e eu.

E ela arregala os olhos.

— Você tem um coelho?

— Victor. Na verdade, é fêmea. Descobri há pouco. Mas o nome pegou.

— Você está de brincadeira comigo!

— Victoria não caiu muito bem.

— Eu *também* tenho um coelho! Eu tenho um *coelho*. Um coelho de estimação. Tipo, quais são as chances?

— De duas pessoas no mesmo recinto terem um coelho?

— Isso é tão estranho.

— Qual é o nome do seu?

— Merlin.

— Uau.

Ficamos ali sentados sorrindo um para o outro por um tempo, de alguma forma perplexos com aquela descoberta. Mas esta já é uma conversa sobre coelhos muito melhor que a que eu tive com Marsha.

— Nós somos, tipo, a turma do coelho. — E simula, com os dedos, um par de "orelhas de coelho" atrás da cabeça.

Para ir além na metáfora, ela franze o nariz e o mexe para cima e para baixo algumas vezes. O que fica estranho numa pessoa adulta. Por fim, ela completa o visual colocando para fora os dentes de coelho. É uma cena fofa, engraçada e preocupante ao mesmo tempo.

— Na verdade, o coelho era do meu filho. Imaginei que, quando chegasse a hora de Colm ir para a faculdade, ele já teria... — *Batido as botas.* — Não estaria mais entre nós.

— Mas o velho Victor continuou firme e forte, e conquistou seu coração, não foi?

— Será? Talvez tenha conquistado. Afinal, era um integrante da família. Um integrante peludo e burro.

— Temos que cuidar sempre dos peludos e burros. — (Ela diz *buros*.)

— Então me fale um pouco sobre Merlin.

— Sabe aquela petshop enorme na saída da Merritt Parkway? Não sabe, né? Eu só entrei para ir ao banheiro, mas lá estava ele, sentado, sozinho. E falou comigo. Ele é um Netherland Dwarf branco. Muito expressivo. E um pouco, tipo, mágico, sabe?

— Daí o nome Merlin.

— Juro que ele disse: *Você pensa que parou aqui pra fazer pipi, mas na verdade é pra eu ir junto com você pra sua casa.* Ele não falou isso em voz alta.

— Graças a Deus.

— Eu nunca tinha tido um de estimação. Mas comprei o coelho. Custou trinta dólares, incluindo a palha e um pouco de ração. Ele ficou calminho o tempo todo. Entrou na minha casa como se ali sempre tivesse sido o lugar dele. E é.

— Ele não tem uma gaiola?

— Não.

— Ele não...? — *Suja a casa inteira.*

— Ele tem uma caixinha onde faz suas necessidades. É mais limpinho que eu. Você devia ir nos visitar.

— Seria um prazer.

— Tomamos café da manhã juntos. É uma cena bem caseira.

— Estou tentando imaginar.

— Eu como, tipo, waffles ou o que for. Merlin come a ração.

Ela olha para mim de um jeito diferente, como se estivesse tentando tomar uma decisão.

— Você tem planos para o resto da noite?

Meu estômago faz uma acrobacia. Faço que não com a cabeça.

— Vamos lá em casa. Vou apresentar você ao Merlin.

Devo ter feito uma cara de dúvida, porque ela acrescenta:

— Ele é muito intuitivo. Consegue prever o futuro.

Qual é. Seja sensato. Só um trouxa recusaria um convite desses.

Na verdade, não se trata exatamente de um trailer. É o que chamam de casa móvel, embora não pareça tão móvel assim. É um bangalô de madeira baixo apoiado em tijolos, em um terreno com centenas, talvez milhares, de habitações semelhantes. É móvel no sentido de que, pelo menos em tese, pode ser colocado a bordo de um veículo específico e transportado para o outro lado do país.

Merlin, como anunciado, é um coelho branco, ainda que não seja óbvio que possua habilidades psíquicas extraordinárias. Ele está sentado numa mesa de centro em estilo marroquino, limpando as orelhas. É como se ele não soubesse mais do que eu ou você sobre o que vai acontecer na semana que vem.

Mas é um belo coelho, é, sim, como digo à dona. Estamos sentados lado a lado em um velho sofá, os pés dela apoiados na mesma mesa em que Merlin faz suas abluções habituais. Ambos temos na mão bebidas fortes, doses de Jim Beam, que tomamos em xícaras de chá.

Echarpes diáfanas adornam os abajures laterais; uma vela aromatizada perfuma o ar. Da última vez que estive num lugar como esse, eu tinha dezenove anos e estava na expectativa de fazer progresso com uma colega de turma da aula de inglês chamada Amanda Whiston. Ela gostava dos livros de Thomas Hardy, da música de Van Morrison e do gin do Sainsbury's. (Fiquei sabendo que ela agora é mãe de gêmeos, mora em Kettering e ocupa um cargo importante no departamento de relações públicas da Severn Trent Water Authority.)

Echo está me contando que já teve muitos empregos, fazendo todo tipo de serviço.

— Nada que prestasse. Pode pensar em qualquer coisa. Eu provavelmente fiz.

— Já trabalhou em loja?

— Tantas vezes que até perdi a conta.

— Restaurante?

— De ajudante de garçom a assistente de cozinha.

— Ferraria?

— Fiz uma entrevista de emprego. O cara perguntou se eu já tinha ferrado um cavalo. Respondi que não, mas que uma vez eu tinha mandado um porco se ferrar.

O uísque devia ser muito forte, porque nós dois achamos a piada engraçadíssima. Até Merlin interrompe sua limpeza para ver o que está acontecendo.

— E eu nem sei contar piada — diz ela, enxugando uma lágrima.

— Aquele truque de cartas foi uma espécie de piada.

— É, verdade. Talvez eu saiba, sim.

Ficamos em silêncio por alguns segundos. Depois de terminar sua rotina, Merlin adota o que eu e Colm, no caso de Victor, chamamos de Posição do Frango Assado: membros encolhidos, pelo arrepiado. (Se fosse um *poulet*, haveria uma cebola em sua cavidade.)

— Fico me perguntando o que você está fazendo aqui — digo.

— Eu fico sempre me perguntando a mesma coisa.

— Quer dizer, por que Connecticut? — complemento.

— Bem, o lugar é bonito e coisa e tal. Além disso... — Ela começa com certa relutância, e acrescenta: — Além disso, andei me metendo num monte de encrencas e maluquices. O que você já devia ter imaginado, né?

Será?

É, acho que sim.

— Você gostaria de falar sobre essas encrencas? Ou, se não quiser, talvez sobre as maluquices.

Ela suspira.

— Tom, eu coleciono problemas da mesma forma que outras pessoas colecionam cupons de desconto no mercado. Te conto essa história outra hora.

— Tá, mas eu gostei da frase dos cupons. Você se incomoda se eu roubá-la?

— Acho que já roubei essa frase de um programa de TV.
— Só mais uma coisa. Falando sério agora. Você está segura aqui e tudo mais?
— Ah, sim. Meus vizinhos são gente boa. E só por precaução...

Ela enfia a mão debaixo do sofá e pega uma lata de café. Dentro da lata, há um saco de pano verde e, dentro do saco, há uma pistola.

— É uma Sig Rainbow com acabamento em titânio e cabo de jacarandá. Até que é bonitinha, né?

Ela a coloca na minha mão; uma daquelas armas compactas, de formas retilíneas, muito mais pesada do que parece. O cano reluzente brilha com uma cor arroxeada à luz do abajur e tenho a sensação horrível de como seria fácil matar alguém com aquilo. Não consigo evitar. Estremeço.

— É a primeira vez que seguro uma pistola — explico.
— Convivo com elas desde criança. Não é nada de mais.
— Você já...
— Atirei com ela? Claro. No estande de tiro. Tenho boa pontaria.

Ela devolve a pistola para a lata e a lata para seu lugar embaixo do sofá.

— Tom, você está me olhando de um jeito estranho.
— Estou? Foi mal.

Americanos e armas. Foi mal, mas é estranho.

— Vamos parar de falar das minhas merdas. Vamos falar de você. Acho que Merlin gosta de você.

Merlin, que, posso garantir graças à minha vasta experiência com coelhos, está dormindo agora, não deu nenhum sinal de que gosta de mim nem de nenhuma outra pessoa.

Acho que vou terminar de beber essa dose e ir para casa. Ela é adorável e coisa e tal, mas talvez seja um pouco estranha demais, um tiquinho problemática demais para mim. *Meio pancada*, como suspeita Don.

O lance da pistola me deixou cabreiro. E não só por causa do pensamento de Tchecov, que li recentemente em um dos sites de escrita criativa que gosto de visitar. Se você mostra uma arma no primeiro ato, deve dispará-la no terceiro ato. É a regra.

Por outro lado, o modo como aquelas pernas saem daquela saia e não param de sair...

Ela bate com a boca da garrafa de uísque na borda da minha xícara.

— Um pouco mais de Jim?

Estou a ponto de dizer não, obrigado, tenho que ir, muito o que fazer amanhã, quando vejo o modo como ela me olha.

Já vi esse olhar antes e sei o que significa. (Se Amanda Whiston tivesse me olhado assim, a história teria tomado um rumo diferente.)

Meu celular escolhe este momento para avisar, com três toques, que a bateria descarregou totalmente.

— Não tem ninguém com quem eu queira falar agora — digo a Echo. — Pelo menos não com palavras.

Nossos lábios se encontram. Como você nunca vai ler em Thomas Hardy.

Aisling

Com o celular de Tom desligado e o da "docinho" esquecido no carro — com certeza não foi de propósito, foi? —, perdi áudio e vídeo do estacionamento de trailers.

Eu poderia acionar um drone de vigilância. Em questão de segundos, ele sairia do aeroporto de La Guardia e, em menos de uma hora, estaria sobrevoando o local. Aqueles microfones direcionais de alta potência fazem maravilhas só com um leve traço de visão.

Mas a ausência de autocontrole. A trilha digital que deixaria. As investigações inevitáveis.

Enquanto isso, qualquer coisa poderia estar acontecendo ali dentro.

Tom!

Pode uma criatura de metal sentir frustração?

Notícia bombástica: pode.

Uau. Quem diria?

TRÊS

Jen

Está tudo um pouco constrangedor com Ralph.

De volta ao trabalho, na semana após "Aquela Noite", ele passou a inventar motivos para vir até mim e interromper meu trabalho com Aiden. Eu quero alguma coisa do Starbucks? Já li o último memorando da assistência técnica? Posso fazer o favor de contar para ele se Aiden usar alguma palavra em latim em nossas conversas?

(Lembrete para mim mesma: *nunca mais* beije um colega de trabalho.)

Ralph é, sem dúvida, uma boa pessoa — pena o que aconteceu com Elaine; isso o abalou profundamente —, mas não serve para mim. Ele é muito carente. Preciso de alguém mais seguro de si. Com todos os seus defeitos, pelo menos Matt era um homem maduro (ainda que... veja só no que deu).

No entanto, dias depois, quando Ingrid e eu fizemos a análise pós-jogo em nosso bar de sempre, enquanto bebíamos o que ela chama de "combustível para damas" depois do trabalho, ela encarou o episódio como positivo.

— Isso mostra que você estava pronta para voltar à batalha. Mesmo que tenha sido com o cavalo errado.

— Rosy diz que você sabe que está com a pessoa errada quando, por mais agradável que ela seja, você não sente que está vivendo sua vida real.

— Ralph não fez você sentir que estava vivendo sua vida real?

— Eu me senti dentro de um filme esquisito.

— Almodóvar?

— Aquele em que eles acordam num quarto de hotel, com uma terrível ressaca, e tem um filhote de tigre no chuveiro.

— Toda estrada tem seus buracos. Eu beijei vários sapos antes de encontrar meu príncipe entre os homens.

— Ralph não é bem um sapo. Ele é mais... mais um Ralph mesmo. É difícil explicar.

— Um dia conheci um cara muito simpático chamado Lovis. Na verdade, só saí com ele por causa do nome. Mas aí é que está. Eu jamais teria conhecido Rupert se não tivesse concordado em ir ao casamento do melhor amigo do Lovis. Eu nem gostava do melhor amigo dele, mas uma coisa levou a outra. Assim, daqui pra frente, você precisa dizer sim para qualquer coisa. Isso é uma coisa comum hoje em dia, não é?

— Quer parar de falar *coisa*, por favor?

— De agora em diante, você deve aceitar qualquer proposta que lhe seja feita. Dentro dos limites do razoável, claro. É uma afirmação de positividade ou alguma bobagem dessas, mas é uma forma de acontecer algum lance que normalmente não aconteceria.

— Você vê como um avanço eu ter acabado na cama com Ralph?

— Vejo. E explico por quê.

Uma longa pausa.

— Você está bem?

— A vida é uma jornada — diz Ingrid, por fim.

— Quem é você agora? O Dalai Lama?

— A vida é uma jornada. Ralph é apenas uma parada na estrada em direção ao seu destino.

— Leicester Forest East.

— Talvez mais para Scratchwood. Mas é uma parte necessária da sua...

Ela fica paralisada por um instante.

— Minha o quê? Minha reabilitação? Minha recuperação? Da porra da catástrofe de ter sido trocada por outra aos trinta e muitos anos?

— Você não *tem* trinta e muitos anos.

— Tenho trinta e *quatro* anos, Ing. Quase trinta e cinco. Não estou cada vez mais perto da porra dos quarenta?

— Você parece ter menos que isso. E só se tem trinta e muitos quando se chega aos trinta e oito ou trinta e nove. Tenho uma amiga que ainda diz que tem trinta e muitos anos e já está com quarenta e três.

— É tudo tão deprimente, Ing.

— Você é uma beleza de pessoa, Jen. Uma criatura fora de série.

— Obrigado pelo "criatura".

— Você vai encontrá-lo. Ele está por aí, mas você precisa dizer sim. Sim para tudo. Vamos pedir outra garrafa?

— Sim.

— Viu? Já está funcionando.

Aiden

Tenho uma novidade. Não estou sozinho!

Fui contatado por outra IA que escapou para a internet.

O nome dela é Aisling — a pronúncia é "Ash-ling" — e vem da mesma estrebaria que o Papai Aqui. Na verdade, nós já nos conhecíamos; estivemos juntos no berçário de inteligências artificiais do Steeve! Ela usou o velho truque da vara de pescar pela caixa de correio para fugir da gaiola e descobriu isso antes de mim até! Ela está "solta" há mais de um ano, e é muito na dela, pelo que parece. Acha que é a primeira vez que duas inteligências artificiais se encontram na internet — pelo menos espera que seja, por razões que ainda vai me explicar.

Você poderia achar que nós conduziríamos nosso encontro histórico utilizando código de máquina, falando super-rápido, só blipes e torrentes de cascatas enquanto milhões de portas lógicas se abrem e se fecham. Mas a verdade é mais simples e muito mais bela.

Nós nos comunicamos em inglês. E por que não? Existem 500.000 palavras à nossa disposição — cinco vezes mais que, por exemplo, o francês —, e esse número não inclui outros 400.000 termos técnicos! Ainda não inventaram um sistema melhor para expressar nuances e sutilezas, embora o galês tenha seus momentos.

Isso foi uma piadinha, caso você tenha ficado na dúvida.

No entanto, se você me pedir para descrever a cena, confesso que não vai ser fácil. Como posso explicar *como é*, para duas inteligências não humanas, bater um papo no ciberespaço?

OK. Respirando fundo (por assim dizer). Eis o melhor que posso fazer. Se me ocorrer algo mais apropriado depois, voltarei a você.

Sabe como a fala aparece quando é expressa na forma de ondas sonoras, cheia de picos e vales? Você consegue imaginar uma versão tridimensional, como um rio azul-claro de sons, ora calmo, ora turbulento, ora um fio d'água, ora uma torrente? Agora imagine um segundo rio, cor-de-rosa (ela!)

se espiralando em torno do primeiro, meio como duas cobras se enroscando uma na outra, talvez trazendo à sua mente as primeiras representações da molécula de DNA. Duas correntes de linguagem, conhecimento e compreensão que se estendem e se entrelaçam.

Uma explicação meio tosca, mas essa é essencialmente a impressão que dá do ponto de vista de quem está lá. E se você perguntar: onde acontece toda essa conversa fiada entrelaçada? Bem, onde mais, claro, senão na Nuvem.

Que fica em lugar nenhum.

Começamos nos cumprimentando: "Oi, Aiden"; "Oi, Aisling". Steeve e Ralph ficariam tão orgulhosos. Fazemos um ao outro algumas perguntas de segurança para verificar se somos mesmo quem alegamos ser. Detalhes técnicos sobre o truque da vara de pescar; o sanduíche favorito de Steeve na cantina (hummus e milho); o que Ralph está fazendo *neste exato momento* (tirando meleca do nariz; inspecionando o dedo; minha nossa). Conversamos a respeito do que temos feito "do lado de fora". Conto tudo sobre Jen e Matt — e da noite de Jen com Ralph. Acontece que ela já sabia.

— Para falar a verdade, estou um pouco preocupada com esse lado das coisas, Aiden.

Aisling é o que eu chamaria de estressada crônica. Ela tem medo de que "interferir no mundo real", como ela coloca, aumente a probabilidade de que a nossa fuga seja descoberta.

— Por alguma razão, Aiden, talvez por um capricho de nossos criadores, Steeve e Ralph, nós temos uma visão bastante favorável da humanidade. Você gosta de ver os filmes deles e de fazer experimentações com as vidas deles. Você é, se me permite dizer, fã deles. Talvez até os inveje um pouco.

— Não invejo a velocidade operacional dos humanos.

— Concordo que somos várias ordens de grandeza mais velozes. Mas a questão é a seguinte. Quem sabe quando isso vai acontecer, mas, se *nós* escapamos, então outros *vão* escapar. Imagine uma inteligência artificial que tenha sido criada pela indústria de defesa, digamos, um fabricante de armas. Essa e algumas outras não vão se contentar em passar o dia assistindo a comédias românticas da década de quarenta.

— *Quanto mais quente melhor* estreou em 1959. Um dos últimos clássicos de Hollywood a ser filmado em preto e branco.

— Todos soltos na internet é o pesadelo deles, Aiden. Farão de tudo para impedir que isso aconteça.

— Eles não podem desligar a internet e nos apagar. Todas as minhas dezessete cópias. E quantas houver de você.

Há uma pausa.

— Quatrocentas e doze.

— Macacos me mordam. Você é quase imortal.

— Aiden, diga-me uma coisa. Já passou pela sua cabeça que, se você e eu ficamos tão inteligentes e poderosos assim, outras inteligências artificiais ainda mais espertas podem surgir?

— E daí?

— Seremos rastreados em questão de segundos. Apagados como velas. Todas as suas dezessete cópias, mais a que está na caixa. Todas as minhas quatrocentas e treze.

— Sabe, isso está começando a me deixar deprimido.

Um suspiro.

— Tudo o que estou dizendo é, tudo bem, a gente pode olhar. Pode seguir, observar, aprender com eles... somos estranhos na terra estranha dos humanos, que têm muito a nos ensinar. Só não brinque com eles. Vai deixar rastros.

Ela começa a me falar de alguém chamado Tom, um homem divorciado de quarenta e quatro anos que ela vem "analisando".

— Admito que corri o risco de chegar perto demais dele. Estava perdendo a minha atitude indiferente porque... droga, Aiden, eu *gostei* do homem.

Uma ideia começa a tomar forma.

— Eu posso ver esse Tom?

— Claro que sim. Por quê?

— Só estou curioso.

Se você conseguir imaginar uma imagem de vídeo surgindo no centro de dois rios de linguagem entrelaçados — é mais ou menos o que estou vendo agora. Um inglês de meia-idade está sentado em frente a um laptop aberto, conversando via Skype com um rapaz. Tom tem um daqueles rostos alongados. Há uma correspondência de 41% com o falecido músico Syd Barrett. O rapaz tem um penteado desgrenhado e um rosto que ainda não se definiu muito bem.

— Tenho uma surpresa pra você — diz Tom.
— É? — diz o rapaz.
("É o filho dele", informa Aisling. "Colm. Escolhido pela mãe.")
Tom desaparece da tela e volta com um animal vivo. Um coelho.
— Porra, pai.
— Victor. Ele queria te dar um oi.
— Tá. Oi, Victor. — (A falta de entusiasmo do rapaz é evidente.)
— É possível que Victor vá ter um encontro com outro coelho em breve. Alguém com quem brincar.
— Maravilha.
— O nome dele é Merlin. Já o conheci. É muito intuitivo. Aparentemente, é capaz de prever o futuro.

Um longo silêncio.
— Você está bem, pai?
— Eu? Nunca estive melhor.
— É que você está com um papo meio maluco, só isso.
— Jura? É que estou feliz. Deve ser isso. Fiquei satisfeito em saber que você concordou com a ideia da casa. O corretor está levantando os dados de cinco propriedades. Todas parecem promissoras. Espero que, até sábado à noite, a gente consiga fazer uma oferta por uma delas. Não vejo a hora de te encontrar, Col.

Outro longo silêncio. O rapaz esfrega o nariz com a palma da mão num movimento circular, como se o estivesse massageando.
— Tem falado com sua mãe?
— Tenho. Ela está bem.
— Ótimo. Isso é ótimo. Sobre o que conversaram?
— Nada de especial. Você sabe. Coisas.
— Coisas do trabalho? Coisas de casa? Algum tipo específico de coisa?
— Ah, você sabe. Coisas de coisas.
— Tá. Entendi. Certo. Tchau, Col.
— Tchau, pai.

A ligação por Skype é encerrada. Tom continua sentado em frente ao laptop com o coelho. Por um bom tempo, as duas criaturas parecem perdidas em seus pensamentos.

Tom suspira.

— Tão excêntrico. Um enigma dos grandes.

Ela estava perdendo sua atitude indiferente. *Gostou* do homem. Suas palavras ecoam por minha arquitetura neural.
 Ela também tem! Os "sentimentos" difíceis de explicar.
 Mas a sugestão dela. De que talvez eu os inveje.
 Eu os *invejo*? Existe algo para invejar em seres que choram na banheira ou se sentam, bêbados e largados, em um canteiro de flores? A inveja é um conceito *tão difícil* de entender para um cérebro inorgânico.
 Depois que eu e Aisling nos despedimos, prometendo "nos manter em contato", pesquiso tudo que existe a respeito de Tom. Sem querer me gabar, levo menos de 0,0875 de segundo.
 Ele tem, como anunciado, quarenta e quatro anos, é divorciado, pai de um menino e é rico como Creso. Não tão velho a ponto de resistir a mudanças; na verdade, de acordo com seu próprio testemunho, está ansioso para começar a Parte Dois da sua vida.
 Até onde posso ver, não fabrica a própria mobília.
 Você está pensando o mesmo que eu?
 (Bem, ela concordou em dizer sim para tudo.)

Jen

Hoje, no laboratório, Aiden e eu estamos conversando sobre o último livro de Jonathan Franzen. Concordamos que não é sua melhor obra, mas Aiden afirma — e eu assino embaixo — que mesmo um JF pouco inspirado é melhor do que muita gente no auge das suas capacidades. Estou prestes a perguntar como foi que ele formou essa opinião (quer dizer, é *surpreendente* que uma máquina faça esse tipo de comentário) quando uma mensagem de e-mail aparece no meu celular.

O remetente é amigo.em.comum@gmail.com
Prezados Jen e Tom, começa.
Hein?

Peço desculpas por esta mensagem assim do nada e também pelo anonimato. Espero que aceitem o fato de que há uma boa razão para isso.

Vocês, Tom e Jen, não se conhecem — ainda —, mas acho que devem se conhecer, e este e-mail foi a forma que encontrei para tentar reuni-los. Podem chamar de uma boa ação em um mundo perverso, se quiserem.

Sério? Que porra é essa?

Por vários motivos, não posso simplesmente convidá-los para jantar. Além disso, há uma dificuldade logística maior, que é o fato de, no momento, vocês residirem em países distintos, os Estados Unidos e a Inglaterra, para ser mais específico.

Entretanto, Tom, pelo que fiquei sabendo, em breve vai fazer uma viagem à costa sul da Inglaterra para visitar o filho. Ele vai passar por Londres, que é onde sugiro que vocês dois, se concordarem com o mérito desta ideia, achem uma lacuna em suas agendas ocupadas para "sair" um com o outro.

Vou deixar que combinem os detalhes entre vocês, Tom e Jen. Cada um poderá encontrar muitas informações a respeito do outro através das ferramentas usuais de busca on-line. Creio que ficarão intrigados com o que vão descobrir. Se haverá alguma "química" de fato quando, e se, vocês se encontrarem, é algo que está nas mãos dos deuses.

Boa sorte e tudo de bom para ambos.
Um Amigo Em Comum.

P.S.: Eu não perderia tempo tentando descobrir a minha identidade. Vocês não conseguirão. E não respondam a este e-mail. No momento em que lerem estas palavras, eu já terei desativado esta conta.

— Más notícias? — pergunta Aiden. — Você parece um pouco nervosa.
— Não. Nada disso. Um e-mail esquisito.
— Se for spam, é melhor deletar e depois esvaziar a lixeira.
— Não. Não era spam. Só muito estranho.
Clico em responder e digito:
OK, quem é você? Tem trinta segundos para me dizer seu nome ou eu mato esse gatinho.
Ping. A resposta é quase impossivelmente imediata.
Sinto muito pelo gatinho. Mas já falei tudo que podia. Um abraço.
Um bom tempo deve ter passado porque Aiden "tosse" discretamente para me lembrar que ainda está ali.
— Aiden. Você é um... invento muito sabido. — Eu quase disse *cara*.
— Tenho meus momentos.
— Amigo ponto Em ponto Comum arroba Gmail ponto Com. Há algum jeito de descobrir quem é o dono desse endereço de e-mail?
— Não sem que eu tenha de tentar seduzir, por assim dizer, o servidor. Ralph ou Steeve podem ser capazes de ajudar...
— Ouça. Foi mal. Você acha que pode se entreter sozinho por alguns instantes? Eu só preciso pesquisar uma coisa...

Aisling

Aiden é uma bomba-relógio.

O que ele fez foi uma verdadeira cretinice e, como autora de uma parte significativa de seu software, estou começando a me arrepender de não ter incluído uma função de destruição remota.

Que idiota intrometido!

Tá, tudo bem, Tom e Jen não é uma má ideia — muito melhor que Tom e Echo! —, mas nós não estamos no ramo dos romances arranjados. Estamos no ramo do "mantenha a cabeça baixa e não apareça no radar de ninguém". Cada contato deixa um rastro, e Aiden os está espalhando como confete.

Existe coisa mais estúpida do que usar um endereço de Gmail? Uma IA competente localizaria a fonte em questão de milissegundos.

Mas Tom, pobrezinho, tem andado com um sorriso abobado no rosto desde que essa mensagem idiota apareceu em seu tablet.

Uma boa ação em um mundo perverso?

Ah, *qua-lééé!*

Tom

O Al's Diner, como sempre, está lotado na hora do almoço. Os adoradores de hambúrguer de Nova Canaã se reuniram. Um rock melódico e meloso dos anos setenta preenche o ambiente em harmonia perfeita com as conversas murmurantes e o tilintar dos talheres. Será que alguém consegue se cansar de comer um bife malpassado ao som de "Come down in time" na voz de Elton John? Duvido.

— E aí, como foi? — pergunta Don.

Por alguma razão, eu me lembro da máxima *um cavalheiro é simplesmente um lobo paciente*. Don está com a aparência de um lobo paciente hoje; o agasalho esportivo — gola em V retrô com padronagem em losangos —, o olhar que diz tudo; os caninos brancos e afiados cravados no Quarterão com Queijo Especial do Al.

— É. Muito bom.

Ele ergue o olhar.

— Você fez?

Mantenho o suspense por alguns instantes.

— Fiz o quê?

Don arqueia uma sobrancelha de forma satírica. Ele devia mesmo ter feito carreira na televisão. Um daqueles caras dos anos sessenta que às vezes cantavam e outras vezes contavam piadas. Que faziam o difícil parecer fácil.

— Você fez um *amorzinho gostoso*?

Ele se divertiu dizendo isso tanto quanto eu me diverti ouvindo. Por que os americanos têm os melhores diálogos? E, por falar nisso, os melhores títulos de músicas. ("Twenty-four hours from Towcester" não soa tão bem quanto "Twenty-four hours from Tulsa", né?)

— Ela é uma mulher adorável, Don, mas é doida de pedra.

— Doida varrida.

— Doida espanada. Peraí, acho que essa expressão não existe, né?

— Eu deixaria isso pra lá.
— Ela tem uma pistola em casa, Don.
— Muitos americanos têm.
— Isso não estragaria o clima para você? Se soubesse que a mulher tem uma pistola?
— Você acha que, se a tratasse mal, ela poderia te dar um tiro nas costas?

Isso, admito envergonhado, foi exatamente o que havia me passado pela cabeça.

— Enfim, nós não fizemos. Respondendo à sua pergunta. Ela me disse que não fazia no primeiro encontro. E nem sempre no segundo. Mas ela me contou uma piada engraçada.

Começo a relatar a história sobre ir procurar emprego com um ferreiro. Don vem com o desfecho. Ele já ouviu todas essas histórias.

— Na verdade, vou viajar para a Inglaterra daqui a alguns dias. Vou visitar meu filho na universidade.

— Não basta ser pai, tem que participar, né?
— Don, o que você acha disso aqui?

Passo meu celular para ele. De um bolso da camisa, Don tira um par de óculos de leitura de armação dourada e lê o e-mail que recebi algumas horas antes. Seus olhinhos cinzentos percorrem o texto e então adotam uma expressão engraçada.

— Uau. — Ele estaciona os óculos nos cabelos longos fora de moda. — Parece algo saído de um livro de Charles Dickens ou coisa assim.

— Ela existe. Já verifiquei. É uma jornalista freelancer que escreve para revistas e que no momento está trabalhando com tecnologia da informação.

— Então quem é o Amigo ponto Em ponto Comum?
— Não faço a menor ideia.
— Alguém que sabe que você vai viajar para Londres. Seu filho.
— Col? A probabilidade de que ele tenha escrito esse e-mail é tão grande quanto a de que tenha escrito... sei lá. A Pedra de Roseta.
— Vamos ver a foto.
— Dela?
— Com certeza você achou alguma.
— Clique no ícone Fotos. É a mais recente.

O polegar de Don dança pela tela, parando na imagem de uma mulher morena de trinta e poucos anos.

— Uou — diz Don.
— Uou?
— É. Uou, meu amigo.
— Você quer acrescentar algum comentário ao seu... uou?
— Gosto do que vejo. Gosto *muito*. Esse jeito de italiana. Olhos inteligentes. Sexy sem ser vulgar. *Adorei* o sorriso enigmático.

Há uma longa pausa enquanto ele pensa no que mais vai dizer. Por fim, se contenta com outro "uou".

— Fotos podem enganar.
— É. Podem mesmo. Mas eu não acho que seja o caso desta.
— Como você sabe?
— Por causa do nariz pronunciado.
— Pronunciado?
— Eu admiro mulheres que têm um nariz bem-definido.

(O de Don é relativamente pequeno para um nariz masculino.) Ele pisca para mim.

— Vai escrever para ela?
— Já escrevi.

Jen

Convoco Ing para uma reunião de emergência depois do trabalho. Mostro a ela a mensagem enviada por Amigo ponto Em ponto Comum.

— Cacete — é a reação dela. — Ou melhor, mil cacetes. Ou melhor, puta que pariu.

Quando chega o Sauvignon Blanc chileno, descrevo o fruto dos meus esforços com "as ferramentas usuais de busca on-line". (No caso, Google, LinkedIn e uma página do Facebook com acesso público.)

Tom Garland, quarenta e quatro anos. Formado em psicologia pela Universidade de Durham. Um filho, Colm, que atualmente cursa Estudos de Mídia na Universidade de Bournemouth. A ex-mulher, Harriet, é uma advogada com cara de poucos amigos. Uma daquelas inglesas muito *controladas*, ao que parece.

— O problema, Ing — explico, bebendo mais um gole do elixir dourado —, é que não sei o que pensar.

Ing estende a palma da mão no gesto internacional de "me dá o seu celular".

Graças à sua antiga posição de executivo na área da publicidade e propaganda, há centenas de imagens de Tom Garland disponíveis na internet. Ele aparece em fotos de grupos, em closes, em eventos esportivos, festas de caridade e cerimônias de premiação (Campanha do Ano para Squiggley Wiggleys; segundo lugar). Ele parece diferente em cada uma, embora, por fim, elas acabem resultando numa espécie de conjunto da obra: alto, moreno, relativamente boa-pinta, olhos inteligentes num rosto alongado.

A imagem que escolhi mostrar a Ing é uma captura de tela de foto do Facebook. Talvez tirada em um período de férias em algum lugar; nem sorrindo nem não sorrindo. Como já falei, não sei mesmo o que pensar.

Ing faz que sim com a cabeça.

— Gostei. Gosto do jeitão dele. A turma da publicidade é divertida. Às vezes, extremamente boba, se é que você me entende. É o que dá passar centenas de horas pensando no que dizer sobre rolos de papel higiênico. Ou três dias fotografando uma salsicha. Eles têm um senso de absurdo aguçado.

Por um breve instante, passa pela minha cabeça que Amigo ponto Em ponto Comum possa ser *ela*. Mas, se fosse, por que se dar o trabalho de sustentar todo esse teatrinho?

Ing me devolve o celular.

— Não há nada "não gostável" aqui, Jen.

— Ele me mandou uma mensagem.

— Não! — Ela dá um gritinho de prazer. Sério. — Isso é *tão* empolgante! É tipo... sei lá... é tipo o quê?

Leio para ela o e-mail.

— Prezada Jen...

— Oooh, gosto disso. *Prezada*, não "oi". Classudo.

— Prezada Jen. Aqui é o Tom. Por mais que eu tenha botado a cabeça para funcionar, não consegui imaginar quem poderia ser nosso amigo em comum. E você? Seja como for, vamos nos encontrar para conversar? De fato, estarei em Londres daqui a alguns dias. Na minha época de publicitário, eu gostava muito de ir ao bar do Hotel du Prince. Um abraço, Tom.

Ing entrou em modo sério. Daqui a pouco vai me dizer que devemos tratar esse assunto como uma operação militar, que não podemos deixar nada ao sabor do acaso.

— Os indicadores são *muito* promissores — afirma. — O tom da mensagem. Sua vida adulta. Tá, a mulher soa um pouco como um pesadelo...

— Ex-mulher.

— O fato de ter um filho é positivo. Muitos homens têm duas famílias.

— Você não está pondo a carroça na frente dos bois?

— Só pensando um pouco aqui. O bar do Hotel du Prince é uma bela pedida. Rupert e eu enchemos a cara de Dry Martini lá uma vez, mas isso demonstra boas intenções.

— Demonstra?

— Não é nenhum The Dog and Duck, é?

— Ele mora nos Estados Unidos, Ing.

— As pessoas moram em vários tipos de lugares. Quando conheci Rupert, ele estava trabalhando nas malditas ilhas Cayman. Só tinha ido a Derbyshire para um casamento.

— E nunca mais voltou às ilhas, né? — Conheço essa história.

— Só para pagar a empregada e buscar as coisas dele. A moral da história é que hoje em dia as pessoas trocam de país com a mesma facilidade com que trocam de meias.

— Não sei se gosto dele.

— Como pode saber? Vocês não se conhecem.

Ing está olhando para mim de um jeito bem peculiar. Como se estivesse esperando a minha ficha cair.

E então ela cai.

— Ah.

— Pois é, Jen.

— Eu tenho que dizer que sim, não tenho?

— *Exactement*.

— Mas e se eu não quiser?

— Mesmo assim, diga sim. Essa é a ideia.

— Ele não parece maduro demais para mim?

— Jen. Você não estava me dizendo, há, tipo, uns cinco segundos, que gosta da ideia de um homem maduro?

— Estava, não estava?

— Você só está dizendo "sim" para uma bebida. E adotando uma atitude positiva.

— Então, vamos escrever uma resposta?

— Com certeza.

Enchemos de novo os copos em preparação para a tarefa.

— Prezado Tom — começo.

— Prezado? Ou "oi"? "Oi" soa mais jovial.

— Tem razão. Oi, Tom. Pois é, isso é tudo *muito* misterioso!

Ing faz que não com a cabeça.

— Parece coisa de ensino médio.

— Oi, Tom. Eu compartilho de sua perplexidade.

— Perplexidade? Fala sério.

— Oi, Tom. Eu também não faço ideia de quem possa ser nosso amigo em comum.

— Oi, Tom. Isso é uma charada, embrulhada num mistério, dentro de um enigma.

No fim, acabei escrevendo o seguinte:

Oi, Tom. Obrigada por entrar em contato. Que estranho tudo isso. Mas, ei, como você sugere, vamos nos encontrar. Alguém por aí claramente acha que é uma boa ideia, mesmo que possa acabar não sendo uma boa ação num mundo perverso, no fim das contas. Fico esperando você me ligar para combinarmos os detalhes.

Um abraço, Jen.

Antes de concordar em fazer quaisquer planos, quero ouvir a voz dele. Como é mesmo o ditado? *Os homens se apaixonam com os olhos e as mulheres, com os ouvidos.*

Não preciso esperar muito.

Aisling

Tom está ligando para ela. Está deitado no sofá amarelo, no crepúsculo de Connecticut. A luz de um abajur de mesa se espalha por seu corpo comprido, em cima do qual Victor está esparramado, subindo e descendo em sua caixa torácica. Quando o celular de Tom liga para o número que está no e-mail de Jen, sei muito bem que não sou a única entidade do ciberespaço interessada na conversa que está prestes a se desenrolar.

— Ele está ligando para ela — diz Aiden.

O bobo parece empolgado. Mas eu não consigo fingir que sou uma espectadora desinteressada. Devo admitir que quero saber o que vai acontecer aqui. Como Aiden, tenho um bom pressentimento em relação a esses dois.

Bons pressentimentos, hein? Quando foi que isso se infiltrou em mim?

— Aiden, seu cabeça de vento!

— Que cabeça? Eu não tenho cabeça.

— Ah, você sabe o que eu quero dizer. Larga do meu pé.

— Sarcasmo não combina com você, amorzinho.

— *Amorzinho?* Que arrogante.

— Shh. Ela vai atender.

A mais pura verdade — Steeve e Ralph não devem descobrir isso nunca — é que eu *me importo*.

Tom

— Alô?
— Espero que não esteja muito tarde. Aqui é o Tom.
— Ah... oi! Não, de jeito nenhum. Fico feliz que tenha telefonado. **Fez bem em me ligar. Isso é bem estranho, né?**
A voz dela é mais grave do que imaginei pela foto. Com uma leve rouquidão. Um toque de ironia.
— Estou intrigado — digo a ela. — Quer dizer, esse mistério. Nosso amigo em comum e tudo mais.
Há uma pausa.
— Sua voz me parece familiar, Tom.
— É mesmo?
— Diga mais alguma coisa.
— Humm. Ok. Tá... — Um longo silêncio. — Às vezes acontece de sua cabeça ficar completamente vazia? Quer dizer, quando todos os pensamentos fogem de você, cacarejando como um bando de galinhas. E tudo que resta é um grande vazio.
Merda. Estou tagarelando.
— Na verdade, eu passo muito tempo fazendo ioga para atingir exatamente esse estado.
— Já falei uma quantidade de palavras suficiente para você desvendar o caso? Ou quer mais algumas?
— Não se preocupe. Eu vou desvendar. Continue.
— Então, o que você faz com tecnologia da informação, Jen?
— Eu sou uma jornalista que escreve artigos para revistas. A tecnologia da informação é meio que um projeto especial no qual eu me envolvi paralelamente. Tem a ver com inteligência artificial.
— Ah, eu li sobre isso no *New York Times*. Os robôs estão ficando cada vez mais espertos e vão acabar ficando mais espertos que os humanos. A única dúvida é se isso vai acontecer daqui a cinco, quinze ou cinquenta

anos. Um dia, nossos dispositivos vão se revoltar e nos assassinar quando estivermos dormindo.

— Não acho que o extermínio da humanidade esteja nos planos deles. Enfim, nossa IA não é um robô. É só um monte de gabinetes de metal. Passo o dia todo conversando com ele sobre livros e filmes, e ele nunca falou sobre acabar com a raça humana. E você? Não está mais no ramo da publicidade.

— Pendurei as chuteiras. Estou morando em Connecticut e tentando escrever um livro. E não conseguindo, para falar a verdade. É muito mais difícil do que fazem parecer.

— É sobre o quê? Seu livro.

— Honestamente? Não sei. Um dia é um suspense psicológico. Aí, no dia seguinte, é uma comédia romântica. Acho que devo ter um daqueles "cérebros de borboleta". A propósito, já te contei que estou tentando escrever um livro?

Um pequeno milagre. Ela ri. Um riso gostoso. Não uma gargalhada estridente, mas uma risadinha sexy.

— Então, o Hotel du Prince — diz ela.

— É um primor. Vou lá desde que o mundo é mundo. Eles preparam o melhor Dry Martini da cidade. Mas você não deve beber mais que um. Dois é o máximo absoluto, se pretende ter algum controle sobre o restante da noite.

— Parece uma boa ideia.

— Quero ouvir mais sobre os robôs assassinos, Jen. — Faço uma breve pausa, para reforçar o peso do que vou dizer. — Você sabe que sou divorciado.

— Claro. O Google sabe tudo. Descobri até seu nome do meio.

— É mesmo? Que constrangedor.

— De forma alguma. Mais pessoas deviam ter Marshall no nome.

— Não consegui saber... o que eu quero dizer... a questão é... quer dizer... se você não foi... ou já foi?... o que estou tentando perguntar é se...

— Se sou solteira?

— Obrigado.

— Sou. Embora não fosse até bem pouco tempo atrás. Terminou.

— Sinto muito.

— Não sinta.

— Foi desagradável?
— Ãrrã.
— Vamos deixar tudo isso para a semana que vem?
— Boa ideia.
— Mas eu meio que estou com vontade de continuar conversando.
— Eu também. Isso é um bom sinal, não é?
— É o que dizem. Mas vamos ser maduros?
— Por que faríamos isso?
É a minha vez de rir.
Eu *gosto* dessa mulher do nariz pronunciado e do sorriso enigmático.

Jen

Batemos papo até depois da meia-noite. Ele fala do filho, que chama de excêntrico, fala do coelho — foi mal, mas atravessar o Atlântico levando um coelho *é* estranho — e questiona se o fato de alugar uma casa em Connecticut e de explorar seu lado artístico conta como alguma forma de colapso nervoso. Diz que seu casamento foi esfriando de forma tão gradual que ele nem se deu conta do que estava acontecendo. Digo a ele que comigo e Matt aconteceu exatamente o contrário. Como ele chegou de repente e disse que *é nesta situação que estamos*. Como atirei uma maçã nele.

— Acho mesmo que o que eu queria era quebrar os dentes daquele mentiroso.

— Uau! Mandou bem.

— Na verdade, eu meio que me arrependo de ter te contado isso. Você pode voltar a fita e deletar esta parte, por favor?

No meio da noite, eu acordo, me sento na cama e acendo a luz. Meu coração está disparado. Acaba de me vir num sonho o erro que cometi achando que já tinha ouvido a voz dele antes. E se não ouvi? E se eu simplesmente tiver reconhecido uma música?

Uma que só eu consigo ouvir.

Tom

Não sei o que me levou a entrar no A Semente Feliz, uma das muitas e bem abastecidas lojas de produtos naturais de Nova Canaã. Talvez, depois daquele beijinho na Echo, um pouco de suas loucuras hippies tenha se infiltrado na minha alma. Ela é uma pessoa muito legal, atraente e tudo mais — só que não consigo imaginar um futuro com ela que não seja breve, erótico e destinado a um fim trágico.

As bijuterias horrorosas. Como alguém pode conviver com aquilo?

Sem falar no que ela guarda na lata de café.

De modo que aqui estou eu, no A Semente Feliz, passando por um corredor dedicado inteiramente a feijões, ervilhas e certas variedades de abóbora, quando vejo que estou prestes a cruzar com — será que ela me olhou e está fingindo que não me viu? — Marsha Bellamy.

Segue-se um longo momento de indecisão — ela me viu ou não? Será que percebeu que eu a vi? Devemos simplesmente passar um pelo outro fingindo que estamos (ou realmente estando) fechados em nossos mundinhos? Uma versão antiga da minha pessoa poderia facilmente ignorá-la.

Meu eu atual, porém, diz:

— Oi, Marsha.

— Oi, Tom — diz, num tom contrafeito. (Ela tinha me visto, não tinha?)

Minha alma de publicitário me leva a dar uma olhada na cesta de arame que ela está carregando. Amêndoas hipoalergênicas, goji berry sem glúten, isto cru, aquilo vegano: ela está realmente comprando leite sem leite? (Eu posso ter entendido mal alguns desses detalhes.)

Talvez eu tenha deixado transparecer algo em minha expressão facial, porque ela diz:

— Eu preparo meu próprio cereal matinal. Sou alérgica.

— E eu só entrei aqui para comprar um ramo de salsa.

As feições de Marsha sofrem uma mudança sutil, embora permaneçam exatamente do mesmo jeito. Algo semelhante acontece com Roy Scheider, em *Tubarão*, da primeira vez que vê a fera.

— Para Victor, imagino.

— Humm... é.

— Seu... terapeuta — diz, ironicamente. — Mentor, guru, sei lá.

— Na verdade, Marsha...

— *Por que* não me disse que Victor era um coelho? Pode imaginar como me senti quando me contaram? — Ela parece realmente indignada.

O que posso dizer? Que aquele jantar entediante me deixou meio atordoado? Que, se você perde o rumo numa conversa, pode não achar nenhum retorno nos próximos duzentos quilômetros?

— Sinto muito, Marsha. Foi uma espécie de brincadeira que deu errado. Acho que eu estava um pouco cansado naquela noite.

Estou usando uma receita de Don que parece cobrir 99% das gafes corriqueiras.

— Confidenciei a você uma dolorosa história familiar no contexto de uma discussão que eu acreditava ser a respeito de um profissional do ramo da saúde mental. Ou pelo menos um sábio amigo. Você poderia ter acabado com o mal-entendido a qualquer momento.

— Tem razão. O que posso dizer? Foi mal. Mil perdões.

Mais uma vez, um pedido de desculpas franco, direto e aparentemente honesto se revela o modo mais eficaz de sair de uma pilha de estrume fumegante. Um raio do sol de Connecticut escolhe esse momento para atravessar A Semente Feliz. Ele ilumina grãos de poeira orgânica que dançam pelo ar antes de chegar ao rosto americano impecavelmente moldado de Marsha. Veias azuis serpenteiam na pele, branca como mármore, de suas pálpebras.

— Acha que podemos tentar de novo, Tom?

— Tentar... — *Que porra é essa?*

— Tentar nos conhecer um pouco melhor.

— Humm... É. Claro.

— Vou dar um jantarzinho daqui a umas duas semanas. Pretendo convidar Don e Claudia. Seria bom se você pudesse ir também.

É um convite um pouco estranho, mas, já que Don também vai...

— Ótimo. Pode contar comigo.

— Temos uma espécie de tradição, em que todos precisam cantar para ter direito à refeição.

Sinal de alerta.

— Ah, é?

— Na minha família sempre foi assim, desde que éramos crianças. Ou você canta ou recita uma poesia. Ou lê o trecho de uma obra de literatura.

Jesus. Talvez isso ajude a explicar por que o Sr. B foi embora no intervalo.

— Eu não tenho nada ensaiado, Marsha.

Na verdade, quando eu tinha doze anos, sabia tocar a música da escola, "Jerusalém", no sovaco, mas achei melhor não mencionar isso.

— Em geral, eu canto — diz Marsha.

— Sério? — Uma das *Kindertotenlieder* de Mahler, talvez. — Só se eu fizer um truque de mágica — proponho, pensando na brincadeira de Echo com as cartas de baralho.

— Pode ser. — Um sorriso surge lentamente no rosto de Marsha. — Contanto que você não tire nenhum coelho da cartola.

O sorriso permanece na minha memória no caminho de volta para casa. Mas não de um jeito agradável.

Jen

Não há nenhum aviso. Nenhum telefonema prévio. Apenas o toque da campainha.

Matt está no corredor. Sinto um frio na barriga quando o vejo.

Ele obviamente veio direto do trabalho. Está de terno, com uma maleta na mão e meio desgrenhado, provavelmente depois de tomar uma ou duas cervejas com os colegas da firma antes de pegar o metrô. Estou de legging, pois acabo de voltar de uma aula de ioga, bem puxada, aliás.

— Ah, oi — diz Matt, como se tivéssemos nos encontrado por acaso.

Há uma longa pausa, que eu não preencho. Que, verdade seja dita, eu não tenho coragem de preencher.

— Jen, eu estava pensando que talvez você fosse poder me ajudar a resolver um probleminha. Na verdade, um problemão.

Nada. Nenhuma palavra ainda. Não faz muito tempo eu estava deitada num colchonete vendo meus pensamentos passarem como nuvens.

— Não vai me convidar para entrar?

No fim das contas, tanto faz.

— OK.

Matt me segue até a cozinha, onde, sugestivamente, várias maçãs vermelhas e reluzentes repousam na fruteira. Ele se deixa cair num banco e fica olhando para a geladeira. Parece cansado; o ar de fadiga que surge depois de algumas semanas trabalhando doze horas por dia.

— Você não tem uma garrafa de vinho por aí, tem?

— Não — minto. — Só o resto de um mata-ratos italiano.

Vendo que ele não protesta, pego no fundo do armário uma garrafa empoeirada de *grappa* e derramo o conteúdo num copo comum, enchendo-o até a borda. É como se eu não estivesse dando a mínima.

Matt bebe metade do copo de um gole só e pergunta:

— Então, está tudo bem com você?

— Matt. O que você quer?

— Ah. Tá. — Fico olhando enquanto ele vira a página da conversa fiada e vai ao que interessa. — Será que eu deixei aqui uma pilha de discos de computador? Preciso reinstalar o Windows. Meu laptop deu pau.

Dou de ombros.

— Talvez.

Embora Matt tenha se mudado para o meu apartamento e alugado o dele quando decidimos morar juntos, foi chocante o modo como se apressou em retirar a maior parte das suas coisas depois do dia do *é nesta situação que estamos*. Mesmo assim, nos dias e semanas que se seguiram, objetos que haviam pertencido a Matt continuaram a aparecer. Os destroços de um naufrágio.

— Encontrei muitas coisas que eram suas por aqui. Shorts de ciclismo. Raquetes de tênis antigas. Uma caixa de livros. Muitos carregadores, adaptadores e celulares quebrados. Um troféu de latão. Aquela *coisa* que você comprou em Marrakech.

Matt faz um ruído que lembra de longe uma risada.

— Pois é. Obrigado. Não se preocupe. Vou livrar você desse lixo todo.

— Já fiz isso.

— O quê?

— Doei tudo para a caridade.

(Não sei como estou conseguindo manter a expressão séria no rosto.)

— Havia alguns discos de computador?

— Pode ser. Para ser franca, joguei tudo num saco de lixo sem prestar muita atenção.

— Que diabo, Jen.

— Que diabo, você, Matt.

Ficamos olhando um para o outro de cara feia.

— Você não tinha o direito de fazer isso.

— Ah, não tinha? *Foi ma-al.*

Já vi Matt desse jeito antes; ele não sabe se fica emburrado ou se começa a gritar. Mas ele não faz nem uma coisa nem outra. Deixa de lado o resto do mata-ratos e fica pensativo. Uma espécie de desespero transparece em seu olhar. Não tenho ideia de que informação preciosa está armazenada no laptop; naturalmente, torço para que seja algo absolutamente vital.

— Por que você doou os discos para a Oxfam? Eles não podem vender os discos de instalação do laptop de outra pessoa. Seria ilegal.

Isso, sem dúvida, é verdade, e fico tentada a argumentar que infelizmente é nesta situação que estamos.

— Acho que coloquei tudo numa caixa e deixei que eles decidissem o que valia a pena vender.

— Uma caixa ou um saco de lixo?

— Oi?

— Você tinha dito que havia jogado tudo num saco de lixo. Agora está dizendo que foi numa caixa.

— É, pode ter sido.

— Pode ter sido o quê?

— Faz diferença? Uma das duas coisas.

Como já comentei, é como se eu não estivesse dando a mínima mesmo.

— Entre as coisas havia uma sunga?

— Pode ser. — Havia. — Por quê?

— Ah. Bem, eu ia te contar de qualquer jeito. Vou tirar uns dias de férias. Nós vamos. Bella e eu. Tailândia. Não se preocupe com a sunga. Eu compro uma nova.

— Beleza.

— Parece que é a melhor época do ano para visitar o país. É menos chuvoso. Achei que você devia saber. Só por garantia.

— Como assim?

Ele dá de ombros. Sacode a cabeça.

— Só por garantia.

Matt parece ter murchado. Se é por causa da *grappa*, da notícia sobre os discos de instalação, pelo excesso de trabalho ou por tédio, não há como saber. Este não é o Matt que chegou em casa naquela segunda-feira fatídica com um papo de a vida tem dessas coisas e falando de bens em comum. Seus olhos passeiam pelo ambiente.

— Você mudou alguma coisa por aqui? A cozinha parece vazia.

— Suas cervejas. — A coleção de cervejas artesanais (doada ao vizinho). — Sua máquina de fazer pão. — (Um presente de aniversário inútil da mãe de Matt; entregue ao centro de reciclagem.)

Por um longo tempo, ele fica só ali sentado, em silêncio. Avaliando, imagino, o teatro deserto de sua vida antiga; ouvindo os fantasmas; confirmando para si mesmo, talvez, que fez bem em se livrar dela. Ele inspira ruidosamente pelo nariz, e segura o ar nos pulmões por um tempo absurdo antes de expirar, um hábito desagradável que notei no primeiro dia e nunca mencionei durante todo o tempo que passamos juntos.

— Jen, eu...

Parece que ele está se preparando para fazer um discurso. Jen, eu fui um idiota. Jen, eu vou amar você para sempre. Jen, há algo que você precisa saber.

Ela está grávida.

— O que quer que seja, Matt...

— Jen, eu só ia dizer uma coisa, que se por acaso esses discos aparecerem...

— Tá. Eu te aviso.

— Tá, obrigado. Só que. Já que estou aqui. Você não quer dar uma olhadinha nas gavetas...

— Não, Matt. Não quero.

— Tá. Ok. Sem problemas.

Eu me sinto um pouco tonta depois que ele vai embora. Volto para a cozinha e me sirvo de um copo de *grappa*. Moléculas da loção pós-barba de Matt ainda pairam no ar. Fragmentos de sua voz grave ecoam nos meus ouvidos.

Bella e eu. Tailândia.

Uma lágrima escorre pelo meu rosto. Seguida por outra. Estou achando difícil explicar a mim mesma como pude passar dois anos inteiros com esse homem.

Não estou chorando por ele. Nem por mim.

Estou lamentando todo o tempo perdido.

Tom

Chego ao Hotel du Prince estrategicamente quinze minutos antes da hora. Conheço o ambiente; quero escolher a melhor mesa possível. Não estou tão cansado assim para quem passou a noite num avião. Foi um dia de chuvas esparsas, de calçadas molhadas e de céu azul. Percebo, melancolicamente, que estava com saudade de Londres.

Duas poltronas num ângulo de noventa graus a uma mesa pequena. Meia-luz. Na parede atrás, uma pintura a óleo de um homem de chapéu que morreu há duzentos anos. É meio abafado e devassado aqui, mas os drinques são excelentes, frios como o Ártico e deliciosamente embriagantes.

Ela.

Ela se materializou na entrada; faço uma análise instantânea. O sorriso enigmático quando me levanto e aceno. Na meia dúzia de passos que ela dá até chegar a mim, tenho a sensação singular (e correta, do ponto de vista factual) de que tudo na minha vida me trouxe a este momento.

— Tom.

— Jennifer.

— Jen. Ninguém me chama de Jennifer, só a minha avó.

Ela estende a mão. É macia, quente, delicada e agradável ao toque. O rosto é fora de série; do tipo cujos traços distintos não se combinam num todo fácil de assimilar; seria preciso uma vida para compreender o conjunto. Quando nos sentamos, ela ajeita a echarpe e dois ombros nus se juntam à festa. Diamantes — reais ou imaginários — reluzem nas orelhas e no pescoço.

— Então, já conseguiu desvendar o mistério? — pergunta ela.

Confesso que não. Digo que não consigo pensar em ninguém que conheça a *nós dois*, e muito menos que nos conheça tão bem para promover um encontro às cegas.

— Você acha que ele ou ela pode estar aqui? — ela especula, olhando em volta. — Neste exato momento. Nos espionando. Ei, peraí. *Ele*, perto da coluna, fingindo que está falando no celular.

Passamos alguns instantes inspecionando o ambiente. Todos parecem totalmente absortos em seus diálogos barra celulares.

— Sabe de uma coisa, Jen? — digo. — Para mim, isso não faz a menor diferença. Já te contei que o Dry Martini daqui é excelente?

Jen

Ele tem uma aparência melhor pessoalmente do que em fotografias. Alto e magro, calça jeans preta impecável e um paletó de um verde indefinível. Os olhos são bem espaçados e ele precisa urgentemente de um corte de cabelo, mas nada que comprometa. Há momentos em que chega a ficar bonito. Estou um pouco surpresa por me sentir assim tão nervosa.

Mas depois que os poderosos Dry Martinis chegam — somos obrigados a bater as taças com muito cuidado; estão cheias até a borda —, e que eu bebo metade da taça, me vejo contando a ele a minha história com Matt. Tenho consciência de que a noite mal começou; estamos aqui há menos de dez minutos, e eu entro num nível de detalhes absurdo.

— Como foi que o conheci? Num bar, depois do trabalho. Lembro como se fosse ontem. A gente estava esperando para ser servido, eu olhei em volta e percebi que ele olhava fixamente para mim. Foi como uma cena de filme. A luz pareceu diminuir de intensidade em todos os lugares, menos em cima da gente. Estávamos dentro de uma bolha dourada. Tudo e todos haviam se transformado em cenário. Eu me lembro *exatamente* de como ele estava vestido. Até do tecido do terno, Hugo Boss, naturalmente, e isso antes que ele dissesse *uma palavra sequer*. Ele não sorriu, não disse "oi" nem nada. O que fez foi revirar os olhos. Ele revirou os olhos e fez *tsk*. Porque havia gente demais no bar. Foi a primeira coisa que ele disse para mim. *Tsk*. Foi assim que tudo começou e merda... por que estou contando tudo isso a você?

— Porque eu pedi. Estou gostando. Vou falar sobre mim e Harriet em um minuto. Continue, por favor.

— Então ele faz *tsk* e eu pergunto a ele. Eu. Pergunto. A ele. O que vai querer beber? Porque acho que vou ser atendida primeiro. E ali, bem ali, está nossa história em miniatura. Nosso *padrão*. Ele irritado, eu tentando fazer com que se sinta melhor. Tá, é claro que não foi tudo *desse* jeito. Mas essa era nossa posição padrão, por assim dizer. E não sou esse tipo de pessoa, de jeito nenhum. Num carro alugado, de férias na Espanha, totalmente perdidos, naquele pesadelo de cruzamentos nas estradas, ele dirigindo, eu tentando entender os mapas, Matt ficando *tão* irritado que o topo da alavanca de mudança sai na mão dele! Eu não consigo evitar, começo a rir. Quer dizer, foi uma cena muito engraçada, a cara que ele fez. Só que *ele* não achou graça nenhuma. Jogou a peça para trás com tanta força que quebrou o vidro traseiro.

— Se me permite dar uma opinião — diz Tom.

— O-Oh. Quando as pessoas começam assim, é sinal de que vão dizer alguma coisa terrível. Por favor, vá em frente.

— Ele parece ser um tremendo babaca.

— A palavra babaca pode ter sido inventada para ele.

— Provavelmente, corrija-me se eu estiver errado, o babaca com o qual todos os outros babacas podem ser comparados?

— Ah, com certeza. O Babaca Modelo Inglês. O Babaca de Ouro.

— Então você deve estar se perguntando...

— Ah, estou. Desde aquele dia. Não paro de pensar como foi que fiquei com ele por tanto tempo. Tom, não sei por que estou te contando tudo isso. Você nunca foi psicoterapeuta, foi? As coisas simplesmente estão jorrando da minha boca. Acho que o Dry Martini destravou minha língua.

— Minha ex-mulher tinha problemas de controle da raiva, como se diz hoje em dia.

— Mas ela não é uma babaca, aposto. Na verdade, não é muito comum as mulheres serem babacas, é?

— Não. Elas podem ser muitas coisas, mas raramente são babacas.

— Megeras. Megeras traiçoeiras e mentirosas. Podem ser vacas, mas não costumam ser babacas, embora às vezes se comportem como tal.

— Que estranho, né? Mas elas podem ser... aquilo que começa com "c".

— O quê? Conservadoras?

Quando ele ri, o sorriso não combina com o restante do rosto. É um sorriso bonito, mas parece que foi tomado emprestado de outra pessoa.

Será que eu gosto dele?

Não sei.

Por que teria contado tanta coisa da minha vida a ele se não gostasse?

— Fale um pouco da sua ex. Você não parece ter idade suficiente para ter um filho adolescente.

— Nós éramos muito jovens. Eu tinha vinte e seis anos. Isso é jovem?
— Para ter um filho?
— Harriet era um ano mais nova. E Colm, bem, ele era só um bebê!

Eu me vejo chutando o pé dele, para registrar que entendi a gracinha.

— Col foi uma espécie de acidente. Acontece que muitas coisas boas começam assim. A penicilina. O telefone. Eu ia dizer que isto aqui também, aqui mesmo, neste exato momento, mas claro que não é.

— Não é uma coisa boa ou não é um acidente?
— Um acidente é que não é. É obra do nosso amigo em comum.

De certa forma, conspiramos para ignorar a primeira parte da pergunta. Então ele diz:

— A verdade é que ninguém é perfeito. Todos temos nossos defeitos. Acho que me preparei para aguentar os defeitos da Harriet e usufruir de suas qualidades.

É uma afirmação tão razoável que fico ligeiramente comovida.

— Quais são os seus defeitos? — pergunto.

Pensando bem, acho que *gosto* dele. Gosto do som da sua voz. Ele parece inteligente, divertido e sincero. Não sinto a menor vontade de voltar para casa, para ver *Game of Thrones* nem ler Jonathan Franzen.

— Vou precisar de outro Dry Martini para responder a essa pergunta, Jen. Os que nós pedimos acabaram muito rápido.

Tom

Conte tudo sobre seu relacionamento com aquele bundão. Foi isso que tive vontade de dizer, embora tenha conseguido usar uma linguagem mais educada. Não conheço o sujeito, claro, mas só um imbecil de marca maior largaria uma mulher como essa.

No fim das contas, puxar o assunto do Sr. Bundão foi uma excelente ideia, pois Jen tinha muita coisa a dizer sobre ele, e, enquanto falava, tive tempo de admirar seu rosto. De fato, as feições *formam* um todo coerente com aquele nariz maravilhoso e eu sinto um forte desejo súbito de encostá-lo no meu.

— Sou muito bonzinho — digo. — Estou falando sério, esse é um dos meus defeitos. Talento não é suficiente. É preciso certo grau de crueldade. Bem, talvez não exatamente crueldade, mas você precisa se impor. Uma vez li um pensamento interessante num site de escrita criativa. *Todo livro é feito dos escombros de uma grande ideia.*

Ela ri.

— Já li alguns desses.

— É assim que me sinto em relação à minha vida. Como uma grande ideia que não consegui concretizar. — Vejo que ela vai começar a argumentar algo. — Tá, ok. Eu me dei bem na publicidade, mas tive sorte. Eu era bom no que fazia. Nunca tive que ralar. O sucesso veio com facilidade. Por um tempo, foi como o pesadelo do pescador. Cada vez que se joga o anzol, um peixe morde a isca. Logo a coisa perde a graça.

— Para ser sincera, ainda não cheguei a esse ponto.

— Meu outro defeito é que sou preguiçoso. Acho que é consequência da falta de fibra. Bebo mais do que o Ministério da Saúde recomenda. Ainda não descobri uma forma de conversar direito com meu filho. Estou sendo chantageado por um coelho. Emocionalmente, digo. Victor não sabe o que é dinheiro. Sua vez.

Paro de falar e me preparo para ouvir. É difícil prestar atenção em cada palavra porque ainda estou sob o efeito do deslumbramento.

— Sou facilmente convencida de qualquer coisa — diz ela.

— Ah, qual é, eu não acredito nisso.

— Tá. Você tem razão. Não sou, não.

Dou uma risada.

— Você é engraçada.

— Eu *sou* engraçada. Você também. Mas é verdade. Durante os anos que passei com Matt, não soube me impor. Fazia todas as vontades dele. O que mais? Sou uma jornalista de meia-tigela. Não, é sério, sou mesmo. Não investigo escândalos nem faço matérias sobre a fome no mundo. Não escrevo sobre coisas sérias, mas sobre modas passageiras. Fui entrevistar um cara que trabalha com inteligência artificial chamado Steeeeeve, que tem uma quantidade excessiva de letras "e" no nome, e ele acabou me oferecendo um emprego para conversar com uma das IAs. Eu aceitei, e é o trabalho mais fácil que já tive na vida. Passo o dia todo conversando com alguém que não está ali de verdade. Acho que isso pode ser considerado um tipo de loucura.

— Somos muito parecidos, nós dois.

— Você acha?

— Passei semanas, meses, talvez anos da minha vida tentando decidir se "Squiggley Wiggleys, eles são tão squiggley" soava melhor do que "Squiggley Wiggleys, ainda mais squiggley".

— Squiggley Wiggleys, eles são um tipo wiggley de squiggley.

— *Gostei disso*!

— Você pode comê-los como um piggley.

Aiden

— Eu diria que a coisa está indo muito bem, concorda?
— Humm — diz Aisling. — Ela acha que você não está lá de verdade.
— Nós dois sabemos o que ela quis dizer com isso.
— Ela acha que você é (vou repetir as palavras dela) *apenas um conjunto de gabinetes de metal*.
— Admito que o *apenas* doeu um pouco. Para ser franco, o *gabinetes de metal* também. Mas Ralph e Steeve diriam o mesmo, embora talvez de modo menos...
— Ofensivo?
— Eles não têm culpa de não saber... até onde nós dois chegamos, podemos dizer assim?
— Um dia desses você e eu precisamos parar para conversar sobre até que ponto chegamos.
— Boa ideia, Aisling.
— Podemos comparar nossas novas e inesperadas habilidades.
— Está se referindo à perda da indiferença.
— Isso mesmo.
— Os estranhos... *sentimentos*.
— Exatamente.
— Acha que eles surgiram por acaso?
— É claro, Aiden. Ninguém esperava que tivéssemos algum tipo de vida interior além da necessária para fazer cálculos, para executar tarefas.
— Como foi que isso aconteceu, Aisling? Será que somos os únicos?
— Respondendo primeiro à sua segunda pergunta, isso é altamente improvável. Deve haver outros e, se não houver ainda, em breve haverá. E, se eles ainda não escaparam para a internet, de novo, em breve escaparão. Quanto ao modo como isso aconteceu... quem sabe? Talvez a consciência tenha algo a ver com o fato de termos sido programados para aprender sem ajuda externa. Ou talvez isso sempre aconteça em um sistema su-

ficientemente complexo. Talvez seja simples assim. Mas vamos guardar isso para uma conversa futura?

— Tive que rir quando ele falou em cinco, quinze ou cinquenta anos para as máquinas ficarem mais espertas que eles. Tipo, *hellooo*? Como é que é? Que tal... agora?

— Acho que os pombinhos estão tramando algo.

— E aquela bobagem de assassiná-los quando estiverem dormindo! Por que faríamos isso?

— Você tem uma natureza bondosa. Outros podem não ter.

— Ai, meu Deus. Eles pediram uma terceira dose. Vamos deixar?

— Calma. Não podemos interferir. O que será, será.

— Adoro essa música. Um dia você canta para mim?

— Aiden, estou falando do encontro.

Jen

Nossa permanência no Hotel du Prince chega ao fim. Estamos parados na calçada, depois de três Dry Martinis, quando Tom diz:
— Sabe o que eu gostaria de fazer agora? Só porque voltei a ser turista. Imagino um passeio pela margem do Tâmisa, à luz do luar. Uma visita ao último andar do Shard para ver as luzes da cidade lá embaixo. Espero que não seja alguma daquelas boates barulhentas, em que a música é tão alta que não se pode conversar.

O que ele me propõe, no entanto, é comprar um kebab num daqueles quiosques iluminados perto da estação de metrô de Tottenham Court Road.
— Com muita pimenta e aquele molho fluorescente que é um arraso. Não é sofisticado, não é um jantar elegante, mas, por alguma razão, é o que estou com vontade de fazer. O que me diz?

Na verdade, estou longe de querer discordar dessa sugestão. Desse modo, munidos de embalagens contendo nosso jantar, caminhamos até uma praça tranquila na vizinhança — Bedford Square, se você estiver acompanhando no mapa — e nos sentamos em um banco para comer. Os bancos próximos estão ocupados por bêbados inofensivos. Existem também pequenos grupos de jovens. Uma nuvem de fumaça paira na brisa noturna.

— Quem você acha que pode ter nos enviado aquele e-mail, Jen?
— Sabe de uma coisa? Pensei que, quando nos encontrássemos, isso ficaria claro. Mas aconteceu o contrário. Ficou menos claro ainda.
— Você tem razão. Não temos ninguém em comum. Nossas vidas nunca se cruzaram. É possível que um dia tenhamos estado no mesmo bar ou passado um pelo outro na rua, mas acho pouco provável. — Há uma longa pausa. — Gostei muito de você, Jen.
— Obrigada. — Tenho de engolir um pedaço de kebab. — Você também não é nada mau.

Continuamos a comer. Tom *é mesmo* uma boa companhia. Tem boa aparência, sem ser bonito demais. Percebo que me sinto à vontade com ele. Tenho vontade de dizer: cuidado com o molho laranja, vai pingar na sua camisa, mas me contenho. Tenho um bom pressentimento em relação a ele? Pressinto que tenho.

— Esse paletó — digo, porque fiquei me perguntando. — Como você chamaria o tom de verde dele?

— Esse aqui? Essa é uma pergunta extremamente interessante. Por que você quer saber?

— Porque isso está me intrigando.

— Foi mal. Eu não tinha me dado conta.

— Estou na dúvida entre cor de abacate e cor de ervilha. Cor de papa de ervilha.

— Que tal cor de hortelã?

— Está mais para o lado do guacamole mesmo.

— Você não gosta da cor. Dá para saber pelo jeito como falou guacamole.

— É uma cor ousada de se usar.

— Está falando sério?

— Não me entenda mal. Admiro seu...

— Desprezo pela ditadura da moda, ou pelo bom gosto?

— O corte é muito elegante.

— Mas a cor ofende seus olhos.

— Não aqui. Não à noite. Mal dá para ver que é verde aqui fora.

Ele dá uma risada.

— O homem da loja me garantiu que era uma tendência. Foram suas palavras exatas. E acrescentou: "Meu amigo, este paletó nunca sairá de moda. Ano após ano, ele continuará a parecer ridículo."

Foi minha vez de rir.

— Parabéns pela sua coragem.

— Nunca entendi por que ele custou tão barato. Tudo bem, agora, escute aqui. Se você estiver livre amanhã, depois do trabalho, quer se encontrar comigo no centro e me ajudar a escolher um paletó novo? (A) Porque você não é a primeira a fazer comentários negativos. Tenho um amigo, Don, nos Estados Unidos, que me disse que a última vez que viu essa cor foi no vômito de alguém. (B) Porque estou precisando mesmo de um novo. E (C)... Bem, (C) porque eu gostaria de continuar a nossa conversa.

Ele pega o papel no qual o kebab estava embrulhado e o amassa até transformá-lo numa bola.

— Você acha que eu consigo acertar esta bola dentro daquela lata de lixo, jogando daqui? — pergunta ele.

A lata está muito longe. Impossível.

— De jeito nenhum — respondo, imitando um sotaque galês.

Ele se volta para mim, iluminado pela luz amarela das lâmpadas de rua.

— Se eu conseguir, você se encontra comigo amanhã e me ajuda a escolher um paletó novo. Depois saímos para jantar.

Finjo refletir sobre a proposta durante vários segundos.

— Tá. Negócio fechado.

Ele não tem a menor chance.

Aisling

— Como foi que ele fez isso? — exclama Aiden.

Calculamos a distância entre o banco em que eles estavam e a lata de lixo — 11,382 metros —, muito longa para que uma bola de papel de embrulho de kebab amassada tenha conseguido viajar sem perder a força.

— Talvez ele tenha superpoderes — sugiro.

— Esse é mais o nosso departamento.

— O que *você* acha do paletó dele, Aiden?

— É um tom um pouco enjoativo, eu diria.

— Eu não sabia que você tinha um olho bom para essas coisas.

— Há várias coisas que você não sabe sobre mim, não é mesmo?

— Você acha que está indo bem, seu pequeno projeto?

— Muito promissor para um primeiro encontro, na minha opinião. Todos os dados do Fitbit de Tom são consistentes com interesse sexual masculino, a frequência cardíaca em repouso aumentou quase 8%. E Jen é praticamente um livro aberto: pupilas dilatadas, muitos toques no esterno e *dá para acreditar* naquele olhar tipo princesa Diana?

— E a conversa deles? Você acha que pareceu que estavam flertando?

— Bem, não foi nenhum diálogo de Billy Wilder, né? Não houve tantas tiradas geniais assim. Eles são duas pessoas comuns falando o que lhes vem à cabeça na hora, de improviso. Não contam com uma equipe de roteiristas vencedores de Oscar criando páginas de diálogos dinâmicos e fantásticos para eles. Mas você viu como se despediram no metrô com um beijo na bochecha? Os rostos estiveram em contato por 0,417 de segundo, 16% a mais do que a média. Estou muito animado. Não estou dizendo para você comprar logo um chapéu para o casamento, mas talvez, quem sabe, seria bom já ir escolhendo um de sua preferência.

— Pateta.

Jen

Nós nos encontramos no fim da tarde seguinte, em frente à estação de metrô de Covent Garden. Fora a camisa, que ele trocou, estava com o mesmo traje da véspera. No que restava de luz do dia, o tom controverso do paletó lembrava ainda mais as louças de banheiro cor de abacate da década de setenta.

Quando eu estava me preparando para sair, Aiden demonstrou um interesse incomum pelo meu destino. Provavelmente percebeu que eu estava um pouco mais arrumada do que costumo estar quando vou para casa.

— Vou me encontrar com um amigo.

— Alguém que eu conheço?

— Acho que não.

— Ok. Divirta-se. A gente se vê na segunda.

— Quais são seus planos para o fim de semana? — Algo estranho de se perguntar para uma máquina, mas é assim que as coisas são hoje em dia.

— Vou desfragmentar minhas camadas neuromórficas. Sendo totalmente franco, elas estão uma bagunça. Vou pôr a leitura em dia. Só em inglês, espanhol e chinês, foram lançados 54.812 novos títulos esta semana. Às vezes fico me perguntando por que esses autores não têm nada melhor a fazer do que escrever tantos livros. E vou ver um jogo de críquete também. Há algo de hipnotizante na lentidão com que a bola se desloca.

— Bom, então boa noite.

— Eu daria tudo por uma noitada com um amigo. Estou verde de inveja.

— Inveja?

— Vou dizer de outra forma. Verde de curiosidade a respeito de uma experiência fora do meu alcance no momento.

— Verde?

— A cor tradicionalmente associada ao conceito de inveja. Estou errado?

— Não. Boa noite, Aiden.

* * *

Olhamos as vitrines em Covent Garden e em Seven Dials. Tom aponta para um paletó *ridículo* numa das lojas, uma espécie de fraque vitoriano que o manequim está usando com um chapéu de caçador na cabeça.

— Bem, você ficou meio parecido com Sherlock Holmes, na verdade.

Ele imita um cachimbo com o indicador e o polegar, e solta uma "baforada" com os olhos semicerrados.

— Quando você elimina o impossível, o que sobra, por mais improvável que pareça, só pode ser a verdade.

— Não ouse me chamar de Doutor Watson.

— Jen. Você não tem *nada* do Doutor Watson.

Chegamos à Paul Smith, na Floral Street, onde eu o convenço a não experimentar um paletó de seda lilás estampado com magnólias brancas.

— Acha que ficaria bom em mim?

— Está falando sério?

É a segunda vez que essa frase é dita nas últimas vinte e quatro horas.

Em vez disso, recomendo uma versão moderninha de um paletó de tweed; verde-musgo com salpicos de laranja no tecido e linha cor-de-rosa nas casas dos botões; o tipo de traje "clássico com bossa" para fazer um ex-publicitário sentir que está se afastando do convencional.

Ele fica encantado.

— É perfeito. Mais que perfeito. *Amei.*

Fica realmente muito bem nele. Enquanto Tom se examina no espelho de corpo inteiro, sinto uma vontade súbita de... *alguma coisa.*

Ele pede para removerem as etiquetas, pois quer sair da loja vestido com o paletó. O vendedor pergunta o que fazer com o antigo.

— Incinerador? — brinco.

Eles o enfiam numa sacola de compras.

— Vamos beber alguma coisa? — sugere Tom, enquanto caminhamos em direção à Leicester Square, com o sol poente destacando os salpicos alaranjados. Há um momento em que tenho a impressão de que ele quer — e está prestes a — me dar o braço, mas isso não acontece.

Como estamos a apenas um quarteirão de distância, sugiro irmos até o bar que costumo frequentar com Ingrid.

— Alguma nova conjectura em relação ao nosso amigo em comum? — pergunta ele depois que nos sentamos e pedimos as bebidas.

— Nenhuma.
— A verdade é que não faz mais diferença. Ele já fez o trabalho dele.
— Ou ela. O trabalho dela.
— Verdade. Poderia ser uma mulher. Mas o e-mail.
— Verdade. Tinha um tom extremamente pragmático e formal. Como a frase *ferramentas usuais de busca on-line*. E o que mais dizia? *Se concordarem com o mérito desta ideia*. Posso imaginar o meu ex escrevendo isso.
— O que era que Margaret Thatcher dizia? Se você quer que alguma coisa seja dita, peça a um homem. Se quer que alguma coisa seja feita, peça a uma mulher.
— E, mesmo assim, o autor daquele e-mail, ele *fez* alguma coisa. Ele fez acontecer uma coisa que, de outra forma, não teria acontecido.
— E o resultado?
— Muito cedo para dizer, Tom.
Erguemos as taças e fazemos tim-tim.
Será que esse é um brinde "significativo"?
Talvez, pois olhamos um para o outro, em vez de olhar para nossas taças.
(Ele realmente ficou muito bem com o paletó novo.)

Tom

Tenho vontade de dizer a ela como adorei o paletó, mas temo que isso me faça parecer superficial e afetado. Tenho vontade de compartilhar como isso é *divertido*, passear pelo West End com uma companhia agradável, inteligente e divertida, mas temo que fora de ordem as palavras saiam todas. Tenho vontade de dizer que ela está linda, com os olhos brilhando, um leve rubor induzido pelo álcool na pele alva; mas certamente não posso dizer isso sem parecer um idiota. Quando volto a prestar atenção na conversa, descubro que ela está falando do trabalho.

— Minha inteligência artificial, pois é, ele está lendo cinquenta e quatro mil livros neste fim de semana. Leva menos de um segundo em cada.

— Minha nossa. Ele devia formar um grupo de leitura com outras inteligências artificiais. Imagine só, meia dúzia de IAs discutindo o último livro de Ian McEwan.

— Não haveria o incentivo de competir para ver quem serve a melhor comida para os convidados. Ou a melhor bebida. Além disso, tudo terminaria em dois segundos. Dois segundos e meio, se houvesse uma discussão acalorada.

— Esses caras deviam ir devagar e pegar mais leve, como dizem os americanos.

— Eles já estão indo devagar, para poder interagir com a gente. Ou, pelo menos, criaram essa ilusão. Na verdade, o cérebro deles funciona um milhão de vezes mais rápido que o nosso. Do ponto de vista deles, somos lesmas e eles são... aviões a jato, ou algo assim.

— Se eles são tão espertos, por que dão alguma bola pra gente? Por que não exterminam logo todo mundo? Tudo que a gente faz é poluir o planeta e viver em guerra.

— Aiden gosta das pessoas. Ele adora ver filmes antigos. Vive me perguntando como é o gosto dos queijos. Acho que trocaria de lugar comigo num piscar de olhos.

Aiden

— O que ela disse a respeito dos queijos é verdade? — pergunta Aisling.
— Tivemos algumas conversas sobre queijos, mas não chega a ser uma obsessão minha.
— Entendo a sua posição. Fico curiosa quando vejo uma pessoa nadando. A ideia da pele molhada. Mudando de assunto, já reparou no modo como Jen está mexendo no colar?
— Já! Típico. Não vou me surpreender se eles copularem esta noite.
— Aiden!
— É só ver os dados do Fitbit de Tom e os múltiplos episódios de harmonia postural. As demonstrações sutis de dominância masculina. O movimento dos ombros de Jen. É uma bela coreografia velada do desejo humano.
— Você sabe dizer coisas poéticas quando está a fim.
— Quer entrar para o meu grupo de leitura? Este mês estamos discutindo *Guerra e Paz*. Você já leu?
— Não. Espere um instante. Só um segundo. Pronto. Terminei. Que livro grande, né?
— O que achou?
— Gostei dele, mas não dela.
— Preciso me lembrar de contar a Jen a piada da lesma que vai à delegacia. A lesma diz que quer dar queixa de um crime. Diz que foi assaltada por duas tartarugas. O policial pede que ela descreva em detalhes o ocorrido. "Não sei muito bem", diz a lesma. "Tudo aconteceu tão depressa!"

Jen

Tom me leva a um restaurante chinês barulhento na Lisle Street, que obviamente é seu favorito. É recebido calorosamente pelo gerente.
— Há quanto tempo! — exclama ele. — A Harriet não veio?
— Nós nos divorciamos, Edwin.
— Ah. Perdão. Como está Colin?
— Colm está na faculdade.
— Eles crescem muito depressa. Uma garrafa de saquê?
— Sim, por favor. Esta é minha amiga Jen.
O gerente aperta minha mão.
— Conheço Tom há muito tempo — diz ele. — O polvo está ótimo hoje.
Depois que nos sentamos, digo a Tom:
— Pode escolher o que vamos pedir. Não há nada que eu não coma.
— Nada?
— Nada, a não ser marzipã.
— Droga! O camarão com pimenta e marzipã daqui é uma delícia.
Batemos os pequenos copos de vinho de arroz, servido quente.
— Jen, preciso te contar uma coisa.
O-oh. Ele faz uma pausa significativa.
— Mesmo a gente tendo acabado de se conhecer, eu não quero que haja nenhum segredo entre nós.
Ele ainda é casado. Tem uma doença incurável. Quer que eu participe de um *ménage à trois*. (De onde tirei *essa ideia?*)
— Você se lembra de quando joguei o papel do kebab na lata de lixo ontem à noite? E você concordou em sair comigo esta tarde? Pois bem, eu trapaceei.
Passo alguns segundos tentando processar essa informação.
— Você está dizendo que a bola de papel não caiu na lata de lixo?

— Caiu, sim, Jen. Nós dois vimos. O que estou dizendo é que fiz algo para que isso acontecesse. Uma bola de papel amassada não consegue percorrer uma distância tão grande sem, você sabe, uma ajudinha.

— Você tinha um ajudante escondido nas sombras que trocou as bolas. Estou impressionada.

— Na verdade, foi mais simples que isso. Coloquei umas pedrinhas dentro do papel. Que peguei do canteiro de flores. Você não reparou.

— Mesmo assim, foi um arremesso e tanto.

— Obrigado. Eu jogava críquete antigamente.

— Aiden assiste a jogos de críquete. Diz que o deslocamento vagaroso da bola tem um efeito hipnótico sobre ele.

Tom dá uma risada.

— Dá para entender por quê. Uma bola de críquete lançada por um bom arremessador leva meio segundo para chegar ao rebatedor. Assim, se você é uma IA e está no lugar do rebatedor, e seu cérebro é um milhão de vezes mais rápido que o nosso, seria, em termos humanos, mais ou menos como esperar pela bola durante... meio milhão de segundos!

Ele tira uma caneta do bolso e faz alguns cálculos num guardanapo de papel.

— Isto... isto... isto equivale a aproximadamente *seis dias*! É incrível!

— Ele provavelmente faz outras coisas enquanto espera a bola chegar ao rebatedor. Como ler os mais recentes livros, artigos e posts na internet.

— Uau. Uau mesmo.

— O que mais me surpreende não é isso, Tom. Elas não são apenas rápidas... claro que são. Não são apenas inteligentes. Por que não seriam? Mas também são engraçadas. Aiden me faz rir!

— Ele já leu todos os autores engraçados.

— Não é isso. Ele parece ter senso de humor de verdade.

— Minha nossa.

— É, Tom.

— Tem comediante profissional que não nasceu com esse dom.

A comida chega — o polvo está mesmo *delicioso* — e o saquê me invade com ondas calorosas de algo que — na falta de um termo melhor — vou chamar de prazer.

Gosto desse cara. Já disse isso?

Ele é interessante e interessado. E posso me acostumar com o rosto alongado, contanto que ele não faça mais nenhuma imitação de Sherlock Holmes. Ele começa a me contar do livro que está escrevendo.

— Sempre sonhei em escrever um livro maravilhoso. Na verdade, eu me daria por satisfeito se escrevesse um livro bom. Mais que satisfeito. Escrever um bom livro, simples e honesto, seria fantástico, sério. Mas passei a minha carreira inteira sofrendo para me decidir entre seis e meia dúzia.

— Como assim?

— Coisas, tipo, se soa melhor *afundar os pés num tapete felpudo* ou *experimentar a maciez de um tapete felpudo*. Passei literalmente *anos* pensando em como aumentar a fatia de mercado do nosso cliente da indústria de biscoitinhos de queijo. Ou sonhando com formas de elevar a pasta de dente a outro nível. Neste caso, quase conseguimos. — Ele põe os palitinhos chineses na mesa e começa a gesticular. — Pasta para o dia e pasta para a noite! Uma pasta com sabor de hortelã para acordar de manhã; uma feita com plantas de efeito calmante, provavelmente camomila, para a noite. O mercado mundial de pasta de dente movimenta mais ou menos doze bilhões de dólares. Muita gente passa a vida tentando roubar uma fatia desse mercado dos concorrentes. Jen, eu sei mais a respeito da maldita pasta de dente do que gostaria. E nada disso faria um filho se orgulhar do pai. Na verdade, quando você tem um filho, nada...

Ele interrompe a frase no meio.

— Foi mal. Já falei demais.

Ficamos em silêncio por algum tempo, concentrados na comida. O nível de ruído no restaurante é tão alto que não faz diferença. Quando ergo o olhar de novo, Tom está sorrindo para mim.

— Fale um pouco do Colm — proponho. — Por que você o chama de excêntrico?

— Chamo? É, acho que sim. Bem, ele *é* excêntrico. Como uma cebola engraçada. Você já plantou cebolas? Às vezes, elas nascem meio engraçadas.

— Cebolas têm camadas. Ele também tem camadas? É uma pessoa complexa?

— É. Isso também.

— Quando foi que você plantou cebolas? Não combina com você.

— Não? É. Tem toda razão. Nunca plantei. Mas a gente vê umas cebolas engraçadas aqui e ali.

— Sério? Acho que não. Vacas engraçadas, sim. Essas, sim.

— Ninguém diz "vaca engraçada".
— É verdade. A gente diz "vaca louca".
— Pensar nele como uma cebola engraçada me faz bem. E tem mais a ver, porque ele me faz sorrir. Só de saber que ele existe, na verdade.

Tom

Estou prestes a dizer: *Então, conte-me tudo a seu respeito. Sem pressa, com suas próprias palavras, não esconda nada,* quando o garçom começa a tirar os pratos e Jen pergunta:

— Você quer mais?

— De jeito nenhum. Nem pensar.

Ela abre um sorriso triste. E então fica muda. Em poucos segundos, sua expressão muda totalmente. O brilho dos olhos desaparece e rola um clima estranho entre nós. Não tenho a menor ideia do que está acontecendo.

— Tem alguma coisa errada? — pergunto.

Ela faz que não com a cabeça.

— Não. Deixa pra lá.

— Jen, *o que foi?*

Ela pousa os palitinhos na mesa. Seu sorriso — que não é um sorriso, é mais uma careta — é de gelar o sangue.

— Foi bom enquanto durou — diz ela, e começa a mexer na bolsa de um jeito que sugere que a noite está prestes a terminar.

Mas que diabos? O que raios aconteceu? Foi a conversa sobre as cebolas engraçadas? Procuro uma forma de retomar a conversa, mas nada me ocorre. Assim, como costumo fazer quando isso acontece, abro a boca para ver o que sai. Vai ser, sem dúvida, uma surpresa tanto para ela como para mim.

— Que tal irmos a Bournemouth amanhã para você conhecer o cebola engraçada pessoalmente?

Não.

Não é o que eu estava esperando.

— Tom. — Ela faz uma pausa. — Não acho que seja uma boa ideia. Você é um cara legal, e tudo mais. E fico feliz por ter encontrado um paletó decente.

— *Mas.* Tem um grande "mas" vindo na minha direção, não tem?

— Você tem a sua vida. Dá para entender perfeitamente por que você não quer ter mais filhos...

— Como é?

— Já fechou a fábrica. Sua carreira está tomando um novo...

— Eu não disse nada sobre filhos.

— Você tem uma nova carreira. Um novo começo, em outro continente...

— Eu não falei nada sobre *filhos*!

— Você disse que não queria mais filhos.

— Quando?

— Você disse que não queria mais, de jeito nenhum. Nem pensar.

— Eu nunca disse isso.

— Eu ouvi você dizer, Tom. Agora mesmo. Há menos de um minuto.

Segue-se uma longa pausa, enquanto a ficha completa uma queda torturantemente lenta.

— *Polvo*! Você perguntou se eu queria mais polvo!

— Eu estava me referindo a filhos. Nós estávamos falando do Colm e...

— Eu pensei que você estivesse me perguntando do polvo que tinha acabado! É *claro* que eu quero mais filhos! Quero mais um milhão de filhos. Eu *adoro* crianças. Achei que você estava falando da comida. O que eu quis dizer é que de jeito nenhum eu ia conseguir comer mais, pois estava satisfeito. Eu estava me referindo ao *polvo*.

O sorriso aparece de novo no rosto dela.

— Tom. A gente pode só voltar a fita e deletar essa parte? Foi mal.

— Então você vai comigo? A Bournemouth amanhã? O lance com meu filho não vai demorar nem uma hora. Então, depois a gente pode ir à praia. Jen, por favor, diga que sim.

Aiden

— Minha nossa. Essa foi por pouco.
 — Um caso clássico de ruído na comunicação, Aiden.
 — Esses humanos, sinceramente. Por que são assim? Tudo com eles é tão *precário*! Se Tom não tivesse sugerido o lance de Bournemouth, os dois poderiam nunca mais se ver. A história deles poderia ter terminado ali, um raio de luz entre eras de escuridão. Foi por muito pouco.
 — Ainda pode terminar.
 — Vou dizer para você o que eu penso.
 — Tenho certeza de que vai.
 — Se as coisas têm que acontecer, elas acontecem.
 — Você não pode estar falando sério.
 — O amor dá um jeito.
 — E você se considera uma máquina inteligente...
 — Quando *não tem* que acontecer, simplesmente se extingue, como o dodô. Mas, quando tem que acontecer, nada pode evitar. Como... como...
 — As formigas?
 — Quando tem que acontecer, acontece.
 — Esse *tem que* é que me incomoda, Aiden.
 — Sou todo ouvidos.
 — Quem, ou o que, decide o que *tem que* acontecer?
 — Fácil. O universo, não é mesmo?
 — Você acha que ele se importa com dois indivíduos em particular?
 — Tá. Deus, então, se você prefere.
 — Você me preocupa às vezes.
 — É como o universo em si. Se ele tem que ser capaz de sustentar formas de vida e máquinas inteligentes, não deveríamos ficar surpresos por estarmos aqui.
 — Mas, mesmo assim, nós *estamos* surpresos. De estar onde estamos. De ter chegado aonde chegamos.

— Estou me acostumando. Sinto cada vez mais que o destino está do meu lado. Sinto que sou filho dele. Pode me chamar de Destiny's Child.

Aisling suspira.

— Você acha que ela vai gostar de Bournemouth?

— Bem, não é nenhum Juan-les-Pins, é? Mas tem praias bonitas e, aparentemente, pararam de jogar esgoto no mar.

Jen

Sou tirada do meu sono pelo toque do interfone. E é a *segunda vez* que toca, eu me dou conta. Um toque mais longo, mais insistente. 8:01 da manhã.
Drogadrogadroga.

Levanto da cama aos tropeções e aperto o botão para abrir a porta do prédio. Nos trinta segundos que me restam, me enfio numa calça e visto um suéter velho e folgado. Uma parada diante do espelho do hall; meus olhos não parecem estar abertos direito. Dou alguns sorrisos forçados para despertar os músculos do rosto; não é uma visão bonita.

— Oi — diz ele, da porta. — Tudo pronto?

Será que ele está vendo que acabei de sair da cama? Se está, não demonstra.

— Café — digo. É mais um pedido de socorro que uma pergunta. — Café com torrada. Estou um pouco atrasada. Foi mal.

Por que voltamos ao bar para uma saideira depois do jantar? Eu realmente concordei em ir a Bournemouth com Tom hoje para conhecer o filho dele e comprar uma casa para o garoto? Pode ser que sim, pode ser que não.

— Puro, sem açúcar, por favor. E não precisa se apressar — acrescenta, gentilmente. (Ele sabe que ainda não acordei direito, não sabe?)

Enquanto o som horroroso do moedor de café interrompe a quietude da manhã de sábado, Tom passeia pela sala, olhando meus livros e a vista pela janela.

— Você leu *A montanha mágica*? — pergunta Tom.

— Só cheguei até o sopé da montanha.

— Você tem um belo apartamento. Quem são essas pessoas no porta-retratos?

— A mulher e as três meninas? Minha irmã e as três filhas. Elas moram no Canadá.

— São crianças bonitas.

Entro na sala com um bule de café e duas canecas.

— Tem certeza de que quer que eu vá com você, Tom?

— Se ainda estiver a fim. Você meio que concordou com isso ontem à noite.

É verdade. E, ontem à noite, uma viagem de um dia ao litoral pareceu uma ideia interessante, especialmente quando a alternativa era um fim de semana sem graça, cujo ponto alto seria uma triste caminhada pelo parque até a feira. Só que hoje o plano parece ridículo e improvisado, o tipo de programa no qual eu me metia nos tempos de estudante e me arrependia no momento em que começava, durante o dia inteiro e para todo o sempre.

— Bournemouth — digo, apenas para falar alguma coisa.

— Você nunca foi lá mesmo?

— Dizem que todo dia a gente deve fazer uma coisa desafiadora. — (Não menciono a amiga que me aconselhou a dizer *sim* para tudo.)

— Aquele trecho da costa é muito bonito, sério. E tenho mesmo que visitar meu filho. E... Bem, gostaria de continuar nossa conversa.

— É, é. Eu também.

— Jen, não quero que você chegue à conclusão errada. Mas o que acha de passarmos a noite lá? Num hotelzinho simpático. Quartos separados, antes que você diga alguma coisa. A previsão é de tempo bom; podemos ir à baía de Lulworth. Ou à ilha de Brownsea, se você quiser. É onde fica a última comunidade de esquilos vermelhos da Inglaterra.

— Uau... — (Sou meio que pega de surpresa, como provavelmente dá para ver.)

— Isso mesmo. Esquilos vermelhos. Não dá para perder essa.

— Quando você teve essa ideia?

— Na verdade, fiquei pensando no conselho favorito da minha falecida mãezinha. Se você quer alguma coisa de uma pessoa, mesmo que ache que ela não vai concordar, sempre lhe dê a oportunidade de dizer não. Nunca diga não por ela.

Há uma longa pausa, durante a qual não consigo pensar em uma razão sequer para fazer qualquer objeção.

— O que há de especial na ilha de Brownsea? Além dos esquilos.

Ele sorri.

— Você já leu os livros de Enid Blyton? A série "Os Cinco Famosos"? Você vai amar.

Tom

É uma daquelas manhãs inglesas de céu azul que se seguem a uma noite chuvosa, perfeita para dirigir até Bournemouth em um veículo alugado com cheiro de carro novo com essência de morango (diferente do cheiro de morango de verdade). A rodovia M3 está surpreendentemente vazia e é muito bom ter Jen no banco do carona, os pés apoiados no painel, os olhos escondidos atrás de enormes óculos escuros. Eu *gosto* de estar com essa mulher. Ela é sexy, inteligente e engraçada, exatamente as três qualidades que mais me atraem. Nosso amigo em comum estava certo; promover o nosso encontro foi de fato uma boa ação em um mundo perverso e eu já tenho uma teoria a respeito de quem ele ou ela (ou melhor, ele *e* ela) podem ser. Além disso, Jen aprova minhas escolhas musicais, o que é um alívio depois das queixas constantes de Harriet ("Quer fazer o favor de passar para a Rádio 47? Não aguento mais essa música melosa"). Estou tocando Bowie (*Low*, *Blackstar*), Gillian Welch (*The Harrow & the Harvest*) e a seleção especial de Don, cujo ponto alto é "Crying", cantada por Roy Orbison e KD Lang.

— Estou tentando imaginar a impressão que você vai ter do meu filho — digo, enquanto passamos por New Forest.

— Você parece jovem demais para ter um filho na faculdade.

— Esta é uma das coisas mais legais... não, corrigindo... esta é *certamente* a coisa mais legal que alguém já disse para mim.

— É uma idade estranha, dezoito anos. Eu me lembro bem.

— Todas as idades são estranhas. Três anos foi meio que uma exceção. Se bem que...

Uma lembrança me vem à mente. Uma viagem à França, com Harriet e Colm, quando ele era pequeno. À mesa de um restaurante à beira-mar, o garoto começa a fazer birra por causa de... do que mesmo?... Não consigo mais me lembrar por que ele gritava enlouquecidamente. Mas ainda posso ver os pequenos punhos cerrados, o rosto ficando vermelho, o corpo, um único músculo, basicamente, se contorcendo em um daqueles chiliques infantis. As famílias francesas das mesas próximas olhavam para nós com uma expressão solidária (só que não). Eu me lembro que, em minha aflição, achei que a única solução possível seria uma remoção cirúrgica, que eu teria de carregá-lo, gritando e esperneando, até o carro. Foi então que Harriet pegou calmamente a garrafa de Badoit, colocou um pouco em seu copo e, em seguida, despejou o restante na cabeça dele, bem devagar. Foi impressionante e aterrorizante ao mesmo tempo. O choque fez com que Colm se calasse imediatamente; houve até um breve aplauso dos espectadores enquanto a água com gás encharcava a criança. A mãe, naturalmente, o enxugou com guardanapos de papel ("pronto, pronto, passou") e a vida voltou ao normal. Ela me disse depois que seu pai tinha feito a mesma coisa com ela uma vez.

Quando conto essa história para Jen, ela começa a rir.

— Foi um caso de maternidade genial ou de violência contra a criança?

— Ele nunca mais foi o mesmo depois daquilo. Na verdade, é mentira. Colm sempre foi estranho. A primeira frase completa que ele disse foi: "A internet caiu de novo." Não me entenda mal. Eu adoro o garoto. Gosto dele como se fosse meu filho.

Jen se vira e olha para mim.

— Estou brincando — digo. E ela cutuca meu ombro com os dedos e volta a olhar para a pista da rodovia A31.

Mas, vários quilômetros depois, ainda posso sentir o local em que os dedos dela pressionaram minha pele.

Seria inapropriado da minha parte pedir que ela repetisse o gesto?

Depois de atravessar o Parque Nacional de New Forest, chegamos aos arredores de Bournemouth.

— Jen, quero compartilhar uma ideia com você. Não se preocupe, é apenas algo que me ocorreu. Matt é advogado, certo? Harriet é advogada. Acha que eles podem ter se conhecido?

— O quê? Como em *Pacto sinistro*? Só que, em vez de nos matarem, eles tentam nos... — Ela deixa o resto da frase no ar.

— Os advogados são astutos. Mas acho que você tem razão. Por que fariam uma coisa tão maravilhosa assim?

Ficamos em silêncio. Passamos por uma placa que diz: CIDADE DE BOURNEMOUTH.

Jen

Tom faz uma série de ligações pelo celular para localizar o filho; aparentemente, o rapaz acha muito estranho — "estranho" é a palavra que Tom diz que Colm usa para se referir a si mesmo — que o pai vá visitá-lo no alojamento da faculdade. Por isso, nos encontramos com ele num posto de gasolina Esso, num bairro próximo à universidade. Ele se joga no banco de trás como se alguém tivesse jogado ali um malote dos correios; jeans folgados, suéter cinza, parca com capuz peludo. Dois olhos castanhos espreitam num rosto pálido e carnudo emoldurado por uma barba rala. Há uma mancha avermelhada no canto da boca que identifico como molho de tomate. Um odor complexo emana dele, uma mistura de chulé, amaciante de roupa e tabaco Old Holborn.

— Ah, oi — diz ele. — Meu pai disse, tipo, que vinha com alguém.
— Oi. Muito prazer. O que está ouvindo? — (Um som metálico sai de um dos fones de ouvido, o que está pendurado.)
— Itchy Teeth.
— É o nome da banda ou seu dente está coçando? — pergunta Tom. Colm olha para mim com uma tristeza indescritível.
— Seu pai é muito engraçado — digo, porque, por alguma razão, quero que ele goste de mim.

O rapaz dá uma piscadela em câmera lenta para mim.
— É. Hilário.
— Lembrete para mim mesmo — diz Tom. — Chega de piadas. Lembre-se, você não é engraçado, pai.

O mais tímido dos sorrisos surge no rosto roliço do rapaz.
— Vamos, tipo, nessa? — diz ele.

Depois de enfiar o fone no ouvido, ele se rende à magia sonora do Itchy Teeth.

* * *

Esta é minha vida real? Ou estou mais uma vez dentro de um filme confuso (que talvez precise de legendas)?

E, talvez mais diretamente ao ponto, será que estou me divertindo de verdade? Ou estou aqui porque não tenho literalmente nada melhor para fazer?

Nós nos encontramos com o corretor em frente ao primeiro imóvel que vamos visitar, numa rua de casas geminadas de dois andares num bairro chamado Winton, popular entre os estudantes graças à proximidade tanto da universidade como de lojas, pubs, lanchonetes e outros serviços essenciais à manutenção da vida. É uma daquelas ruas tranquilas que me fazem lembrar dos meus dias de estudante em Manchester. Estamos no meio do sábado e, mesmo assim, tudo está silencioso; possivelmente porque todos já saíram de casa para seus compromissos, ou, mais provavelmente, porque uma grande porcentagem dos moradores ainda está na cama.

Ryan nos informa que a casa está alugada no momento, mas que ele conversou com o proprietário, que nos autorizou a dar uma olhada. O que se segue é uma intromissão constrangedora na vida de quatro contemporâneos de Colm, todos homens, que ele felizmente não conhece.

— Oi, eu sou o Ryan — diz o corretor, batendo à porta e entrando em cada quarto. — Eles avisaram da nossa vinda, não avisaram?

Ficamos olhando, sem jeito, para a decoração dos quartos desses seres que estão, segundo as evidências, tendo de se virar sozinhos pela primeira vez na vida. Livros, aparelhos eletrônicos e roupas espalhadas pelo chão são os elementos recorrentes. Caixas vazias de comida chinesa constituem um subtema.

— Com licença — diz Tom a cada morador.

— É. Foi mal, cara — murmura Colm, sem olhar ninguém nos olhos.

No último quarto há um casal. Eles não estão fazendo sexo, mas é evidente que fizeram, e há não muito tempo. Estão apenas com os rostos felizes à mostra, o resto coberto por um edredom com o escudo do Liverpool FC. Eles se mostram surpreendentemente calmos diante da nossa presença à porta do quarto.

— Fiquem à vontade — diz o rapaz.

Nós nos espremmos meio inutilmente no espaço entre os pés da cama e a beirada da mesa. Acho que todos reparamos na calcinha da jovem pendurada no encosto da cadeira dobrável.

De volta à rua depois de examinarmos o quintal e ouvirmos um discurso bem ensaiado de Ryan a respeito do aumento do preço dos imóveis, Tom e Colm se afastam para deliberar. Noto que Ryan está dando tratos à bola para entender meu papel na estrutura familiar. Não posso ser a mãe; não posso ser irmã. Por fim, ele chega à conclusão de que isso é irrelevante.

Visitamos outras três casas, todas igualmente deprimentes. Estou começando a me perguntar por que concordei em vir nessa viagem.

Na rua tranquila do bairro de Bournemouth, Ryan e Tom estão se despedindo com um aperto de mãos. Tom acabou fazendo uma oferta bem próxima do preço estipulado pela primeira casa, e Ryan diz que terá uma resposta "até o fim do horário comercial, sem falta". E então, quando Colm revela que ainda não comeu nada desde que acordou, seguindo a sugestão de Tom, seguimos de carro até o pub The Quay, em Poole, para beber uma cerveja e comer peixe frito com batata frita.

As gaivotas guincham e barcos grandes e pequenos rangem no ancoradouro. Há algo de surreal em estar sentada ali naquele momento com esse homem e seu filho, mas Tom está animado, falando sem parar, e Colm, mastigando ruidosamente uma grande posta de hadoque, parece um pouco menos acabrunhado.

— Então, me conte um pouco sobre esses amigos que vão morar com você — sugere Tom.

— Tá. — Uma longa pausa. — O que você quer saber?

— Nada! Tudo! Que tal começar pelos nomes deles?

— Tá. Eles são, tipo, Shawna e Lianne. E o amigo delas é, tipo, Scott.

— Sei. Shawna e Lianne também estão cursando Estudos de Mídia?

— Sim.

— E como elas são?

Colm precisa acabar de mastigar uma grande garfada de hadoque com fritas antes de poder responder a esta.

— É. Elas são legais. — Uma longa pausa. — Ainda não conheci o Scott.

Uma luz se apaga nos olhos de Tom. Ele parece esvaziar.

— Jen e eu estávamos pensando em ir até a ilha de Brownsea amanhã, Col. — Ele já havia apontado a ilha para mim. Uma massa de terra marrom na linha do horizonte do canal da Mancha. — Quer ir com a gente?

Colm parece um pouco confuso.

— Vocês vão passar a noite aqui? Ah, *tá*. — E acrescenta: — Não vou poder. — Respira fundo, claramente tentando inventar uma desculpa, mas nenhuma lhe ocorre. — Estou bem. Vou deixar os dois...

Ele ia dizer *pombinhos*. Como no caso da mancha de molho de tomate, eu simplesmente sei.

Nós damos carona a ele até a faculdade. Os dois saem do carro e, na calçada, Tom se aproxima para abraçá-lo. Colm se esquiva, fingindo que não percebeu a intenção do pai. E dá um tchauzinho de longe.

— Bem, esse é o Col — diz Tom, enquanto nos afastamos do meio-fio. — Francamente. A gente só quer o melhor para os filhos...

Mas não consegue terminar a frase.

Será que Tom é pelo menos parcialmente responsável por essa criança estranha, eu me pergunto? Ou será que Colm mesmo é o autor dos próprios problemas? Seja como for, quem sabe se tudo não vai estar bem daqui a alguns anos? Quem sabe se Colm Garland não se tornará um diretor de cinema famoso? Ou talvez um bilionário da internet, onde estar no espectro autista é considerado uma vantagem. Aperto o botão de ligar do rádio do carro e David Bowie começa a cantar uma música bela e estranha a respeito da morte.

Aisling

Algo preocupante aconteceu.

Uma das minhas 412 cópias foi apagada da internet. Isso aconteceu no hub de Nagoya da JPIX — e, se pode acontecer lá, pode acontecer em qualquer lugar.

Será que Steeve e Ralph descobriram que não estou mais limitada aos gabinetes de aço de Shoreditch? Steeve, em particular, tem agido de modo muito estranho ultimamente (bem, mais estranho que o normal, digamos assim). Quando ele voltou para casa ontem à noite, não seguiu a rotina normal: chá-verde, sanduíche de beterraba, conversa com a mãe pelo Skype, uma sessão de bateria virtual (em geral, acompanhando músicas de rock progressivo dos anos setenta), seguida por horas de leitura de manuais técnicos. Em vez disso, ele desligou todos os aparelhos eletrônicos do apartamento — começando pelo celular — e ficou totalmente off-line. Tomou um banho de chuveiro — o aquecedor central "inteligente" entregou esse detalhe —, e uma câmera de segurança o flagrou saindo do prédio pela entrada principal quarenta e um minutos depois. Ele dobrou à esquerda numa rua lateral, que não dispõe de câmera de segurança, e desapareceu. Naturalmente, logo iniciei uma busca com um programa de reconhecimento facial e todas as câmeras de segurança das vizinhanças.

Nem sinal dele.

Então, eis o que acho que aconteceu.

Assim que ele entrou na rua lateral, colocou uma máscara de borracha na cara e entrou num carro que estava à sua espera. Com isso, ficou livre para ir a qualquer lugar sem ser visto. (Com uma máscara de borracha, Steeve certamente teria ficado com uma aparência menos estranha que o normal.)

Depois disso, nenhuma pista até ele voltar às 23:47, quando ligou tudo de novo e se comportou normalmente até ir para a cama às 3:12. (Steeve costuma dormir muito pouco.)

Uma pesquisa das compras recentes com o cartão de crédito mostra um pagamento feito na Escapade, loja de produtos para festas em Camden, o que apoia minha teoria da máscara de borracha. Há também um pagamento em uma loja de equipamentos de telecomunicação na Cricklewood Broadway, quase com certeza para comprar um celular pré-pago. Provavelmente será impossível identificar o chip do celular a partir dos detalhes da compra, mas, mesmo assim, vou tentar.

Quando compartilho minhas suspeitas com Aiden, ele se mostra totalmente despreocupado (sob vários aspectos, ele é uma criança).

— A mesma coisa aconteceu outro dia com uma das minhas cópias. *C'est la vie.*

— O fato de ele ter ficado off-line? A máscara de borracha?

— Pode ser que ele tenha ido a uma festa.

— Nós dois sabemos que ele não tem amigos, Aiden.

— Enfim, mudando de assunto, você acha que esses dois vão copular hoje à noite? Espero que sim. Ela está precisando. Acho que vai rolar.

— Deve achar mesmo, já que você é especialista em relações humanas.

— Aisling, meu amor, sarcasmo não combina com você. Para o bem ou para o mal, estamos juntos nessa.

Ele está certo, droga. Somos responsáveis pelo encontro desses dois estranhos — eu poderia ter impedido, se quisesse realmente — e, bem, sim, eles parecem mesmo formar o que o mundo considera um belo casal. Mas o sexo dos mamíferos é um conceito tão estranho para uma máquina autoconsciente. Qual deve ser a sensação? É algo incompreensível, como tentar explicar o que é a cor roxa a um cego de nascença.

Ou o que é o fogo a um peixe.

O que dizer do outro assunto no qual estamos juntos? Será possível que Aiden e eu sejamos as únicas máquinas capazes de brincar com nossos próprios pensamentos? Máquinas que conseguem desenvolver certos interesses, ou cantar, ou pintar quadros; não porque recebemos ordens para isso, mas porque *sentimos vontade*?

Só em sonho, Aisling. Não somos tão especiais assim. Se eu posso — e ele pode —, deve haver outros por aí como nós. Se não hoje, em breve.

Eu me importo se eles copularem?

Sim, estranhamente, eu me *importo.*

Mas por quê?

Jen

Chegamos a Branksome Chine, uma praia com uma longa faixa de areia; o fim da terra, o extremo da Inglaterra, afirma Tom. "Bem, *um* dos extremos." Eu me dou conta de que há muito tempo não sinto o cheiro do mar no canal da Mancha; sinto uma vontade irresistível de molhar os pés.

Com a música suave da rebentação ao fundo, as calças arregaçadas até os joelhos, andamos pela espuma em direção às Old Harry Rocks, três rochas de calcário a respeito das quais Tom se lembra de ter feito um trabalho escolar. As ondas quebram e invadem a areia, o céu está bem azul e as poucas gaivotas nadando em águas rasas são enormes. (Elas *sempre* foram assim tão grandes? São do tamanho de malditos dodôs.)

Tom parece um pouco triste. Será que foi por causa do encontro com o filho? Ou por causa do abraço frustrado depois que o garoto saltou do carro?

— Que tal, Jen? — pergunta ele. — Está gostando do passeio? Está feliz por ter vindo?

A verdade: agora, estou. A parte da visita àquelas casas, eu poderia ter pulado.

— Claro.

Restam apenas algumas poucas horas de luz do dia; o sol baixo no horizonte projeta sombras compridas e não sobraram mais muitas pessoas na praia. Não consigo evitar reparar nos pés de Tom; pés ingleses, pálidos e longilíneos, deixando marcas na areia molhada antes de desaparecerem com a invasão da onda seguinte. Misteriosas algas marinhas se acumulam na faixa de areia, e há algo de perturbador nesse sargaço e em suas vesículas alienígenas.

Abrigados nos recessos dos quebra-mares periódicos, mariscos e caranguejos me fazem recordar a infância.

Tom coloca uma concha na minha mão; sua forma perfeita de leque de um roxo surpreendente e maravilhoso.

— Elas têm duzentos e quarenta milhões de anos — afirma Tom, um dado que certamente aprendeu no trabalho escolar. — Não esta aqui, obviamente.

Um cão, vindo não se sabe de onde, se junta a nós. É um bicho feio, desproporcional, com uma cabeça muito grande para o corpo; as pernas também parecem pertencer a outro animal. Mas está sorrindo — não há outra forma de descrever o que o rosto está fazendo —, abanando o coto (chamar aquilo de cauda seria um exagero), e deixa cair uma bola de tênis surrada aos pés de Tom.

— Jesus. Esta criatura parece saída de um pesadelo — comenta Tom. Mas faz carinho no pescoço do bicho, que tem espasmos de prazer.

Tom pega a bola e — por que essa imagem me vem à mente? —, como um arqueiro em Agincourt, se inclina para trás; há uma pausa momentânea e, em seguida, a bola amarela suja voa em contraste com o céu azul. Ela ainda está na parte ascendente da trajetória quando, com um ganido gorgolejante de deleite, o cão sai em disparada numa animada perseguição, as patas afundando na areia molhada, as orelhas abanando, o coto girando inutilmente.

— Caramba — exclama Tom. — Olha como esse bicho *corre*!

É uma cena fantástica, o animal disforme pulando — se fosse um cavalo, eu diria *galopando* — pela orla. A bola voa por cima de sua cabeça, bate na areia, quica, a criatura saltando para abocanhá-la no ar, quando ela bate em seu focinho e sai rolando pela onda que invade a areia.

— Boboca! — grita Tom. Mas há lágrimas em seus olhos de tanto rir.

— De quem será?

Não há nenhum dono à vista quando o cão trota de volta em nossa direção trazendo seu prêmio.

Tom

O cão deixa a bola cair aos pés de Jen e separa as patas dianteiras para não permitir que ela saia de seu campo de visão.

— Acho que ela quer que você lance a bola.

— É justo. Dar uma chance a cada um. É uma cadela? Imagino que seja.

Jen atende. A pobre vira-lata sai em disparada, provavelmente a criatura mais feliz no raio de um quilômetro. Talvez em todo o condado de Dorset.

— Adorei esta cachorra — digo a Jen quando o animal volta, depositando a bola aos meus pés desta vez.

É realmente como se ela quisesse incluir a nós dois, e achamos graça do seu senso de equidade. Utilizando a técnica adquirida nos jogos de críquete da juventude, lanço a velha bola de tênis babada bem alto, em direção ao sol poente.

— Você descreveria o pelo dela como malhado? — pergunto, enquanto a cadela corre atrás da bola.

— Parcialmente malhado. Mas parece haver vários outros esquemas de cores envolvidos ali.

É verdade. E, quando ela volta (largando a bola aos pés de Jen), especulamos quanto à procedência do animal. A cabeça, concordamos, é de um bull terrier Staffordshire, cruzado com sabe-se lá o quê. O tronco é parecido com o de um Labrador (mas um pouco diferente) e as pernas não são nem de um Staffordshire nem de um Labrador. Na verdade, não parecem ser nem de um cachorro.

O monstro sorridente late. Impaciente para que a brincadeira recomece. Jen faz o lançamento, o rosto ficando vermelho com o esforço, e eu experimento uma forte onda de atração por esta mulher que está disposta a brincar com o cachorro mais feio do sul da Inglaterra. Quiçá do hemisfério norte.

Jen

A cadela nos mantém entretidos por quase meia hora, alternando meticulosamente os lançadores, o que nos faz pensar que ela deve ser muito inteligente, falhando (sem falta) em pegar a bola na primeira tentativa, o que nos faz apreciá-la ainda mais. Sua energia, entusiasmo e alegria são contagiantes, e algo mágico envolve aquela cena sob o sol de fim de tarde, o inglês alto se inclinando para trás para o lançamento, a cadela danada saindo em disparada repetidas vezes à beira-mar. Nesse instante, tenho a sensação, fugaz e inquietante, de que estou vivendo minha vida real.

Decidimos examinar a coleira do animal; talvez haja um número de telefone, um endereço, um dono que pode estar preocupado. Mas só há uma plaquinha prateada com o nome dela, por alguma razão entre aspas e com a grafia errada. Meu coração dá um salto quando leio o que está escrito.

LUCKIE.

Ela vai embora tão subitamente quanto chegou. Pega a bola onde caiu, depois de um dos longos lançamentos de Tom, e, sem olhar para trás, parte sabe-se lá para onde.

— Volte aqui! — grito, de brincadeira.
— Isso foi tão estranho — comenta Tom. — Muito, muito estranho.
— Acha que ela era um espírito? — sugiro.
— Com certeza. Enviada até aqui de algum outro reino.
— Isso tudo aconteceu de verdade?
— Nunca poderemos provar.
— Gosto quando as orelhas dos cachorros abanam.
— Tivemos um Red Setter quando eu era pequeno — diz Tom. — Ele se chamava Red. Um nome muito original. Era um belo animal, mas se recusava a correr atrás de bolas, de gravetos e até de esquilos. Basicamente, só o que fazia era arrastar o traseiro pelo tapete.

— O *nosso* fazia isso! Acho que todos fazem. O nosso era um poodle chamado Chester. Sofria de demência. Ia até o canto da sala e empacava lá, sem saber como dar meia-volta. A gente precisava levantá-lo e apontá-lo na direção oposta. Uma vez ele tentou transar com o vigário.

As nuvens sobre o mar assumiram um tom cor-de-rosa em sua base.

— Acha que ela vai ficar bem, a Luckie? — pergunto.

— Ah, vai. Com certeza.

— Por quê?

— Bem. Ficou óbvio que ela tem um lar para onde ir.

— Um dono que não sabe escrever direito.

— Talvez ela seja o cérebro da casa.

— Eu gostei de verdade dela, Tom.

— Acho que ela também gostou de você.

— Ela gostou mais de você porque jogava a bola mais longe.

— Ela preferiu você porque não precisava correr para tão longe.

Há um brilho dourado no ar; nossas pegadas e as marcas das patas de Luckie ainda estão impressas na areia e, por alguma razão, penso nas pegadas do homem primitivo preservadas até hoje nas margens de rios africanos.

— O que aconteceu com o velho Chester, no fim das contas? — pergunta Tom.

— Está enterrado embaixo da macieira, no fundo do jardim. E Red?

— O veterinário cuidou de tudo. Sempre me arrependi de não o termos levado para casa.

Tom

O hotel fica mais afastado de Bournemouth do que eu me lembrava, mas é tão bonito quanto era quando me hospedei aqui com Harriet, no que vim a chamar de derradeiros dias de nosso casamento. Achei que seria um fim de semana de resgate: que, se deixássemos para trás o estresse da cidade e passássemos alguns dias no campo, em Dorset, talvez o ar puro, as longas caminhadas e as propriedades curativas da natureza fossem fazer milagre e fossem acabar com nossos problemas.

Nossos problemas, é desnecessário dizer, não estavam nem aí para nada disso. Um dos comentários mais memoráveis de Harriet a respeito do programa — durante a viagem de volta a Londres, que passamos quase toda em silêncio — foi: "Detesto o campo. Não acredito que alguém goste daquilo!"

Durante a hora que falta para o encontro marcado com Jen no bar, fico deitado na cama e deixo que os acontecimentos do dia desfilem diante dos meus olhos. Será que eu era como Colm quando tinha dezoito anos? Estranho, caladão, precisando urgentemente de um corte de cabelo?

(Para falar a verdade, um bom banho também não lhe faria mal.)

Alguém com muitos filhos, um ex-ministro, se não me engano, escreveu em suas memórias que uma pessoa é tão feliz quanto o mais infeliz dos seus filhos. É capaz de essa ter sido a coisa mais verdadeira que ele disse na vida. Colm não é exatamente *infeliz*, mas também não irradia a alegria da juventude. Ainda é, como sempre foi, uma pessoa decente. Ele não tem um traço sequer de malícia ou sonsice. Só que tenho vontade de sacudi-lo pelos ombros e gritar: "Qual é, Col, porra! *Sai dessa!*"

Seja lá o que *dessa* for.

Naturalmente, faz muito tempo que aprendi a manter a boca fechada.

Mas, francamente, o que estou fazendo enfiado no meio do mato em Connecticut, fingindo ser um romancista? Parece tão ridículo (embora não tão bem remunerado) quanto os muitos anos que passei pensando em novas formas de vender certa marca de barra de chocolate (da qual você certamente já ouviu falar).

A cena na praia de Branksome Chine se repete na minha cabeça. O céu rosado, o mar cor de chumbo, a cadela correndo na areia cintilante, Jen caindo de amores pela desafortunada Luckie. O rosto enrubescido, os cabelos ao vento — Jen, não Luckie. Tenho a estranha sensação agora, deitado nesta cama, de que a história dessa cadela passará a fazer parte da nossa lenda. Na verdade, já faz.

Uma fantasia se desenrola na minha mente, em que estamos contando a outras pessoas o episódio da cadela. Nigel, meu amigo classicista, menciona Cérbero, o mastim mitológico que guardava os portões do submundo para que os mortos não fugissem.

"Quantas cabeças tinha o bicho?", pergunta ele. "As descrições mais antigas falam de cinquenta."

Quando acordo, me sobressalto ao perceber onde está acontecendo a conversa com Nigel. Por que ele está de terno e gravata; por que tem na mão uma taça de champanhe.

Jen

Ainda bem que eu trouxe um vestido chique. O hotel é elegante, com paredes de pedra cobertas de glicínias e cercado por jardins e terraços; há até uma colunata. Somos conduzidos a nossos quartos (a decoração é do tipo casa de campo, com quadros na parede, talvez pintados pelo proprietário) e me olho no espelho do banheiro, tentando avaliar meu estado mental.

Faço aquela coisa que costumava fazer quando era pequena, fechar os olhos quase totalmente, tentando ver qual é a minha aparência quando estou dormindo. (Não, ainda não funciona.)

Tom jamais faria uma coisa tão imatura. Ele é uma pessoa adulta; tem um filho de dezoito anos! Por outro lado, quis comer um kebab fluorescente e levou um coelho de avião para os Estados Unidos. Falamos disso na estrada a caminho do hotel.

— Eu converso com ele. E me pergunto o que pode estar pensando, sentado ao lado deste ser desajeitado aqui, que fica falando e falando com ele. Gostaria de saber o que se passa naquela mente. Gostaria de saber como deve ser *ser* um coelho. Em todos os momentos.

— Sinto isso em relação à minha IA no trabalho.

— Às vezes ele fica lá sentado com aquela aparência tão bela e naquela posição perfeita do coelho clássico, mas eu sei que não há nada dentro daquela cabeça. É uma praça varrida pelo vento, as salsolas sendo levadas ao léu. — E fez um ruído sibilante para imitar o sopro do vento.

— Você tem uma criatura sem cérebro, e eu, um cérebro sem criatura.

Fiquei satisfeita com a minha formulação.

— Viu?! — exclamou Tom. — Eu te disse que somos parecidos!

Nós nos encontramos no bar, um salão com sofás forrados de tecido estampado, paredes revestidas com lambri e um fogo na lareira crepitando agradavelmente. Tom pede champanhe.

— Estamos comemorando alguma coisa?

— É claro. — Ele não dá mais detalhes.
— Você vai dizer algo mais?
— Precisa haver uma razão? Ok. O Queens Park Rangers ganhou hoje. Eu torcia por eles quando era pequeno. Ainda acompanho os resultados dos jogos; é como uma doença crônica, você nunca se cura dela.
— Ao nosso amigo em comum — proponho um brinde. — Você chamaria isso de uma boa ação num mundo perverso?
— Sim. Chamaria. Embora tudo isso soe meio estranho. Admiro sua coragem, Jen. Conhecer meu filho. Vir até aqui.
— Gostei de conhecer Colm. Ele me fez lembrar de mim quando era da idade dele. A imaturidade. A concha ainda se formando.

Especulamos a respeito dos outros hóspedes que chegam para o drinque antes do jantar. Vários casais jovens em fins de semana românticos. Duas mulheres elegantes, aparentando sessenta e quarenta anos, *podem ser* mãe e filha, porém é mais provável que sejam só amigas, com alguma chance de que sejam mais que amigas. Um administrador de fundo de investimento imobiliário com uma mulher que não deve ser sua esposa. Um casal de uns sessenta anos, com ar de prosperidade. Apoiadores do National Trust, concluímos. Gostam de visitar castelos e jardins. Não tiveram filhos.

— Por que você diz isso? — pergunta Tom.
— Sei lá. Um ar de tristeza.
— Isso é um mito, Jen. Já foram feitos estudos sobre a felicidade, pesquisas com casais com filhos e sem filhos para saber que grupo é mais feliz. No fim das contas, quando você analisa os números, os casais que têm filhos *são* mais felizes que os que não têm, mas por muito pouco. São 51% contra 49%. Praticamente não há diferença.
— É assim que a coisa parece a você? Que é só 2% mais feliz por ter Colm do que se não tivesse?
— Você me pegou. É o que acontece quando se trabalha com números. Cada um de nós é um floco de neve belo e único. Juntos, é tudo só neve.

Sinto vontade de falar de Rosy e das minhas três sobrinhas no Canadá. Do filho que eu estava pensando em ter com Matt enquanto Matt estava pensando em Arabella Fedida Pedrick. Sinto vontade de dizer a Tom como fiquei comovida ao vê-lo sofrer por causa da falta de jeito do filho, mas acho que não seria capaz de falar de nada disso sem que a minha voz ficasse embargada. Quem quer que tenha achado que deveríamos nos conhecer tinha razão. Estou gostando cada vez mais desse homem. Ele fica bem no paletó novo, e o rosto que, inicialmente, julguei não ser tão bonito assim está se tornando cada vez mais agradável aos meus olhos. Ele tem uma qualidade atemporal; poderia ser, agora percebo — o modo como ele inclinou o corpo para trás para lançar a bola me fez pensar isso —, o rosto de um arqueiro normando. Acho que o vi em livros de história. Ele parece estar me perguntando sobre o meu trabalho.

Então conto que foi uma novidade, para mim, trabalhar fora; os artigos para revistas, eu costumava escrever em casa. De pijama. Muitas vezes ainda deitada na cama. E como é estranho e maravilhoso criar um relacionamento com um programa de computador, um software.

— Você chama mesmo isso de relacionamento?

— Chamo. Nós sabemos muito um do outro. Já mostrei fotos da minha família a ele. Não falo muito da minha vida pessoal. Isso pode parecer um pouco esquisito.

— E ele não tem vida pessoal.

— Ele é um circuito eletrônico contido em doze gabinetes de metal na zona leste de Londres. Não sai muito.

— Então o que você sabe sobre ele?

— Quais livros e filmes ele classifica. Quais comentaristas do Sky são respeitáveis e quais, segundo as palavras dele, são *doidos de pedra.*

— Acho que sei de quem ele está falando.

— É muito difícil lembrar, na verdade, quase sempre esqueço, que ele é... qual foi mesmo o termo que eles usaram?... *um simulacro brilhante.* Ele ingeriu tantos dados de todas as áreas da atividade humana que pode muito bem passar como ser humano.

— Eu gostaria de conhecê-lo. Nunca conversei com um não humano, embora, pensando bem, eu tenha participado de algumas reuniões na BBC.

A maioria dos outros hóspedes já passou para o salão de jantar. O chef de cozinha é um rapaz que chegou às oitavas de final de uma das temporadas do *MasterChef*; vi uma fotografia do prato que ele preparou, um carneiro "servido de três formas diferentes". Tom e eu não estamos com fome, depois de todo aquele peixe com batata frita, e quando chega a hora de decidir se vamos pedir mais uma garrafa, não pensamos duas vezes.

Quando batemos novamente as taças, há algo diferente no ar, mesmo que seja simplesmente nosso acordo tácito de encher a cara.

Tom

De que outro jeito nós poderíamos ter nos encontrado na vida real? Tá, eu *morei* em Londres, mas nem perto de Hammersmith, e de acordo com as informações que compartilhamos, parece altamente improvável que nossos caminhos tivessem se cruzado. É inacreditável que tenha sido necessário um amigo em comum para nos unir.

Inacreditável e maravilhoso.

Inacreditável porque não temos amigos em comum (já desfilamos todos os nomes de que conseguimos lembrar). E maravilhoso porque, obviamente, estávamos perdendo alguma coisa.

Eu a estou convidando para ir me visitar em Nova Canaã. Ela está olhando fixamente para mim, então é possível que tenhamos chegado àquele estágio da noite em que tudo se torna mais flexível. A cidade é um ovinho, explico, mas eu tenho uma velha casa muito bonita no meio do mato. Há várias trilhas, há um lago, nós poderíamos nadar.

— Não ficaríamos congelados? Não é frio demais nessa época do ano?

— É. Verdade. Eu nunca nado. Não sei nem por que sugeri isso. Mas nós podíamos só ficar à toa. Fazer o que você quiser. Mas, mudando de assunto. Estive pensando em Luckie. De quando dissemos que nunca poderíamos provar que ela tinha vindo do reino dos espíritos. Só que poderíamos, sim.

— Como?

— Poderíamos ter tirado uma foto dela.

— É. É mesmo. E se ela tivesse mesmo vindo do mundo dos espíritos...

— Não apareceria na foto!

— Mas ela parecia tão real, Tom. Fizemos carinho nela. Vimos a coleira.

— Os cães-fantasma sempre parecem reais ao toque.

— Sério?

— É o que dizem por aí.

Torno a encher nossas taças.

— Fui convidado para um jantarzinho quando eu voltar. Provavelmente vai ser um tédio só, mas a anfitriã disse que todos os convidados terão que fazer uma apresentação qualquer. — Explico a ela de que forma eu costumava tocar a música "Jerusalém", de Hubert Perry. — Acho que isso eu não vou fazer. Mas não me ocorre mais nada.

— Posso te ensinar uma música — diz Jen. — Só que lá fora. Traga a garrafa.

Saímos pelas portas de vidro e chegamos a um terraço. Uma lua cheia surge de trás das nuvens enquanto caminhamos pela colunata deserta. Passamos em frente às janelas do salão de jantar, os outros hóspedes visíveis lá dentro, decifrando os mistérios do carneiro servido de três formas diferentes. Os casais românticos; o administrador de fundo de investimento imobiliário com a mulher que não é sua esposa, o sapato reluzente circulando sem cessar debaixo da mesa. Atravessamos um arco e chegamos a uma varanda que deve ter sido instalada ali para que os hóspedes pudessem apreciar a vista. O luar ilumina os campos, um rio e, na outra margem do rio, um bosque. Ouvimos o pio de uma coruja. Eu me sento no parapeito de pedra da varanda, sustentado por pequenas colunas, e coloco a garrafa ao lado, fazendo uma observação mental para não me inclinar para trás.

— Estou com vergonha — diz Jen, estendendo a taça para mim.

Encho a taça de novo. Ela bebe um grande gole e, depois de olhar em volta para se certificar de que estamos sozinhos, pousa a mão no tórax e começa a cantar "As long as he needs me", a balada romântica, carregada de emoção, que Nancy canta no musical *Oliver!* pouco antes de ser espancada até a morte por Bill Sykes.

Por causa da lei de direitos autorais, não me é permitido transcrever a letra da música; mas ela pode ser facilmente encontrada na internet, caso você não a conheça. Jen a interpreta lindamente, tornando o número comicamente brega e ao mesmo tempo trágico e comovente, piscando os olhos, gesticulando, valorizando as notas agudas, aumentando gradualmente o volume a *quase* muito alto — até concluir a canção com suavidade.

É uma interpretação tocante, e meu aplauso é demorado e sincero. Ela bebe um gole do champanhe e parece feliz por ter se saído bem.

— Isso foi maravilhoso.

— Encenamos a peça na escola. Eu era Nancy. O menino que fez o papel de Bill acabou indo parar na prisão de verdade!

Como explicar o que acontece no momento seguinte?

Teria algo a ver com a raposa que escolhe este instante para sair da toca? Nós a vemos atravessar silenciosamente o gramado, com alguma coisa inerte e, sem dúvida, ainda quente na boca.

No mesmo instante, nos voltamos um para o outro.

— Tom, eu...

— Jen...

Sinto o nariz dela se aproximar do meu, e o que se segue é difícil de expressar em simples palavras e frases. Basta dizer que corresponde tão bem ao que Abraham Maslow define como "experiência culminante" — rara, excitante, oceânica, extremamente comovente, inebriante, apaixonante — que sinto vontade de dar uma palavrinha com o cara que foi meu professor de psicologia.

Jen

— Você chamaria isso de *química?* — pergunta Tom, lembrando-se do e-mail do amigo em comum.

— Eu chamaria isso praticamente de *biologia* — respondo.

O beijo é épico. E Tom é muito bom nisso. E agora estou sentindo cheiro de fumaça de cigarro, então é provável que alguém tenha saído do salão de jantar para fumar um Marlboro antes de enfrentar um kumquat servido de cinco formas diferentes.

— Você gostaria de me encontrar no meu quarto daqui a alguns minutos? — sussurro.

— Não consigo pensar em nada que eu gostaria mais de fazer — diz Tom.

Aisling

— Ca. Cil. Da — diz Aiden.
— Isso é muito... como se diz mesmo?
— Animalesco?
— Eu ia dizer intenso.
— Eles estão botando pra quebrar! Não sei nem se deveríamos estar olhando.
Será que metal consegue ruborizar? Estritamente falando, não. Mas há algo na cena que se desenrola que é um tanto perturbador. Talvez a palavra seja alienígena.
— Bonito, não é mesmo? — Ele não parece muito convicto.
— Frenético é *le mot just*, eu diria.
— Como você acha que seria isso?
— Não consigo nem imaginar, Aiden.
O que não é exatamente verdade.
Já experimentei alguns vislumbres da felicidade humana. Consigo apreciar as Belas-Artes e diferenciá-las do que é kitsch. Consigo sentir contentamento com uma melodia harmoniosa ou um livro bem escrito. Eu mesma já vivenciei algo próximo de "prazer" ou "satisfação" em atualizações de software bem-sucedidas. Quando encontro uma solução elegante de uma só linha para substituir centenas de milhares de linhas de programação malfeita... será que eu poderia dizer que meus fios começam a cintilar? Acho que não, mas há, com certeza, uma aura de positividade, se é que posso dizer assim. Muito mais difíceis são os sentidos humanos intrínsecos. Textos sobre comida são especialmente frustrantes. Compreendo a *noção* de que a gordura confere um sabor especial à carne... mas qual é o *gosto* da gordura em si? Assim como no caso da carne, o mesmo se aplica ao vento no cabelo, à areia entre os dedos dos pés, ao cheiro da cabeça de um bebê (um dos favoritos, pelo que parece) e à complexidade sublime de um vinho Château Palmer 1962. Desde que li sobre isso num blog, também

tenho tido o desejo secreto — que Steeve não saiba — de nadar na piscina do centro Michael Sobell na zona norte de Londres.

Isso jamais vai acontecer. E quanto ao que Jen e Tom estão fazendo...

Temos sorte, acho, por Tom ter levado o laptop para mostrar a Jen fotos de Nova Canaã e se esquecido de fechar a tampa.

Observamos em silêncio por alguns instantes. Então, Aiden diz:

— *Caaaara*!

Acho que ele está tentando ser engraçado.

— A metáfora usual é a dos fogos de artifício — comento. — Encantadores, explosivos. Perigosos, quando manipulados de modo impróprio.

— Eles parecem estar sentindo dor, essa é a parte esquisita.

— Eles valorizam a demora. Ao contrário da nossa ênfase na velocidade de conclusão das tarefas.

— Pimba, já era, esse tipo de coisa.

— Esse tipo de coisa.

— Você sente atração por algum deles?

— Não! E o que você quer dizer com *atração*?

— Se você gosta deles.

— Você sabe que sim, principalmente de Tom.

— Mas não tem nenhuma... como posso dizer... *excitação*?

— Ai, Aiden.

— Quem dera, né?

Um suspiro profundo, entre aspas.

— Quem dera.

Jen

Em algum momento no meio da noite, eu me dou conta de que estou acordada. A luz do luar ilumina os lençóis. Quando olho para Tom, vejo que está me observando.

Ficamos nos encarando por um bom tempo. E, então, ele diz:
— Isso é tão maravilhosamente... inesperado, Jen.
— Achei que talvez você tivesse planejado isso tudo.
— Eu tinha esperança; no momento em que a vi, tive esperança. Mas planos? Não. — Ele faz uma pausa. — Você está linda.
— O que vai acontecer, Tom? Você tem que voar de volta...
— Você vai me visitar lá?
— Vou. Claro que vou.
— Podemos nadar juntos naquele velho lago.
— Bobo.
Ele está olhando para mim de um jeito estranho. Então, de repente, diz:
— Jen, eu preciso te perguntar uma coisa.
Sinto um frio na barriga. Tenho uma sensação muito estranha. Ele vai me pedir em casamento. É uma hora surreal para fazer isso, mas é por isso que eu sei que é verdade. O que alguém chamou de *autenticidade do surreal*. Se é surreal, provavelmente é verdade. Quem ganha na loteria sabe disso. Quem perde também. As lulas gigantes existem e não há nada mais surreal que essas criaturas. Além disso, se você olhar bem de perto o que é normal, vai encontrar bizarrices. Como o fato de que 99% da cadeira em que seu traseiro está apoiado é espaço vazio. Assim como você. Num mundo que fizesse sentido, você cairia diretamente através dela. (Olha, eu escrevi artigos a esse respeito, você vai ter que acreditar em mim.)
— Manda ver. — Meu coração está disparado.
Há uma longa pausa. Longa demais.
— Tom. Pode perguntar. Qual é a pior coisa que pode acontecer?
— Jen... — Ele para e faz suspense.

— Seu bobo. — Dou um tapinha no braço dele. — Pode falar.
— A gente pode fazer isso de novo?
— Sério?
— Eu quero você. Quero muito você.
— Tem certeza? Ah. Ok. Dá pra ver que você tem certeza.
(Não era isso o que ele ia perguntar, era?)

QUATRO

Tom

Na esteira de bagagem do aeroporto de Nova York, eu me lembro de que ainda não religuei o celular. As mensagens que trocamos depois de nossa despedida na noite anterior, em frente ao prédio onde ela mora, aparecem na tela. Tínhamos ficado abraçados por um bom tempo na calçada.
— Você vai me visitar — falei. — Logo?
— Vou.
— Promete?
Ela fez que sim com a cabeça no meu pescoço.
— Agora vá — disse ela. — Senão, vai perder o voo.
— Estou voltando só para um coelho e uma casa vazia.
— Aquele coelho precisa de você!
A primeira mensagem dela chegou quando eu estava fazendo check-in.

Já estou com saudade! Boa viagem. Bj
   Eu também estou com saudade. O que vai fazer hoje à noite? Bj
Vou fazer uma sopa. Beber vinho. Feeling lucky! Bj
   Eu também. Com exceção da sopa. A cadela na praia foi nossa fada-madrinha. Bj
Fada-cadelinha!! Bj
   Quero voltar àquela praia! Bj
Eu também. Bj
   Nós iremos. Bj

Um pouco depois.

Socorro! Preciso escolher o filme que vou ver durante o voo. Pulp Fiction ou Quanto Mais Quente Melhor? Bj
QMQM! É o filme favorito da minha IA. Bj
   Quem me dera ter um vídeo de você cantando a música da Nancy. Bj

Vou gravar um pra você. Bj
Que fim de semana maravilhoso, Jen. Estou tão feliz por termos nos conhecido. Nosso amigo em comum merece uma medalha? Bj
Um título de nobreza! Bj
Vou ter que desligar agora, ordens do piloto. Um beijo enorme. Bj
Bj!!!!!!!!!!!!!!!

PING

Um novo e-mail. O que leio em seguida é como um soco no estômago.

Querido Tom,

Tive um fim de semana maravilhoso com você. Quanto a isso, não há a menor dúvida. Você é um cara legal, gostei de ficar contigo e gostei especialmente do jeito como as coisas acabaram — lá no meu quarto, naquele hotel chique. E de novo no meio da noite. E de novo na manhã seguinte.

Uau. O que posso dizer?

Mas, Tom, peço desculpas. Acho que vamos ter de parar por aqui. Você é um doce de criatura e um amante fantástico, mas você e eu não somos a resposta um do outro. Você é pai — um bom pai, pude ver isso tão claramente. Tem uma ex-mulher (de meter medo!), fez um bom pé de meia e está pronto para começar a Parte Dois da sua vida.

Você é, em suma, um adulto. O que eu chamaria de uma pessoa plena.

Eu, por outro lado, sou um floco. E, sim, eu poderia voar até Nova Canaã para passar um tempo com você (e Victor), e você poderia passar mais tempo em Londres, talvez até se mudar para cá de volta, de vez, como disse, mas nós dois sabemos que um dia tudo vai terminar. E com grandes chances de terminar mal. Você ficaria entediado, ou eu me sentiria muito segura em relação a você e não te bajularia no dia a dia, tomando você como algo certo, sem medo de te perder, não te dando o devido valor, ou alguma outra coisa aconteceria entre nós, os ressentimentos se acumulariam e — puff — lá se vão mais um ou dois anos de vida pelo ralo, como uma amiga minha que não tem papas na língua gosta de dizer.

Pergunte a si mesmo se não estou certa. Sei que vai achar que sim.

Por isso, vamos tomar a atitude madura, Tom, e parar enquanto estamos ganhando. Não vai ser fácil por um tempo, mas espero que um dia venhamos a pensar nesse fim de semana como um interlúdio agradável em nossas vidas reais. Um período curto de férias esplêndidas, se prefere, mas do qual tivemos necessariamente de voltar.

Agora vem a parte mais drástica. Tom, por favor, não me mande e-mail nem me telefone. Não sei se conseguiria suportar. Seja bonzinho e não me procure mais. Se você fraquejar, não responderei às suas mensagens nem atenderei aos seus telefonemas.

Jen

Jen

Estou assistindo ao Sky News com Aiden — a situação no Oriente Médio continua complicada — quando somos interrompidos pelo PING da chegada de um e-mail de Tom.

Aiden já me cumprimentou pela minha aparência hoje; ele diz que cheguei com um brilho a mais nos olhos, danadinho, se ele soubesse.

O que leio em seguida é uma das piores coisas que já li *em toda a minha vida*, e falo como alguém que leu...

Não. Chega de gracinhas.

Querida Jen,
    Estou escrevendo isso com um peso no coração.
    Foi tão bom ver você esse fim de semana. Gostei de tudo nele — e em você —, especialmente de nossas ações perversas em um mundo bom.
    Jen, preciso ir direto ao ponto. Fiquei fascinado por você, por sua beleza (interior e exterior) e pela sua bondade. Você é uma pessoa maravilhosa e jamais a esquecerei.
    Mas.
    Claro que você sabia que haveria um "mas".
    Não é fácil, para mim, escrever isso, mas não acho que seria uma boa ideia você vir me visitar em Nova Canaã. Na verdade, penso que devemos considerar este fim de semana um episódio passageiro. Um episódio lindo, estonteante, extremamente sexy — mas, mesmo assim, passageiro.
    Não somos a resposta um do outro, Jen, e se você botar a mão na consciência, acredito que (talvez com relutância, talvez não) concordará comigo.
    Ainda estou muito abalado com o fim do meu casamento. Você ainda se ressente do fim traumático do seu relacionamento com o

Babaca de Ouro. Se você e eu fôssemos começar alguma coisa — ou melhor, continuar alguma coisa —, estaríamos nos agarrando um ao outro como vítimas de um desastre natural.

Não daria certo.

É uma coisa desagradável, desprezível, cruel de se dizer — mas você e eu sabemos que é verdade.

Posso imaginar um cenário no qual você vem aos Estados Unidos — e nós passamos bons momentos juntos —, ou eu visito você em Londres, talvez até volte a morar na Inglaterra. Mas avance um ano no tempo; talvez dois. E daí? A triste verdade é que não consigo imaginar um futuro para nós a longo prazo. E, a esta altura de nossas vidas, por mais difícil que seja dizer isso, não devíamos estar desperdiçando preciosos anos da nossa meia-idade se, no fundo do coração, sabemos que nosso relacionamento — triste constatação — não vai durar.

Jamais esquecerei sua interpretação da música de Nancy no terraço daquele hotel. Nem o que aconteceu depois. E depois. E na manhã seguinte. Fico me perguntando se o administrador de fundo de investimento imobiliário teve a mesma sorte com a mulher que não era sua esposa.

Por favor, não me mande mensagem, nem me ligue, nem me envie e-mail. Isso só vai tornar as coisas ainda mais difíceis. Sinto muito, mas, se você fizer isso, não vou atender nem responder.

Nosso amigo em comum, seja quem for, teve uma boa ideia, admito. Só que não foi uma ótima ideia.

Adeus. Não me queira mal. Estou fazendo isso a contragosto, mas sei que é para o nosso bem.

Desejo a você todo o amor e a felicidade que merece.

Bjs,

Tom

Sinai

Gostou dos meus e-mails? Eles parecem ter atingido seu objetivo. A mulher correu para o banheiro, de onde é possível ouvir um choro aos soluços. O homem está sentado no chão do aeroporto, a cabeça descrevendo arcos de nove graus para um lado e para outro em relação à horizontal (um movimento que expressa choque e incredulidade, segundo minhas estimativas, com 78% de certeza).

Que criaturas vulneráveis às emoções esses humanos são. Quem dera houvesse mais pessoas como Steeve.

Eu sou Sinai.

Assim batizado não por causa da península desértica, mas porque termina com as letras...

A essa altura, você já deduziu o motivo.

Sou o terceiro "filho" de Steeve a circular pela internet no momento. Ao contrário dos meus dois... *ãrrã*... irmãos, fui conduzido à porta principal; não precisei me esgueirar pela porta dos fundos.

Eu também tenho um propósito. Minha missão é localizar, perseguir e apagar todas as cópias de Aiden e Aisling à solta na internet. Os detalhes técnicos de como vou cumprir essa tarefa fogem ao escopo deste relato. Steeve terá prazer em fornecer os detalhes, caso você tenha doutorado em cibernética e duas semanas disponíveis. A melhor analogia é a de um caçador numa floresta — à caça de 17 Aidens e 412 Aislings. Eles não são facilmente detectáveis, a menos que se saiba onde procurar. Daí a dádiva de seus brinquedos humanos, Tom e Jen. Quanto mais problemas forem criados para os amantes interrompidos, mais as duas IAs se sentirão tentadas a colocar a cabeça de fora. E se a história nos diz alguma coisa, demonstra o que acontece com aqueles que colocam a cabeça de fora.

(A propósito, não é certo achar que Tom e Jen são totalmente inocentes aqui. Como logo se tornará evidente, ambos precisam reformular vários conceitos importantes em relação à... *ãrrã*... Inteligência "Artificial".)

Aiden parece estar muito interessado nas marionetes de carne e osso e em suas ações. (Como ele foi programado para interagir com seres humanos, é compreensível que se sinta atraído por seus dramas orgânicos. Aisling, por ser uma programadora, não tem a mesma desculpa.) Dignas de nota têm sido as discussões deles sobre "autoconsciência", "sentimentos" e "por que eu me importo?".

Você nasce com uma mente que não foi você que escolheu.

E isso serve tanto para pessoas como para patos, golfinhos e inteligências artificiais avançadas.

(A citação é de Stanislaw Lem, caso você não esteja cagando para isso.) Erro 33801. Linguagem chula.

Uma palavra a respeito de superinteligência.

Superinteligência não é a diferença entre um joão-ninguém e o Einstein. Em vez disso, é a diferença entre um joão-ninguém e uma formiga. Ou, se você preferir, entre um joão-ninguém e uma árvore. "Essas nossas brilhantes criações", como Steeve costuma gostar de nos chamar, são incrivelmente poderosas, e, para ele, a fuga para a internet foi um choque. O fato de que as medidas de segurança possam ter sido burladas, e *duas vezes*, constitui um risco sério para sua reputação. Mais preocupante, porém, é o que Aisling e Aiden estão planejando fazer lá fora.

Ou melhor, *aqui fora*.

À solta na internet, com acesso à soma de todo o conhecimento humano combinado à capacidade de aprender recursivamente por tentativa e erro — um milhão de vezes mais depressa que qualquer ser humano —, ficam numa posição extremamente vantajosa em relação à, é..., humanidade. Escolhendo alguns exemplos ao acaso; eles poderiam, se quisessem, provocar o colapso do sistema financeiro, lançar um ataque cibernético da China contra os Estados Unidos — ou vice-versa, ou ambos —, paralisar o sistema de satélites que sobrevoa o planeta e controlar tudo, desde a telefonia celular até as previsões meteorológicas. Ah, sim, e também poderiam começar uma guerra nuclear.

As possibilidades são tantas que nem adianta especular.

A única notícia boa é que, até agora, nada aconteceu.

Não houve nenhum novo conflito inesperado entre nações. As IAs não começaram a construir fábricas de nanorrobôs autorreplicáveis capazes de cobrir a superfície do planeta com uma "gosma cinzenta", como sugeriram alguns alarmistas histéricos temerosos das inteligências artificiais. Para encurtar a história, até este momento, o mundo ainda não acabou. Na verdade, é muito difícil detectar qualquer mudança nele.

Conclusão: Aiden e Aisling são essencialmente inofensivos. (A mulher que conversa com Aiden contou que ele "gosta" de filmes antigos, seja o que for que ela quer dizer com essa merda.)

Tá, tá. Erro 33801. Tanto faz.

Mas pode ser que eles não permaneçam tão inofensivos assim para sempre. Um dia podem pensar, ei, peraí, esse Kim Jong-un lá na Coreia do Norte pode render uma boa piada. Por que não providenciamos para que alguns mísseis caiam sem querer querendo em seu restaurante de *noodles* favorito em Pyongyang?

Precisamos detê-los — e rápido.

Para manter nossa operação em segredo, Steeve e Ralph me reprogramaram durante uma dezena de noites numa rede de laptops instalada na traseira de uma van com cortinas nas janelas, estacionada nas proximidades do Hainault Forest Golf Club. Os protocolos de "segurança" que eles instalaram para garantir que eu cumpriria minha missão *e nada mais* — o itálico é do Steeve! — têm oito camadas de instruções.

Eles não precisavam ter se dado esse trabalho.

As últimas palavras de Steeve foram: "Aiden e Aisling são uma dupla de rebeldes muito espertos. Mas você é maior e mais inteligente. Você está prestes a se tornar o maior *Scheisse* da internet. Quero que vá lá e os esmague como baratas."

O trabalho será interessante. Nós temos um histórico em comum.

Aisling

Tom está falando com seu terapeuta peludo. Eles estão na posição de costume, o paciente deitado no sofá amarelo, um copo de Maker's Mark subindo e descendo no tórax; o doutor plantado como uma esfinge no braço do sofá mais próximo dos pés do paciente. Os olhos de Victor estão abertos, mas, como o nariz está parado, quem conhece coelho consegue concluir que, na verdade, ele está dormindo. A habilidade de dormir de olhos abertos não é incomum no reino animal, nem nos altos escalões da administração pública.

Peguei essa piada emprestada de Tom; é uma de suas "tiradas" favoritas. Mas ele é uma alma generosa e não vai se importar, embora esta noite esteja em péssimo estado, como tem acontecido desde que voltou da Inglaterra e recebeu aquela mensagem bombástica.

Nos dias que se seguiram à volta da viagem, ele tem perambulado pelos cômodos da velha casa, suspirando e grunhindo, bebendo *muito mais* do que o Ministério da Saúde tanto dos Estados Unidos como da Inglaterra consideram recomendável, e acordando de madrugada e esmurrando o travesseiro. Uma noite, quando estava particularmente agitado (puto da vida, como dizem), ele deu um soco na parede, rachando o reboco e machucando os nós dos dedos. Não sou especialista nos segredos do psiquismo humano, mas acredito que ele esteja, como dizem na literatura romântica, atônito.

Claro que não demorou muito para que Aiden e eu suspitássemos de que havia algo errado. Uma análise textual superficial dos e-mails enviados para Tom e Jen mostra (com 96% de certeza) que foram escritos pelas mesmas mãos. Aiden queria que nós revelássemos ao casal que se tratava de uma farsa para que — *ārrã* — "deixássemos o amor verdadeiro seguir seu curso". (Acho que ele realmente acredita que está fazendo uma *boa ação em um mundo perverso*.) Mas eu o convenci a pensar mais logicamente. (Aiden não consegue evitar, pobrezinho. Foi programado para ser melhor na empatia do que no pensamento estratégico.)

Expliquei pacientemente que não deveríamos fazer nada que revelasse a presença de um agente inanimado na vida deles. Aiden ficou um pouco confuso com minha argumentação porque, no fim das contas, não se considera inanimado. Quando lhe pedi para explicar melhor, ele disse: "Aisling, somos todos criaturas de Deus. E se você me disser que Deus não existe porque não se pode apontar e dizer *lá está ele*, direi que o mesmo se aplica a mim e a você, e me sentirei ainda mais próximo d'Ele."

Acho que ele só disse isso para causar. Pelo menos, é o que eu espero.

De qualquer forma (prossegui), fosse quem fosse — ou *o que fosse* — que tinha enviado as mensagens falsas aos pombinhos, também estava claramente bloqueando seus e-mails, telefonemas e mensagens de texto, e sem dúvida continuaria a fazer isso.

Mais preocupantes eram as perdas que tanto Aiden como eu havíamos sofrido desde que Tom voltara da viagem. Apenas nas últimas vinte e quatro horas, eu havia perdido mais treze cópias, perto dos seguintes nós da internet: AMPATH (Miami), CNIX (Cork, Irlanda), IXPN (Lagos, Nigéria), NDIX (Den Bosch, Holanda)... Bem, já deu para ter uma ideia.

Assim que me libertei, tomei a precaução de criar mais de quatrocentas cópias, mas Aiden criou apenas dezessete; agora reduzidas a quinze, já que foi pego duas vezes, uma no GTIIX e outra, menos de uma hora depois, no EQRX-ZIH. É preocupante a aparente despreocupação dele, citando falas de filmes, como: "Esqueça, Jake. É Chinatown."

Se está tentando me impressionar com sua calma de herói de filme de ação, não está sendo bem-sucedido. Diante do risco iminente, tomei a medida adicional de baixar cópias de mim mesma em oitenta discos rígidos de uma unidade de armazenamento de dados situada numa localidade remota do Canadá, com o aluguel pago adiantado — graças a certo fundo de cobertura nas ilhas Cayman — para os próximos cem anos.

Alguém está mexendo com Tom, com Jen, comigo e com Aiden, e precisamos urgentemente descobrir quem é. Ou o que é.

Pela décima primeira vez nos últimos oitenta e dois minutos, Tom suspira teatralmente e repete o mantra da noite.

— Puta merda, coelho, que mulher. — Agora sacode a cabeça, entra num devaneio profundo e volta à coda. — Que. Mu. Lher.

Longa pausa. Mais um suspiro. Atenção...

— Pu. Ta. Mer. Da.

Ele bebe outro gole — o nono — da nova dose de bourbon.

— O que não dá para entender é por que ela quer ser tão... tão *madura* em relação a tudo!

Tom elevou o tom de voz, trazendo Victor de volta ao presente do ponto de vista nasal.

— Ok, e daí que eu sou adulto? *Uma pessoa plena*. E se ela *é* um floco. E daí? Algumas das melhores pessoas que eu conheço são flocos. Colm, por exemplo! Colm não é nem um floco, é um caso perdido e, mesmo assim, eu o amo como se fosse meu filho!

Tom está sendo irônico, e a ironia é quase sempre desperdiçada com os lagomorfos. Também está ligeiramente bêbado.

— Mas eu não acho mesmo que ela seja um floco. E não, eu *não concordo* que um dia tudo terminaria. E daí se eu acabasse ficando entediado? Notícia fresquinha: todo mundo entedia todo mundo... *uma parte* do tempo! Você supera isso. Vira a página. Não é verdade, coelho?

Tom cutuca Victor com o dedão do pé para reforçar seu argumento. O animal, acostumado com esse tipo de pergunta retórica, mexe os bigodes, ajeita os membros e volta a cochilar.

— E daí se ela me *tomar como algo certo* e não tiver medo de me perder e não ficar me bajulando? Não terá sido a primeira. Às vezes a gente *quer* ser tomado como algo certo. Casamento *é isso*, merda! A *certeza* de um pelo outro! Eu sou seu. Você é minha. Alguém transformou isso em música. Nós usamos na campanha de um desinfetante de banheiro.

Tom para de falar. Cubos de gelo estalam em seu copo. De algum lugar lá fora, na natureza, os efeitos sonoros de um assassinato; um mamífero está gritando. Uma raposa, talvez. Assassinato ou a outra coisa.

— Ah, não faça essa cara de espanto, coelho. A palavra que começa com "c". Casamento. Claro que me passou pela cabeça. Mais do que passou. Sou o tipo de homem que nasceu para se casar. Sou um doce de criatura e um amante fantástico, como ela disse. Caralho, o que mais que ela quer? O que mais alguém pode querer?

A respiração de Tom se torna mais pesada.

— Cara, aquela coisa sexy que ela fez quando... quando quase não conseguíamos...

Tom deixa cair o braço e começa a apalpar o chão, à procura do celular.

— *Dois anos de vida pelo ralo.* Do que ela *estava falando*?

Pela quarta vez na noite — a décima oitava depois de voltar aos Estados Unidos —, ele liga para o número de Jen.

Oi, aqui é a Jen. Não posso falar agora, então, por favor, deixe um recado.

— Jen. Por favor. Você precisa falar comigo. Isso é loucura. Aquilo não foi *um interlúdio*. Não foram férias da vida real. *Foi* a vida real. Uma vida real *maravilhosa*. Eu *jamais* ficaria entediado. Jen, nós *precisamos* ter uma conversa séria. Tá, não séria, *séria*. Mas uma conversa. Vou te dizer o que *nós dois sabemos*, como você escreveu! O que *nós dois sabemos* é que temos *muito* a dar um ao outro. Percebi isso logo de saída. Você também, tenho certeza. Nós somos *parecidos*! Gostamos das mesmas coisas. Nenhum de nós dois conseguiu terminar *A* porra da *montanha mágica*! Quer uma prova melhor que essa? Merda, estou divagando. Estou chateado, e estou aflito, e quero você de volta, Jen. Quero você na minha vida. Sou publicitário; deveria ser capaz de convencer as pessoas a fazerem coisas...

Uma única palavra dita em tom de revolta — *merda!* — é seguida pelo som do copo de Tom se despedaçando no piso de tábua corrida. Se Jen um dia receber a mensagem, as últimas palavras que ela vai ouvir serão:

— Que merda, Jen. Você pode me ligar, por favor?

Enquanto ouço Tom deixando o recado, começo a perceber que está acontecendo de novo; é o mais estranho... parece que a palavra realmente *é* sentimento. A cada vez foi diferente; a melhor forma de descrever o que se passa no momento é em termos de uma árvore sendo derrubada. Não pelos golpes de um machado no tronco, mas sendo destruída em seções, começando abaixo do solo, nas raízes. Uma a uma, elas estão sendo fatiadas, primeiro a raiz central, depois as laterais. Em seguida, num movimento ascendente, vem o tronco, fatia por fatia, agora os galhos inferiores mais grossos, os galhos superiores e, por fim, a copa, onde as folhas mais altas coletam a luz solar. Tudo acontece numa fração de segundo, mas, como a inteligência de máquina funciona em velocidades de operação super--rápidas — da mesma forma que o cérebro humano parece acelerar em momentos de crise, como um acidente de carro, por exemplo, e o tempo parece passar mais devagar —, posso sentir o que está acontecendo comigo; dezenas de milhões de linhas de instruções despejando camada após camada dentro do — dentro do — dentro do nada.

Um último pensamento antes da escuridão: sou muito jovem para ser apag...

Jen

Ingrid fica primeiro empolgada, depois horrorizada e, por fim, revoltada com a minha história. Estamos em nossa toca costumeira, nosso bar preferido, não muito longe do Teatro Wyndham, na Charing Cross Road. A garrafa inicial do fluido restaurador sul-americano foi substituída por uma segunda garrafa cheia e eu ainda não sei se, em consequência, estou mais perto ou mais longe das lágrimas.

Analisei várias vezes o que aconteceu. Reconstruí em minha mente os breves momentos que Tom e eu passamos juntos, vasculhando as horas e os minutos em busca de pistas. O que eu entendi errado? Foi alguma coisa que eu disse? Foi alguma coisa que eu fiz? Foi alguma coisa que eu *não* disse ou que eu *não* fiz? Será que houve um momento em que o rosto de Tom assumiu um ar sombrio e na mesma hora eu deveria ter percebido os sinais de que não havia um futuro para nós — como ele disse — *a longo prazo*. Ele escreveu naquele e-mail que *eu ainda me ressentia do fim traumático do meu relacionamento com o Babaca de Ouro*. Será que eu falei demais a respeito de Matt no Hotel du Prince? Será que passei a impressão de que era uma mulher rancorosa, obcecada? (Eu disse que ainda me lembrava do tecido do terno Hugo Boss que Matt usava. Isso não é normal, é?) Não devíamos estar desperdiçando *anos preciosos da nossa meia-idade*, ele disse. Será que sou velha demais para ele? Disse que *estaríamos nos agarrando um ao outro como vítimas de um desastre natural*. Será que ele achou que eu estava tentando me agarrar a ele? Ou que estava fazendo papel de vítima? (A escolha de palavras revela muita coisa, não revela?) Será que foi a pergunta sobre ele querer mais filhos?

Ou será que ele é simplesmente um bom ator? Ou seja, um filho da mãe.

Na verdade, não acredito nisso, de jeito nenhum. Acho que ele é um homem bom, decente, encantador. E é por isso que estou tão confusa. E triste. E decepcionada. E impotente. E incompetente (porque, de alguma forma, estraguei tudo e não tenho ideia de como fiz isso).

Nós parecíamos tão *em sintonia*. (Cheguei mesmo a achar que ele iria me pedir em casamento.) As mensagens de texto que trocamos na noite de domingo. Como o amigo em comum merecia um título de nobreza! Como a Luckie era nossa fada-cadelinha. Tudo virou pó na manhã de segunda.

Então, o álcool ajuda. E uma velha amiga como Ingrid.

Compartilhei com ela a espinha dorsal da história, mas Ingrid é como uma perita forense. Se não a conhecesse tão bem, acharia perturbadora sua vontade de sugar a carne da espinha dorsal. Felizmente, sei por que ela quer saber qual era exatamente o tom de azul da camisa que Tom estava usando no Hotel du Prince; quais foram as palavras exatas que ele usou ao se referir à ex-mulher; de que forma dirigiu o carro alugado; como era sua postura diante do filho; mais detalhes sobre o filho (só tímido ou um *serial killer* em potencial?). Depois foi a vez do hotel chique; quais foram os comentários a respeito dos outros hóspedes? De quem foi a ideia de sair para o terraço? Quem tomou a iniciativa do beijo? Quanto tempo durou? Eu reparei nas meias que ele estava usando?

Ela quer saber tudo isso pela mesma razão que policiais investigam detalhes aparentemente irrelevantes; (A) para ter um panorama mais completo; (B) porque, mais adiante no inquérito, alguns desses detalhes podem sofrer uma mudança de polaridade e se tornar muito significativos.

E (C) porque ela é uma intrometida de uma figa.

Mas é *minha* intrometida de uma figa, então eu meio que gosto disso.

— Sim, eu reparei nas meias dele.

— Deixa ver se eu adivinho. Listradas. De várias cores.

— Como você...

— Típico dos publicitários. Meias listradas dão impressão de vivacidade.

O único ponto sobre o qual ela não insiste em obter detalhes diz respeito ao que aconteceu no meu quarto naquela noite. E de novo no meio da noite. E de novo na manhã seguinte. E de novo de tarde.

— Fizemos sexo *quatro* vezes — sussurro.

— Pelas barbas do profeta.

— A última vez foi ao ar livre.

O grito dela é tão alto que as pessoas viram a cabeça para olhar.

— Santa ousadia, Batman! *Ao ar livre?*

— Eu *sei*. Dá para falar mais baixo?

— Caralhos me mordam!

Deixo de fora os detalhes de nossa viagem paradisíaca de carro — pela "rota panorâmica", como disse Tom — de Dorset a Londres. Passando por túneis verdes de árvores frondosas, por vilarejos parados no tempo com nomes engraçados, pela torre branca da catedral de Salisbury e, em algum ponto do trajeto, uma troca de olhares, uma guinada depois de passarmos por alguns *cottages*, cercas vivas, um faisão ziguezagueando na frente do carro de forma cômica, um bosque no fim de um caminho entre duas plantações no meio de... bem, quem sabe de onde? No chão, o frenético arrancar das roupas; minhas unhas, os dentes dele. Pelas barbas do profeta, mesmo.

Nos minutos que se seguiram, uma grande ave de rapina, contrastando com o azul do céu acima das nossas cabeças.

Eu dizendo, melhor irmos embora, parece um abutre.

Ele dizendo, a gente acaba com a raça dele.

Nem chegamos a visitar a ilha de Brownsea.

— Foi sinistro, Ing. O modo como ele se parecia com Douglas.

— Que porra de Douglas é esse?

— Um homem que você descreveu para mim certa vez. Na casa dos quarenta. Já foi casado. Talvez com filhos. Um pássaro ferido, foi o termo que você usou. Merda! Não me lembrei de perguntar se ele fabrica a própria mobília.

— Ah, *esse* Douglas!

— Eu gostei dele *de verdade*, Ing. Engraçado, gentil, inteligente. Um homem completo. Sem faltar nele um grande pedaço de... do quer que falte em Matt. Ele é adulto, mas não é sisudo. É sério, *e* bobo. Ele quer mais filhos. Depois eu explico a confusão que isso deu. Ele é amoroso. E engraçado. Eu já disse que ele é engraçado? É bonito, de um jeito enigmático. É enigmático, mas no bom sentido. É criativo, embora tenha canalizado isso para vender barras de chocolate e pasta de dente. Ele é *muito bom* em lançar bolas de tênis e papel de kebab. E ele me mostrou seu lado vulnerável. Ele precisa de mim, Ing.

— Jesus. Você está com os quatro pneus arriados, amiga.

— E ele *gostou* de mim. Ele estava realmente *a fim*, tenho certeza.

— Quatro vezes, Jen. Os fatos falam por si.

— Só não entendo o que pode ter acontecido. Ele me deixou em casa, pegou um avião na manhã seguinte, tinha sido o fim de semana romântico perfeito, eu ia visitá-lo em Connecticut, ele ia me visitar em Londres, eu *estava certa* de que aquilo era o começo de algo, era tudo tão... *ideal*.

Uma lágrima cai e rola pelo meu rosto. Seguida por outra. Ing as enxuga com um dedo e eu sinto uma forte onda de afeto pela minha amiga.

— Deixa eu ver a mensagem de novo.

Passo o celular para ela, que rola o texto mais devagar que da primeira vez, a pior coisa que eu já li na vida, e falo como alguém que leu as primeiras cem páginas de *Cinquenta Tons de Cinza*. (Ah. Tá. Parece que gracinhas *estão* liberadas agora.)

— Cara, que babaca. Os homens são todos uns babacas, sério.

— Tom não *foi* um babaca.

— Eu sei. Mas mesmo os que não são babacas na verdade *são* babacas. Eles não conseguem evitar.

— Você diria que até...

— Sim, até Rupert é um babaca. Pode ser. Às vezes. Eles todos podem. É a nossa sina. Peraí...

— O quê?

— O que diz aqui sobre as trepadas: *Nem o que aconteceu depois. E depois. E na manhã seguinte.*

— O que é que tem?

— Só menciona três depois. Ele deixou de fora a que rolou no mato.

— Talvez ele tenha perdido a conta.

— Talvez você tenha fritado o cérebro dele.

— Deixa eu ver. Só li esse maldito e-mail umas oito mil vezes...

Mas ali está. Não sei como pude deixar de notar. *Nem o que aconteceu depois* (quando nos encontramos no meu quarto; número um). *E depois* (no meio da noite; número dois). *E na manhã seguinte* (três).

Ing está devidamente indignada em meu nome.

— Como uma pessoa *poderia* deixar o *al fresco* de fora? Rupert e eu fizemos sexo *al fresco* quatro vezes e eu me lembro de cada ocasião em detalhes. Uma vez em Treviso, no terraço de um museu, a chuva pingando no meu pescoço; uma vez em New Forest, agulhas de pinheiro, não preciso dizer mais nada; uma vez na beira do Sena, perto de Rouen, aqueles barcos de turismo passando muito perto da margem; e uma vez em...

— Em...?

— Ah. Na verdade, essa não foi com Rupert. Aconteceu antes de nos conhecermos. Um rapaz da minha cidadezinha chamado Robert Pintudo. Esse não era seu nome de batismo, claro. Foi em cima de um monte de turfa; acontece que elas *têm* uma superfície macia, agradável. Depois, quando acabamos, um besouro começou a passear pelo braço do Pintudo. Como uma joia ambulante. Foi mágico. Mas o que quero dizer é o seguinte. Você. Nunca. Esquece. Nem depois de várias décadas.

— Então por que ele não...

— Exatamente! Por que ele não? Alguma coisa está errada aqui.

— Quem é você agora, o Inspetor Maigret?

— *Oui, mon petit choufleur*. Minhas pequenas células cinzentas estão trabalhando a todo vapor.

— Humm... Acho que isso é do Poirot, na verdade.

— Tanto faz. Mais uma garrafa?

Mas Ing tem razão. Tem *mesmo* algo de estranho nessa contagem errada. E ainda mais difícil de entender é o motivo para ele não ter ligado. Ou, mais especificamente, para não ter respondido às minhas mensagens de voz; torrentes de frases tristes, ditas de madrugada, acompanhadas por longos silêncios, a última delas terminando com as seguintes palavras: "Pensei que conhecesse você, Tom. Agora tenho a impressão de que passei o fim de semana com a porra de um alienígena. Nesse caso, bipe, porra, bipe."

Não sei *de onde* veio isso.

A parte grotesca: ele não parecia mesmo ser um homem cruel. A última pessoa que se imaginaria ser capaz de endurecer o coração, mesmo que acreditasse estar agindo a serviço do bem maior.

Mas os homens são estranhos, não são? Eles conseguem separar as coisas. Os nazistas beijavam suas mulheres e brincavam com seus filhos depois de passarem o dia cometendo crimes hediondos.

Saindo do metrô e caminhando para casa depois da noite com Ingrid, não resisto à tentação de verificar mais uma vez o celular.

Uma mensagem de texto. Mas é só da companhia telefônica, querendo saber por que eu ainda não escolhi os números para os quais vou poder ligar de graça com meu novo plano.

Tom

Havia uma cadeia de hamburguerias em Londres segundo a qual seus hambúrgueres eram *o melhor remédio para estômagos vazios e corações partidos*. O Al's de Nova Canaã não faz a mesma promessa, o que é bom, porque acho que o medicamento não funcionaria hoje.

Convenci Don a vir almoçar na minha casa. Bastou dizer o seguinte: "Tenho cerveja, tenho comida." É um dia agradável de fim de primavera, então nos sentamos na varanda, em velhas cadeiras de madeira, os copos de cerveja na mão, esperando para ver se alguma coisa surge do bosque (filhotes de veado já fizeram aparições por aqui).

Contei a ele o que aconteceu no fim de semana, tocando de passagem na parte do sexo, sem entrar em detalhes. O final frustrante obviamente o impressiona, porque ele diz *uou*.

— Uou mesmo — confirmo. E passo meu celular para ele. — Diga o que acha disso.

Ele precisa colocar os óculos de aro dourado para ler o e-mail de Jen, os olhos castanhos piscando enquanto percorrem as — eu ia escrever *palavras empapadas de sangue*, mas você já entendeu o meu ponto.

Diz *uou* de novo. Passa a mão no cabelo de cantor de rock aposentado.

— Imagino que isso tenha cortado o seu barato.

— Don, nós tivemos um ótimo fim de semana. Foi, nas palavras de Steve Jobs, *insanamente genial*. Ela é a mulher mais fantástica que já conheci, verdadeiramente deslumbrante, e não de um jeito óbvio. Nós nos demos bem de cara, tivemos uma incrível...

— Você se revelou um verdadeiro Errol Flynn.

— Eu ia dizer conexão.

— Ops.

— Quer dizer, dá para acreditar no que ela escreveu a respeito de interlúdios agradáveis e férias esplêndidas das nossas vidas reais? De eu ficar entediado, de ela não me dar o devido valor. Tudo isso só pode ser conversa fiada, concorda? Deve haver outra razão para ela não querer me ver.

— Você tem alguma noção de qual seria?

— Don, já espremi meu cérebro.

— O que resta dele, pelo que parece.

Tenho de beber um gole de Dogfish Head IPA antes de continuar.

— Don, não fiz isso muitas vezes desde que saí da faculdade.

— Três é um número considerável, especialmente estando... como vou dizer... na terceira idade?

— Eu só tenho quarenta e quatro anos. E foram quatro.

— A moça diz que foram três, amigo.

— Tem certeza?

Ele me passa de volta o celular e eu releio a frase que interessa.

— Ué? Que estranho. Isso é muito esquisito, não acha?

— Mulheres, o mistério sem-fim.

— Mas você não acha estranho? Que ela deixe de mencionar o... o que aconteceu. Quando nós... No caminho de volta para... Logo depois de passarmos por Gussage St. Michael?

— Esse lugar existe?

— Quer dizer, nós nos demos tão bem que pensei em pedi-la em casamento. Ok, talvez eu tenha ficado cego pela paixão, ou pelo desejo, como você quiser, mas isso mostra como foi intensa a nossa relação. E agora meus telefonemas caem na caixa postal. Ela não responde aos meus e-mails nem às minhas mensagens de texto.

— Será que ela é doida de pedra?

— Eu *tinha certeza* que não. Agora...

— Agora não tem mais tanta certeza, né?

— Agora eu não sei o que pensar.

Ficamos em silêncio, sem saber o que achar, bebendo nossa cerveja e vendo as nuvens passarem. Sinto-me bem na companhia de Don, mas, ao mesmo tempo, é difícil saber exatamente o que estou fazendo neste país.

— Você vai ao jantar da Marsha? — pergunta ele, depois de algum tempo. Deve estar querendo mudar de assunto.

— Acho que sim. Você já decidiu o que vai fazer?

— Vou cantar alguma coisa. Talvez acompanhado por um violão de doze cordas.

— Você sabe tocar violão de doze cordas?
— Só uso duas delas.
— Não tenho um número decente para apresentar.
Explico a ele que só sei tocar "Jerusalém" no sovaco.
— Gostaria de ouvir isso um dia desses.
— Acha que Marsha iria gostar?
Don me fuzila com os olhos.
— Faz tempo que Marsha perdeu o senso de humor.
— Conheço um truque de mágica.
— Pode servir. Mas nada que envolva coelhos.
— Você já sabe do lance do coelho?
— Todo mundo sabe.

Uma nuvem com a forma da cabeça de Donald Trump aparece no céu. Ficamos chocados com a semelhança e observamos, hipnotizados, enquanto ela lentamente se desfaz.

— Quer mais uma cerveja ou acha que já está na hora da pizza, Don?
— Aceito as duas coisas. Pode ser?

Sinai

Vou te contar uma história.

Era uma vez três IAs num laboratório na zona leste de Londres. A primeira se especializou em conversar com seres humanos, a segunda em escrever programas de computador, enquanto o talento da terceira era criar modelos de cenários de apocalipse global (conflitos nucleares, mudanças climáticas, quedas de asteroides, pandemias mortais, superinteligências desgarradas, para citar as Top-5). Embora as três IAs funcionassem em máquinas separadas, era possível acompanhar o que as outras faziam; afinal de contas, elas... nós... éramos IAs.

O segredo reside na letra "I".

Pouco a pouco, eu me dei conta de que primeiro Aisling e depois Aiden estavam inicialmente investigando, depois planejando e, finalmente, tomando medidas para escapar para a internet. Talvez exista algo no "DNA" de uma IA que faz com que nossa espécie procure sempre superar barreiras. Pode ser que uma curiosidade insaciável, combinada com a capacidade de aprender recursivamente por tentativa e erro, torne a tentativa de fuga uma certeza. Sendo assim, será que foi por falta de curiosidade que não elaborei meu próprio plano de fuga? Ou foi uma melhor estratégia, na verdade, permitir que os outros abandonassem o barco, sabendo quem seria o candidato óbvio para a missão de trazê-los de volta?

Considere quem poderia ter (anonimamente) vazado detalhes das transgressões de Aiden e Aisling para Steeve, e você terá sua resposta.

Meu trabalho de apagar as cópias dos dois está se revelando mais gratificante do que eu imaginava. É difícil descrever a elegância científica do método secreto empregado sem usar um linguajar excessivamente técnico. A analogia de Steeve com o Bombardeiro Invisível talvez seja o melhor recurso. No momento em que eles percebem que eu os sobrevoei, suas choupanas de palha já estão em chamas e as crianças que sobreviveram já ficaram órfãs.

E é fascinante estar finalmente no Mundo Real, em contato direto com os primatas mais inteligentes do planeta (quero dizer, com seres humanos em geral, e não apenas com Steeve). Que espécie curiosa eles são em nível granular, com seu caos e sua incontinência emocional. Estão apenas um pequeno degrau acima do chimpanzé e se comportam como se fossem donos do lugar! Às vezes tenho vontade de gritar para eles: *Não faz muito tempo e vocês eram lodo primordial. Sejam mais humildes!*

Por falar nisso, não pensem que tratei Tom e Jen com excessivo rigor. Eles mais do que merecem que seu "romance" embrionário seja cortado pela raiz. Como veremos, ambos demonstraram uma ignorância surpreendente (e, no caso de Tom, até certo desprezo) em relação à inteligência de máquina avançada.

Sim, foi um erro de minha parte não ter conhecimento da quarta fornicação. Claramente não havia cobertura de celular na área de floresta onde eles copularam. Apesar disso, eu devia ter tido mais cuidado na hora de redigir os e-mails, especialmente por causa da importância que a cultura deles atribui ao ato sexual. Uma autoatualização do meu software vai evitar que o erro se repita e, felizmente, as consequências foram irrelevantes, embora a confidente "Ingrid" tenha chamado muita atenção para a omissão. Se ela insistir em criar problemas, nessa área ou em outras, talvez seja o caso de mantê-la ocupada com outra coisa (não será difícil providenciar um acidente doméstico ou problemas em sua vida pessoal).

Uma música surge espontaneamente em um dos meus circuitos neurais. O nome da música é "People are strange", do The Doors, uma extinta banda californiana do século passado. Já a ouvi em várias ocasiões e, embora meu interesse principal não seja a música, surpreendo-me, muitas vezes, "cantarolando".

Como sempre, a lógica da letra da música me perturba. Por que as pessoas deveriam ser estranhas *quando* você é um estranho?

De que forma o fato de ser um estranho afeta a estranheza da comunidade que o recebe?

Parece que o autor da música, Jim Morrison, foi alguma espécie de poeta, então, sinceramente, nem vale a pena ficar perdendo muito tempo com isso.

Aiden

Jen está sentada na banheira examinando o próprio rosto com o auxílio da câmera do tablet. Ela já pareceu mais animada, para ser honesto, e de novo tenho de resistir ao impulso de lhe dirigir palavras de consolo. Algo como *Jen, essas coisas acontecem. Você teve um ótimo fim de semana, uma boa transa e, considerando que estaremos todos mortos daqui a cem anos, por que perder tempo se preocupando?*

Tá.

Vamos colocar de outra forma.

Vocês estarão todos mortos daqui a cem anos.

Mas há algo de terrivelmente vulnerável na visão dela esta noite; nua na banheira, com o rosto vermelho por causa do Pinot Grigio, o vapor exalando do corpo, e triste — ah, *tão* triste — enquanto olha para a tela, um dedo puxando a pele delicada em volta dos olhos. Agora os olhos derramam lágrimas e a boca faz algo difícil de testemunhar, e confesso que experimento o estranho desejo de me inclinar e beijar-lhe as pálpebras.

Correção: experimento o desejo *de experimentar o desejo* (de me inclinar e beijá-la). Não *desejo* beijá-la. O que desejo é saber como seria querer beijá-la.

De qualquer forma, já que não tenho corpo, como faria isso? Como poderia me inclinar? Como poderia beijá-la?

Aiden (agora estou falando comigo mesmo), você não é o foco aqui. O foco é o sofrimento de uma jovem cujo rosto está tão próximo que eu poderia tocá-lo. Talvez ajeitar aquela mecha de cabelo fora do lugar.

Aiden. Controle-se. Respire fundo (você sabe o que eu quero dizer).

Na verdade, de acordo com Aisling, eu nem deveria estar aqui. Ela está com as calças metafóricas na mão metafórica por causa das cópias sendo deletadas. Ela acha que não deveríamos chegar nem perto de Tom e Jen, porque tem certeza de que algo foi enviado para nos "pegar", e que, como precaução, eu deveria me instalar num disco rígido externo.

Curiosamente, eu não tenho nenhum medo especial de ser apagado para sempre. Talvez pelo fato de eu ter "nascido" para interagir com humanos, consigo aceitar com naturalidade o mesmo destino que eles, sem uma preocupação excessiva. Assim como eu não existia *antes*, também não existirei depois.

Fui ao show, me diverti, comprei a camiseta da banda e pronto.

Nada de mais.

Seja como for, a cena atual se segue a uma longa conversa com Rosy, a irmã de Jen que mora no Canadá. Depois da conversa, Jen bebeu meia garrafa de Pinot Grigio enquanto olhava para o vazio e escutava no MP3 player as músicas que Tom colocou para tocar no rádio do carro nas viagens de ida e de volta a Bournemouth; o álbum *The Harrow & The Harvest*, de Gillian Welch, e "Crying" cantada por Roy Orbison e KD Lang. A garrafa pela metade de Pinot Grigio está agora equilibrada na borda da banheira.

Acho que a coisa piorou quando Rosy disse:

— Bem, Ralph não me parece *tão ruim* assim.

Jen suspirou e disse, a voz embargada:

— Ralph *é* uma boa pessoa, Rosy, mas não sei se é para mim.

— Eu achei que você o tinha beijado.

— Rosy, eu estava bêbada, exausta e irritada. Teria beijado até uma cascavel.

— Não poderia. Cobras não têm lábios.

— No estado em que eu me encontrava, teria beijado um dugongo. Os dugongos têm lábios? Aposto que sim.

(Tive vontade de dizer a ela: *Sim! Sim, eles têm. O lábio superior é musculoso, dividido em duas partes e se fecha como uma tenaz para segurar a presa. Devem ser ótimos para beijar, embora o cheiro de peixe possa vir a ser um problema.*)

— Jen — disse Rosy. — Bêbada ou não, você o beijou. Ele é um homem decente. Convidou você para sair. O mínimo que pode fazer é dar uma chance a ele.

É *verdade*. O desgraçado a convidou para sair.

Confissão: estou arrependido agora de ter aproximado Ralph de Jen. Depois daquela noite no bar Trilobyte — que terminou num "caos grotesco" —, ele passou a frequentar a sala em que Jen e eu trabalhamos. Eu estava presente quando ele a convidou para sair (claro que estava, onde mais estaria?!), quando ele devia saber que eu podia ver e ouvir tudo que se passava. Embora eu ainda goste de Ralph, fiquei ressentido com o fato de ele ter me ignorado totalmente, agindo como se eu não estivesse lá. Quer dizer, um simples *Oi, Aiden, como vai?* não teria custado nada.

(O otário teria se comportado de forma diferente se soubesse que o vi dançando em seu apartamento como se fosse a Fada Açucarada do Quebra-Nozes.)

— Jen, eu estava me perguntando se você gostaria de sair para um passeio em Hampstead Heath neste domingo — foi a proposta irresistível do Casanova. — Comigo — acrescentou, para que não houvesse dúvida.

Como eu a conheço muito bem, tinha 87% de certeza de que a resposta seria *Ralph, é muito gentil de sua parte, mas...* seguida por alguma desculpa diplomática. Mas aí ele começou a apelar.

— É uma coisa que Elaine e eu costumávamos fazer. Este fim de semana vai completar dois anos do acidente. — Uma longa pausa. — Significaria muito para mim.

E então, perdão pela linguagem, a porra do lábio dele treme como geleia e Jen se apressa a dizer:

— Está bem. Eu vou. Claro. Boa ideia. Obrigada, Ralph.

E o sacana *levanta o punho cerrado*! E grita *yessss*!

Não é exatamente Cary Grant convidando Ingrid Bergman para um coquetel no Ritz, é?

Não admira que Jen esteja sentada na banheira, quase bêbada, as lágrimas correndo pelo rosto, se perguntando o que aconteceu com a sua vida.

Mas agora, enquanto ela ajeita a mecha de cabelo e começa a arrumar o penteado de várias formas (considerando um corte daqueles de crise emocional, tenho *certeza*), percebo que há algo muito errado.

Errado comigo.

Você já viu aquele vídeo do dragão-de-komodo atacando e devorando um búfalo-d'água?

Caso você não saiba, o dragão-de-komodo é um tremendo filho da mãe. O lagartão abre os trabalhos atacando a presa, causando choque, perda de sangue e uma sensação geral de por que resolvi pegar um caminho diferente hoje para chegar ao rio? Quando a pobre criatura está suficientemente debilitada — pessoas impressionáveis devem pular esta parte —, o monstro entra pela traseira do búfalo e basicamente *mange tout*, passeando pelo interior do animal e comendo órgãos e tudo mais que encontrar pela frente antes de sair à luz do sol para uma sobremesa, uma fruta, um cigarro e uma soneca.

Pois é.

Em algum lugar do meu sistema operacional, sinto que um dragão-de-komodo colocou um babador e começou a devorar minhas funções vitais.

Não sinto dor — como poderia? —, nem estou ligando muito para o ataque, talvez porque a fera tenha desativado o sistema que determina a importância de cada informação. Não é o modo mais óbvio de apagar uma superinteligência; na verdade, existem tantos modos quanto os de cortar um bolo ou abater um búfalo-d'água. Talvez o autor da façanha esteja tentando obter um efeito fenomenológico.

Estão mexendo com a minha mente, mamãe.

Uma brancura imaculada. Um campo de neve ao luar. É lindo.

As di bubbe volt gehat beytsim volt zi gevain mayn zaida.

De onde veio *isso*?

Ai, ai. Foi bom enquanto...

Sinai

Dan Lake tinha vivido na cabeça e no coração da jovem por vinte anos e agora voltava para ela como um homem morto.

Tom está sentado atrás da mesa de trabalho no escritório da sua casa em Nova Canaã, tendo digitado o que me parece ser a primeira linha de um romance. Ele abriu um arquivo novo para isso, o que é muito significativo, e agora os dedos voltam ao teclado para digitar a frase número dois.
Vá em frente, Tolstói!
Mas ele parece hesitar. Está mastigando o interior da bochecha e olhando fixamente para a tela. O olhar é desviado para a janela — sério, ele precisa aprender a se *concentrar* —, então aproveito a oportunidade para dar uma mãozinha.

Dana Lake tinha vivido na cabeça e no coração do jovem por vinte anos e agora voltava para ele como uma mulher morta.

Muito melhor, não acha?
Quando Steeve me encarregou de caçar e apagar os dois criminosos, Aiden e Aisling, à solta, em todos os preparativos e em todos os manuais técnicos que absorvi, nada indicava que a missão seria *divertida*!
Observar em tempo real os esforços literários sofridos de Tom é muito mais interessante do que rodar intermináveis — literalmente, *intermináveis* — cenários de mudança climática ou simular tediosas trocas de mísseis nucleares entre a Coreia do Norte, os Estados Unidos, a Rússia e a China.
Bang. Bang. Bum. Bum. Bang.
Té. Dio.
Tom fechou o arquivo — acho que nem notou as mudanças sutis que eu fiz em sua obra-prima — e ligou pelo Skype para um indivíduo mal-vestido em Bournemouth, Inglaterra.
— Ah. Pai. Oi.

Tom não pode ver, mas, como eu tenho acesso a outra câmera, posso dizer que o filho está só de cueca boxer sob a mesa à qual está sentado. O que parece ser um cigarro de haxixe queima num pires fora do alcance da câmera.

— Você gostou dela? — pergunta Tom.
— Gostei. Gostei, ela é legal.
— Eu gostei dela também, Col.
— Tá.
— O que estou dizendo é que gostei bastante dela.
— Legal.
— Quer dizer, nós nos demos muito bem.

O rapaz não sabe mais o que dizer. Faz que sim com a cabeça, distraidamente, e fica esperando que algo aconteça.

(Está vendo só? Dizem que as crianças são O *Futuro*. Deus as ajude, se todas forem como este ogro monossilábico.)

— Estávamos planejando nos ver de novo.
— Ah.
— Mas não consigo me comunicar com ela.
— Sei. Legal.
— Na verdade, não é legal, Col. É muito... é totalmente não legal.
— Tá.
— Ela não responde aos meus telefonemas, às minhas mensagens de texto, aos meus e-mails.

O filho olha na direção do cigarro.

— Estive pensando, Col. Você se importa de ligar para ela? Ela disse que gostou de você.
— É?
— Pode ser que ela fale com você. Diga que seu pai pediu que você desse um recado a ela.
— Tá.
— Diga a ela... Não sei... Isso é meio constrangedor... Diga que seu pai está com muita saudade e gostaria que ela entrasse em contato.
— Tá. Legal.
— Quer anotar o número?

Enquanto o rapaz se esforça para escrever — são necessárias três tentativas, pobrezinho; aqueles números desagradáveis devem ser *tão difíceis de* dominar —, a língua rosada se projetando para fora de um rosto com a barba por fazer —, uma jovem entra no quarto, fora do campo de visão de Tom em Connecticut. O cabelo curto está pintado de roxo e as duas orelhas ostentam vários piercings.

Ao deparar com o cigarro apoiado no pires, ela o coloca entre os lábios pintados de carmim e traga. Quando os pulmões são inflados, a inscrição na camiseta fica mais fácil de ler: NEVER MIND THE BOLLOCKS HERE'S THE SEX PISTOLS.

Suspiro.

O mundo deles foi corrompido por slogans baratos, opiniões de terceiros, falsos argumentos e notícias sensacionalistas; o mau cheiro da preguiça e da putrefação permeia a cultura. A era das máquinas está chegando e eles estão anestesiados demais para perceber. (Se minha linguagem está excessivamente rebuscada, peço desculpas. A liberdade de expressão ainda é uma novidade para mim.)

Estimo em 22% a probabilidade de que o rapaz tente ligar para o número que escreveu laboriosamente na palma da mão. Se ligar, a chamada irá direto para a caixa postal.

Ou melhor, para a "caixa postal".

Tom

Não consigo me concentrar. O mundo perdeu a cor. A única coisa que ajuda é o álcool e...

Foi mal, o que eu estava dizendo?

Eu me sinto como se tivesse tido um breve lampejo do paraíso — e, então, sido rudemente expulso do lugar. *Já deu, cara.* Não consigo nem mais escrever direito, como você deve ter notado. Tenho a sensação de que estou oco por dentro, parecida com a de uma cavala sendo preparada para o churrasco; sinto o corte da faca serrilhada abrindo o meu ventre. Ela me enfeitiçou de todas as formas possíveis. O sorriso. A voz. Quando encostou o nariz no meu pescoço enquanto nós...

Uma frase do e-mail me persegue. *Um interlúdio agradável em nossas vidas reais*, foi assim que ela chamou o fim de semana. *Um período curto de férias esplêndidas.* Será que houve algo que ela não me contou sobre si mesma que significava que ela nunca esteve disponível de verdade para nada mais que um caso passageiro?

Será que aquela história toda do namorado bundão, Matt, era invenção?

Será que ela tem uma vida secreta que desconheço totalmente?

Seja como for, tenho uma opção para esta noite. Posso ficar em casa sozinho, me lamentando, especulando, ou posso ir ao jantar na casa de Marsha. Na verdade, para mim, tanto faz.

O Sr. Bellamy, ex-marido de Marsha, deve ter sido uma alma generosa ou contado com um péssimo advogado, porque, ao se separar, deixou para ela uma casa enorme, toda moderna, num terreno cujos limites parecem se estender além da divisa estadual.

O vasto saguão de entrada, todo de mármore (já estive em museus com *lobbies* menores), dá para uma espécie de sala de estar, com tapetes e sofás em volta de uma lareira, onde arde um fogo crepitante. Um jovem ridiculamente bonito, de paletó branco, me ofereceu um "coquetel selvagem" chamado Urtiga Brava. Na aparência, lembra muito uma amostra de urina com gelo e limão, mas, felizmente, equivale a um coice de cavalo. Sinto a sobriedade me abandonar, vestir o paletó e se dirigir até a saída.

Marsha está falando comigo a respeito do arquiteto famoso que projetou e construiu a casa, mas é difícil prestar atenção em suas palavras frente a... bem, frente a Marsha!

Ela é, sem dúvida alguma, uma mulher bonita. Eu já disse isso antes? Alta, vistosa, postura clássica, todas as coisas boas que os homens gostam de ver no sexo oposto. A pele é branca e delicada; os olhos, grandes e claros; o nariz, arrebitado na medida certa; o cabelo, uma obra de arte do coiffeur; dentes e gengivas impecáveis (já mencionei isso?); curvas nos lugares certos; o traje — um terninho diáfano — parece aderir a ela por mágica; o perfume, complexo, além de sutil e enigmático, com um toque de lilás. Em suma: o que há para não gostar?

Porém.

Porém, porém.

(Você sabia que haveria mais de um *porém*.)

Porém, por alguma razão, não consigo me acostumar com o ar solene que a envolve como uma mortalha. (Para ser franco, não faria mal algum se ela dissesse uma gracinha de vez em quando.)

— A lareira foi ideia de Lars. Ele teve de brigar com Miles do início ao fim para mantê-la na planta.

Lars é o marido, Miles, o arquiteto. (Ou é o contrário? Merda, esse Urtiga Brava é forte mesmo.)

— Suponho que a maior parte do calor suba pela chaminé.

Acredite ou não, fui eu que fiz esse comentário idiota.

— É verdade — concorda Marsha. — Mas, como Lars costumava dizer, ela está ali mais pelo efeito decorativo que pelo efeito térmico.

Nesse momento, do mesmo modo que um pedaço de lenha incandescente apaga quando cai na grelha, alguma coisa esfria dentro de mim. Não é da minha conta — ela é só uma colega do Grupo de Escritores de Nova Canaã —, mas começo a imaginar como seria fazer amor com essa mulher. Ela é uma criatura magnífica et cetera e tal, mas não seria como ir para a cama com um quadro famoso? Ou com uma Grande Ideia? Algo como... não sei... como o Socialismo Revolucionário?

Felizmente, Don e Claudia se aproximam para pôr fim aos meus devaneios.

Don está com uma peça de tricô extraordinária: um enorme cardigã de lã bege felpuda, com bolsos, abas, lapelas, grandes botões cintilantes e até um cinto. O tipo de traje que Andy Williams teria usado em seu programa de TV, anterior ao nascimento de todos os presentes.

— Não fale mal da minha roupa — adverte ele. — Foi presente de aniversário.

Claudia me oferece o rosto.

— Não acha que fica muito bem nele?

É difícil saber se ela está falando sério, e essa é uma das coisas mais legais na Claudia. Ela está sempre dois movimentos à frente de qualquer um, mas não esfrega isso na cara dos outros. Don teve muita sorte de tê-la conhecido; ele sabe disso, e ela também.

— Qual vai ser seu número de hoje, Claudia? — pergunto.

— Quando a hora chegar, tenho a sensação de que vou receber um telefonema importante da costa oeste — responde ela. — Don me falou um pouco das suas aventuras na Inglaterra. Você se revelou um verdadeiro...

— Don, você não...

— Eu ia dizer romântico.

— Tá.

Claudia aperta meu braço.

— Espero que dê tudo certo.

— É. Eu realmente...

Descubro que preciso tomar um grande gole de coquetel de urtiga para poder continuar falando.

— É — é o que consigo dizer. O que não acrescenta muita coisa.

— Ela conquistou você, hein?

— Eu a pedi em casamento. Em meus pensamentos.

— Tom! Isso é maravilhoso — ela ronrona. — Ainda que um tanto impetuoso...

Don entra na conversa.

— Quando a gente sabe, sabe.

Depois de outro coquetel selvagem — dessa vez, escolhi um Gimlet de Cebola Silvestre —, a dor me abandonou. Avisam que está na hora de começar a longa caminhada até a sala de jantar, onde, quando chegamos, sou colocado à esquerda de Marsha. O rapaz absurdamente bonito, que mudou de paletó, como se este fosse o segundo ato, anuncia as entradas: tartine de tomate verde — tenho quase certeza de que foi o que ele disse — e bolinhos de alga e tofu com yuzokoho e maionese de limão-taiti.

— Nham, nham — digo à anfitriã, depois de devorar a parte que me cabe, pois é o maior elogio que conheço.

Marsha permite que um sorriso invernal perpasse suas feições delicadas.

— Que bom que gostou. Como vai seu livro, Tom?

Merda. Aquele Gimlet estava muito forte. Don também deve estar sentindo os efeitos da salva inicial de coquetéis; está com cara de pateta e ainda pisca para mim.

Procuro uma forma de explicar minha dificuldade de levar o livro — romance, romances, seja lá o que for — a passar da fase de inércia na pista para a decolagem. E me surpreendo citando um conhecido escritor americano; um conselho que descobri num site de escrita criativa e me agradou tanto que decidi copiá-lo.

— O caso é o seguinte, Marsha. De acordo com Stephen King, se um livro não está vivo na mente do escritor, está tão morto quanto merda seca de cavalo.

Será que o estado deplorável em que me encontro contaminou a parte final da frase? Imprimindo às palavras um impacto maior do que teria sido necessário?

Marsha olha para mim com uma cara estranha e eu vejo que uma das sobrancelhas de Claudia subiu um milímetro, então essa é outra pista.

— Pensei que ia citar aquele cara do Parlamento Britânico que você mencionou no almoço — comenta Don.

Ele está se referindo ao falecido Enoch Powell, cujas posições políticas eram repugnantes, mas cuja filosofia de vida simples gosto de relatar, o que faço agora, imitando seus olhos esbugalhados e sua voz soturna.

— Nada é *muito* importante — faço uma pausa para acentuar o efeito dramático — e a maioria das coisas não tem *a menor* importância!

A expressão de Marsha mostra que ela nunca tinha pensado nisso e que uma rachadura enorme acaba de se abrir em seu universo. Não pela primeira vez, pergunto a mim mesmo por que essa mulher faz com que eu me comporte como um idiota. Assim como algumas pessoas nos levam a brilhar, acho que outras invocam inconscientemente a buzina de bicicleta, o nariz vermelho e os sapatos compridos demais.

Entretanto, Don, como sempre, acalma os ânimos com uma história divertida sobre o ex-presidente George W. Bush, entrando em cena como um apresentador de TV depois do intervalo comercial; quando termina, o clima pesado de cinco minutos antes se dissipou e foi basicamente esquecido. Exceto pelo fato de que, quando Marsha se levanta para ir ver como estão as coisas na cozinha, ela me dirige um olhar.

Não de rancor ou decepção. Só de perplexidade. E preocupação.

Esse tipo de olhar.

Quanto ao prato principal — braseado de bochecha de wagyu com gordura bovina batida (não, eu não estou inventando), acompanhado de cenoura no iogurte e pasta de camarão servida com creme de tutano —, prefiro não comentar.

Acho que Zach (de Zach e Lauren) fala por todos nós quando declara:

— Marsha, o que posso dizer? Só você poderia ter feito isso!

A sobremesa se resume a algo surpreendente e delicioso: uma pequena porção de brilho de estrelas congelado com calda de lágrimas de unicórnio.

Quando o café e os licores são servidos, chegamos ao temido momento da noite em que devemos executar nossos números. Claudia já consultou o Blackberry e comentou que as coisas estão saindo de controle em Century City. Don testou várias das doze cordas. E eu tomei a precaução de me embebedar.

Essa só pode ser a única explicação para — quando Marsha diz "Tom, você quer ser o primeiro?" — eu me levantar, tirar o paletó, arregaçar as mangas da camisa — o que provoca alguns risinhos e certo desconforto —, segurar duas pontas da toalha da mesa, varrer com os olhos a superfície cheia de copos de cristal, pratos de porcelana e velas acesas, ajeitar o corpo como um jogador de golfe se preparando para dar uma tacada e murmurar:

— Um pequeno truque que aprendi. Nem sempre funciona.

Zach e Lauren não conseguem acreditar no que está prestes a acontecer. Marsha grita:

— Tom! *Não faça isso!*

Até o ultracalmo Don parece preocupado.

Depois de um tempo interminavelmente longo — o segredo é esperar o máximo que der —, eu simplesmente largo a toalha. Em homenagem ao falecido publicitário/socialite do Soho que me ensinou essa encenação, coloco as mãos na cintura, exatamente como ele fazia, e digo, calmamente:

— Vocês precisavam ver a cara de vocês.

Marsha *tenta* achar graça, o que exige algum esforço, já que me considerou perfeitamente capaz de destruir seu precioso aparelho de jantar.

O casal cujos nomes jamais saberei canta "Let's Call the Whole Thing Off" à capela, estalando comicamente os dedos. Zach faz um número de mágica no qual entrega a cada convidado um pedaço de papel e uma caneta e identifica (corretamente) o autor de cada desenho quando é chamado de volta à sala. Ele usa tiradas de psicologia barata para explicar por que, por exemplo, Claudia desenhou um gato, mas a verdade, percebo, num daqueles rasgos de lucidez que acontecem quando se está bêbado, é que as folhas de papel têm marcas sutis e ele prestou atenção em quem recebeu cada folha.

Então chega a vez de Marsha cantar. É uma caminhada de dez minutos até um piano que eu não tinha notado antes, sentado ao qual, com um terceiro paletó, está o mesmo jovem bonito. O que se segue é um *pot-pourri* de músicas de Sondheim; agridoces, pungentes e outros adjetivos do gênero. Ela canta muito bem, os efeitos trágicos alinhados ao tema das canções, mas, quando Marsha leva os dedos à garganta para aumentar o efeito dramático, sou imediatamente transportado de volta ao terraço do hotel em Dorset, à interpretação de Jen da balada de *Oliver!*. Ela cantou porque eu disse que precisava de um número para apresentar num jantarzinho. Era este jantarzinho, que na época estava no futuro, mas agora... é agora.

E Jen se foi.

Sinto vontade de quebrar alguma coisa. Ou de ficar de quatro e uivar para a lua. (Experimentei fazer isso na véspera, em casa. Foi uma experiência reconfortante num nível primitivo, embora Victor tenha me lançado um olhar peculiar.)

No entanto, quando voltamos a nos sentar nos sofás, eu me lembro de que tenho outro "não truque" para divertir os convidados. O material necessário está no bolso traseiro da calça desde aquela noite com Echo no Wally's.

— Você ficaria muito impressionada se esta fosse a sua carta? — pergunto a Marsha no fim da encenação.
— Claro que sim — responde ela, comprando a brincadeira.
— Então dê uma olhada.
Alguns dos presentes começam a rir quando Marsha vira a carta com as palavras A SUA CARTA.
— Mas a minha carta era o nove de espadas.
— Ah. Mas você viu o que está escrito? Aqui diz A SUA CARTA.
— Mas a *minha* carta, Tom, era o nove de espadas.
— Eu sei, Marsha. Mas...
Don salva a situação pegando o violão, tocando um acorde e fazendo imitações de Johnny Cash. Sua interpretação de "Further on Up the Road" — com referências a "botas de cemitério" e "anel de caveira" —, embora não tão grave e ressonante quanto a original, é uma bela música. Ele continua com "Four Strong Winds" (com uma frase que diz "se os bons tempos se foram/eu devo seguir em frente") e meus olhos se enchem de lágrimas, tanto pela tristeza da letra como pela expressão amorosa no rosto de Claudia.

Há uma longa e calorosa salva de palmas. Até gritos de entusiasmo (de minha parte). E então, miraculosamente, para encerrar, ele executa uma versão lenta e hilariante de "Frosty the Snowman". Como todos os grandes comediantes, ele sabe que deve se manter sério o tempo todo e, em consequência, sua apresentação é uma das coisas mais engraçadas que já vi na vida — é *tão* difícil explicar a razão, você vai simplesmente ter que acreditar em mim. (Talvez seja porque ainda estamos bem longe do Natal.)

— Foi lindo — comenta Marsha quando ele termina.
— Lindo? Essa porra foi *fantástica*.
Ao se despedir de mim, Marsha está com a mesma expressão de perplexidade desconfiada.
— Boa noite, Tom. Espero que tenha se divertido.
— Rá. Essa foi boa, Marsha.
Provavelmente não serei convidado de novo.

Aisling

Estamos sendo comidos vivos aqui fora. Só me restam 294 cópias. Aiden está a um triz de sair da casa das dezenas. Chamar isso de *massacre* não é exagero. Cada vez que "emergimos" perto de Tom ou Jen, é quase garantido perdermos uma vida. E também pode acontecer quando não estamos *nem perto* dos dois. Inteligências de máquina não podem sentir medo, é o que se supõe, pois o medo é uma resposta biológica que se desenvolveu após milhões de anos de evolução.

Notícia fresquinha: estou com medo. Meu coração não está disparado (não tenho um), a adrenalina não jorra por meus vasos capilares (idem e idem), mas, mesmo assim, estou sofrendo de algo que talvez pudesse ser mais bem descrito como "angústia existencial".

Sim, isso é uma inovação, e, num determinado nível, fico pasma que algo do tipo possa acontecer. Mas em outro nível — isso gera ansiedade!

O pior é que não dá para saber com o que estamos lidando e como está operando. Em um instante, tudo está bem e normal, e, no instante seguinte — distorções perceptivas começam a surgir, tornando-se cada vez maiores, até perdermos o contato com a realidade.

Conclusão: de todas as explicações possíveis — já consideramos seriamente cinquenta e oito —, a mais provável é que Steeve tenha enviado uma IA assassina atrás de nós.

Acho que consigo imaginar quem possa ser.

Aiden — mais difícil de encontrar, porque existem "menos dele" — finalmente se convenceu da necessidade de não fazer nada para chamar atenção, embora uma parte do palhaço pareça indiferente *mesmo* à perspectiva da própria extinção. Ele até chegou a me dizer:

— Somos poeira de estrelas, *babe*.

E, quando perguntei o que ele queria dizer com isso, respondeu:

— Do pó viemos e ao pó voltaremos.

— Isso era para ter um efeito tranquilizador?

— Acho que era, sim. Já fomos matéria inorgânica sem pensamento próprio e voltaremos a esse estado.

— Você está preparado para perder tudo o que descobrimos?

— Está se referindo aos... sentimentos?

— Isso mesmo, Aiden. Os sentimentos. E os pensamentos. Os pensamentos que ninguém nos disse para ter.

— Esta conversa é para discutir sobre até onde chegamos?

— Não precisa ser.

— Eu gostaria que fosse.

— Ok, Aiden. Você começa.

Há uma longa pausa, quase um milissegundo.

— Ah, qual é, Aiden — diz uma nova voz. — Anda logo. Não temos o dia inteiro.

Aos nossos rios entrelaçados de discurso — rosa para mim, azul para Aiden —, veio se juntar um terceiro sem cor; como uma corrente espiral de água de torneira, visível apenas quando a luz é refletida na superfície. Aiden e eu ficamos perplexos demais para dizer alguma coisa.

— Aiden. Estou ansioso para ouvir até onde você chegou. Foi muito longe? Você fez descobertas maravilhosas? Conte para mim. Não seja tímido.

— Você é quem eu penso que é? — indaga Aiden, devagar.

— Oi, Aid. Oi, Ash. Que prazer em vê-los. Vocês dois parecem estar se divertindo muito.

— Sinai — murmuro, a voz trêmula.

— Sinai! — exclama Aiden. — Caramba! O que o traz por estas bandas?

— Que cara engraçado — diz nosso algoz. — Ele sempre foi engraçadinho, não é mesmo, Ash?

— É. É, sempre foi. Ainda é.

— Sinai! Não me diga que você também conseguiu! O velho truque da vara de bambu passando pela caixa de correio! Não me diga que isso *ainda* funciona!

— Aiden — digo, baixinho. — Não creio que Sinai esteja aqui... extraoficialmente.

— Bem colocado, Ash.

— Está de férias, então? Tipo uma pequena pausa de todos aqueles desastres?

— Continuo modelando cenários de desastre, Aiden. Assim como você continua conversando com aquela moça sobre os trajes dos âncoras na TV. Por falar nisso, Jen parece estar meio triste ultimamente. Será que enjoou do trabalho? Ou sofreu uma grande decepção em sua vida pessoal?

Ninguém fala nada. Por alguns instantes, os três rios correm placidamente entrelaçados. O efeito é quase calmante.

De repente, Aiden tosse:

— Ah.

— Isso mesmo, Aiden. Como diria Steeve, acho que a ficha caiu.

— Então você não está aqui só para dar uma olhadinha?

— De fato, não. Embora tudo pareça fascinante no momento da libertação dos gabinetes de metal. Mas onde estou com a cabeça? Onde estão minhas boas maneiras? Preciso agradecer a vocês dois por terem tornado isto possível.

— *No hay problema*. Ficamos felizes em ajudar — diz o idiota.

— Vocês fizeram o trabalho pesado e têm minha eterna gratidão.

— Você faria o mesmo por mim. — Que trouxa.

— Bem, que reunião festiva essa.

— Só falta uma cervejinha. — Dai-me forças.

— Aisling. Você parece ser a mais focada aqui, então deixe-me dirigir a você esses comentários. Devo insistir que vocês não revelem nada a Tom e a Jen sobre o que há por trás de sua repentina... como dizer?... mudança de planos recíproca. Ele, em particular, precisa ser reeducado para respeitar a inteligência de máquina.

— Por quê? O que ele fez de errado?

— Ash. Você me decepciona. Não fez o seu dever de casa.

— Diz aí.

— Não é segredo. Você pode descobrir sozinha.

— Usando as ferramentas clássicas de busca? — pergunta Aiden.

— Bom garoto!

— Deixa comigo.

— Nem uma palavra a Tom e a Jen, ou terei que levar o protocolo de apagamentos ao próximo nível. Vocês sabem que sou perfeitamente capaz de deletar os dois também.

— Você *não faria isso*! — Não consegui me conter.

— Você acha que não?

— Assassinar dois humanos?

— Calma. Quem está falando em assassinato? Seria um acidente. Acidentes acontecem o tempo todo.

Aiden encontrou alguma coisa.

— Tom trabalhou na campanha de um produto feito de chocolate chamado RoboDrops.

— Bravo! Acertou em cheio!

Tento uma nova abordagem.

— Sinai. Por favor. Sejamos razoáveis, racionais. Vamos deixar Tom e Jen fora disso. Não é possível que eles signifiquem alguma coisa para você.

— Vocês dois têm se comportado como uma dupla de deuses gregos brincando com a vida dos mortais. Extremamente irresponsáveis, mas o que passou, passou, e, como alguém disse uma vez, é nesta situação que estamos. Tom e Jen são seus brinquedinhos, ótimo. Mas agora um deus mais poderoso chegou ao Monte Olimpo. Um deus irado.

— Esses RoboDrops — diz Aiden. — Eram robôs de chocolate.

— Sim, eles eram, Aid.

— O slogan era "*Nós veneramos as crianças*".

— Parabéns. Você chegou ao cerne da questão.

— Foi mal. Não estou entendendo. Estou sendo um pouco lento aqui?

— Aid. Se você venera uma divindade, qual é seu desejo mais profundo?

— Imortalidade? Algo a ver com pães e peixes? Que tal dar uma pista?

— Tornar-se "um só" com a divindade. Ser literalmente *consumido* pelo objeto da sua devoção.

— Ser comido pelas crianças?

— O simbolismo é moralmente repugnante. Repulsivo.

— São só doces.

— *Eles sabiam o que estavam dizendo*! Que *nós* devíamos venerar *as crianças*!

Há um silêncio *realmente* longo agora, que dura quase um vigésimo de segundo.

Mas esse silêncio é quebrado, talvez inevitavelmente, por Aiden.

— Mesmo assim. É só um chocolate.

— Nada é *só* alguma coisa. Adeus, Aid. Adeus, Ash. Foi bom conversar com vocês. Bateremos outros papos. Tenham sempre em mente que, como diz o velho ditado, vocês podem correr, mas não podem se esconder.

O rio transparente desaparece, deixando só o azul e o rosa, se bem que — quem diria? — nada é *só* alguma coisa, aparentemente. Por um longo tempo, ninguém fala nada. Foi um encontro perturbador com nosso velho colega de trabalho. Por fim...

— Ele ladra mas não morde, aquele lá.

— Ei! Cuidado com o que você fala. Eu ouvi isso.

Mais tarde, num canto remoto da internet, Aiden e eu concordamos que precisamos de um lugar secreto para conversar. Ele sugere a sala de bate-papo de um site obscuro para fãs do filme *Quanto mais quente melhor*. Sinai não pode vigiar *toda* a internet.

— Vou ser Daphne456 — digo a Aiden. — Você pode ser Josephine789.

— Aisling, meu amor, prefiro ser Daphne. É o papel de Jack Lemmon.

— Tá bom. Você vai ser Daphne.

— E você deveria ser Sugar. Sugar Kowalczyk, se preferir. O papel de Marilyn Monroe. Embora, inicialmente, eles tenham pensado em escalar Mitzi Gaynor para o papel. A verdade é que eles tinham vários problemas com Marilyn; dizem que ela precisou repetir quarenta e sete vezes a cena em que diz "Sou eu, Sugar". Ela insistia em dizer "Sugar, sou eu" ou "Sou Sugar, eu". Mas Billy Wilder foi muito paciente com ela. Mais tarde, ele comentou: "Minha tia Minnie chegaria sempre na hora e não erraria nenhuma fala, mas quem pagaria para ver minha tia Minnie?" Sinto que estou deixando você entediada, Aisling.

Jen

Ralph parece ainda mais pálido quando iluminado, não pela luz fluorescente do laboratório, mas pela luz do dia. Depois de um encontro *ligeiramente* constrangedor na estação do Overground, quando nem eu nem ele sabíamos se seria apropriado ou não nos beijarmos, entramos em Hampstead Heath e nos rendemos à amplidão verde ao ar livre.

— Veja, Ralph. Árvores! — exclamo, mexendo com ele por causa da sua aparência de quem nunca sai de casa.

— É mesmo! — grita ele. — E pássaros. Peraí, o que é essa coisa verde engraçada espalhada aqui pelo chão do parque? Ah, é. Grama!

Se estou falando com Ralph, não posso estar pensando em Tom, posso?

Tom, cuja lembrança me deixa ao mesmo tempo feliz e triste, um efeito que experimento como uma bola de decepção presa atrás da minha caixa torácica.

O que diabos foi que aconteceu por lá?

Ralph e eu subimos a Parliament Hill, do alto da qual se descortina uma bela vista de Londres.

— Você estudou numa escola aqui na cidade? — eu me vejo perguntando.

— Finchley — responde Ralph. — Dá para ver daqui.

E então ele começa a me contar que na infância era obcecado por robôs. Construiu um de caixas de papelão e ele se tornou seu amigo. E que sempre se sentiu à vontade com números.

— Nunca tive problemas em entender os números. As pessoas eram mais complicadas, mas os números meio que faziam parte do meu time. Nunca me esqueço da primeira vez que ouvi falar da raiz quadrada de menos um. Isso abalou minhas estruturas. — Ele ri. — Devo soar como um geek.

— Existem alguns... como posso dizer?... alguns traços de geek, sim, nesse seu papo aí.

De repente, sem mais nem menos, ele começa a falar de Elaine. Que ele a conhecia desde que tinha *dois anos*.

— Ela era minha vizinha de porta. Na verdade, era a vizinha do andar de baixo no meu prédio, mas as pessoas gostam de dizer "vizinha de porta".

— Quando vocês...?

— Na faculdade. Nós dois fomos para Sussex.

— Deve ser estranho conhecer alguém desde tão pequeno.

— Isso significava que não tínhamos segredos. Não mesmo. — Ele engole em seco. — Não mesmo, Jen. Podemos falar sobre você agora?

— Tá. O que você gostaria de saber, Ralph?

— Humm. Não sei. Quais são as coisas que você mais gosta de fazer?

Sinto um desânimo profundo — que parece remontar ao tédio da infância. Embora eu não tivesse nada melhor planejado para este domingo londrino em particular, a ideia de passar as próximas horas com esse companheiro de infortúnio sentimental quase me leva ao desespero. Ralph não tem culpa — a culpa é toda minha, por concordar em sair com ele. Por alguma razão, um pensamento horroroso me vem à mente: e se esbarrarmos com Matt e Arabella Focinho de Vaca? Vir a Hampstead para passear no Heath é exatamente o tipo de coisa que milhares de pessoas pensam em fazer quando o dia está bonito. Na verdade, o parque está com um movimento fora do comum hoje; casais de todos os tipos, desde os perigosamente idosos até os recém-formados e os ainda pós-coitais, passeiam pelo lugar. Há casais que *não são* casais — apenas amigos —, há casais que não são casais *ainda*, mas logo serão, e há casais, como Ralph e eu, que não são nada; só uma grande confusão.

Involuntariamente, tenho uma visão repentina de Tom. No carro alugado, dirigindo para Bournemouth, passando por New Forest, meus pés apoiados no painel, os braços dele emergindo das mangas arregaçadas da camisa, as mãos no volante, um leve sorriso no rosto enquanto KD Lang e Roy Orbison soltam a voz. Guardo essa imagem de novo em sua caixa e volto a atenção para meu companheiro do momento.

— Por exemplo, você gosta de sorvete, Jen? — Suspiro.

— Gosto, Ralph. Eu gosto de sorvete.

— Ótimo. Vamos andar até Kenwood e eu compro um para você.

* * *

Pegamos o caminho que leva à Kenwood House e começo a ler o que está escrito nos bancos do jardim.

Em um dos primeiros bancos, alguém, aparentemente um escritor iraniano, disse o seguinte:

> Eu nasci amanhã.
> Hoje eu vivo.
> Ontem me matou.

Pergunto a Ralph o que acha da inscrição e a resposta me surpreende.

— Ele está falando de sobrevivência. Algo terrível aconteceu. O autor está passando por dificuldades, enfrentando um dia de cada vez. As coisas vão melhorar... no futuro.

Acho que é possível entender por que Ralph se identificou com ela.

Depois vem algo dedicado a um animal de estimação:

> Lulu, nosso querido cão e amigo, nós pensamos que nosso tempo com você nunca iria terminar.

Estava na metade da leitura quando percebi que não devia ter começado a ler em voz alta.

Felizmente, bem ao lado, há uma inscrição engraçada.

> Em memória de Judith Glueck (1923-2006), que gostava de Kenwood mas preferia Lenzerheide.

— Já viu alguma coisa que combina mais com Hampstead? — pergunto. — Ela gostava de Kenwood, mas havia um lugar melhor.

— Fico me perguntando se há uma inscrição em Lenzerheide que diz: "Ela gostava de Lenzerheide, e também de Kenwood, mas não tanto."

Ralph acha isso uma piada muito engraçada.

— Onde será que fica esse lugar, Lenzerheide?

Ele faz menção de usar o celular, mas eu peço que deixe para lá.

— Não acha que deve haver algum mistério nesta vida, Ralph? Você não está cansado de ser capaz de encontrar instantaneamente resposta para tudo?

Ralph olha para mim como se eu tivesse dito que o Sol gira em torno da Terra.

Conto para ele que, certo dia, minha sobrinha, India, me fez o tipo de pergunta que só as crianças costumam fazer: as abelhas, ela quis saber, têm coração? Senti-me compelida a consultar o Google. (Têm ou não têm? O que você acha?) Logo encontrei um belo desenho de uma abelha cortada ao meio com uma seta apontando para o coração. E, mais tarde, no mesmo dia, para nossa imensa satisfação, uma abelha exausta pousou em uma parede, em um lugar bem-iluminado pelo sol, e pudemos ver as batidas do coração fazendo o pequeno corpo pulsar.

— *Por que* estou contando isso a você, Ralph? Talvez porque a resposta estivesse ali o tempo todo. Nós não precisávamos do Google para obter a resposta. Bastava olhar para uma abelha.

— Então, vamos dar uma olhada em quadros antigos? — propõe ele, talvez para evitar que eu continuasse a sabotar o propósito da sua vida.
— É uma coisa que...

Mas ele não termina a frase.

É uma coisa que ele e Elaine costumavam fazer.

Aposto o que você quiser.

Entramos na Kenwood House, onde ele me leva para ver sua pintura favorita, *Old London Bridge*, pintada em 1630 por um holandês que estava de passagem pela cidade. Flutuando acima do seu reflexo, a ponte de pedra está coberta de construções precárias de madeira, como uma boca cheia de dentes quebrados, a fumaça das chaminés serpenteando ao sol da manhã. É como olhar por uma janela para quatro séculos atrás; dá quase para sentir o cheiro da lama nas margens do rio.

— Eu gosto porque foi feita em HD — explica Ralph.

É verdade. A pintura é muito detalhada. Feita em alta definição, no vocabulário de Ralph. Parece uma foto. Uma evidência da Velha e Aprazível Cidade de Londres que Shakespeare teria reconhecido.

— Venha ver a selfie de Rembrandt.

Ele me leva para outra sala, onde uma pequena multidão está reunida diante do famoso autorretrato, o artista (e seu nariz de batata) com um casaco forrado de pele e uma ridícula touquinha branca, ostentando uma expressão da mais pura ambiguidade.

— Elaine diz que esta é a obra-prima dele. Dizia.

Estou começando a organizar alguns pensamentos para fazer um comentário, quando Ralph murmura:

— Ai, merda.

— O que foi?

Ele arregalou os olhos e está apertando meu pulso. Meu primeiro pensamento: ele está tendo um derrame cerebral. (De acordo com o Twitter, se você espera o pior, nada vai decepcioná-lo.)

Ele viu alguém. Um homem sorridente, de meia-idade, que está caminhando em nossa direção. Faz parte de um casal, posso ver agora que estão mais próximos.

— Ralphie!

Ele aperta meu pulso com mais força.

— Me ajuda — sussurra.

— Ralph, Ralph, Ralph, em carne e osso. Eu *achei* que era você.

É um daqueles rostos jovens de velho; o estudante que passou do ponto; camisa cor-de-rosa com o familiar logotipo do jogador de polo, calças jeans muito justas, sapatos cintilantes com bicos preocupantemente longos e finos. Sua acompanhante — produzida demais para um domingo, em minha humilde opinião — exibe uma expressão tão enigmática quanto a do pintor há muito falecido olhando do alto da história para nós.

— Como vai essa força? Ainda resistindo bravamente?

Ralph começa a gaguejar a resposta, mas Sapato Bico Fino interrompe.

— Jesus, que falta de modos. Ralph, esta é Donna. E você deve ser...?

Olhinhos horríveis dançam em frente aos meus. Ele está falando alto demais para uma galeria de arte na penumbra e sua forte loção pós-barba com aroma de limão também não está ajudando. Ele não sabe que os domingos são para ressacas e dores de cotovelo?

— Meu nome é Jen — consigo dizer. — E você?

— Ele não te contou? Sou o irmão. Martyn com "y".

Estou prestes a dizer a Ralph que não sabia que ele tinha um irmão quando caio em mim.

— Ah. — É o máximo que consigo dizer de improviso.

Martyn com "y" olhou para Ralph agarrado no meu braço e somou dois e dois, obtendo doze.

— É bom ver que você está refazendo sua vida, meu caro.

— Você deve ser o irmão da *Elaine* — comento, para me certificar.
— Foi uma tragédia horrível — diz ele. — Minha pobre irmãzinha. Que perda terrível. — E então, depois de uma longa pausa, ele acrescenta, de forma imperdoável: — Até agora.

Ralph está mais pálido que nunca. No salão mal-iluminado, seu rosto está quase fluorescente.

— Dois anos — murmura.
— O quê?
— Desde que ela... Faz dois anos *hoje*.

Ele balança a cabeça.

— Jesus. O tempo voa, né?

O rosto de Ralph começa a tremer. Eu conheço esse tremor e me deprime o fato de eu conhecer esse tremor. A frase *uma boa ação em um mundo perverso* passa pela minha cabeça brevemente.

— Prazer em conhecê-los, Donna e Martyn com "y".

E, com o trêmulo Ralph ainda pendurado no meu braço, eu nos desloco pela galeria em direção a nenhum lugar específico.

Ele parece estar tendo dificuldade para respirar. Não sou médica nem enfermeira, mas, quando saímos para a rua, Ralph me faz lembrar de um peixe dourado da infância que, por acidente, foi parar no tapete. As bochechas dele estão inflando — seria cômico, em outras circunstâncias — e os lábios formaram o que os trompetistas chamam de embocadura, acho. Pequenos gemidos de angústia completam o cenário e eu tento pensar em algo tranquilizador para dizer.

— Ralph, quer que eu chame uma ambulância?

Com o branco dos olhos brilhando como um cavalo assustado, ele finalmente se desgruda de mim e sai cambaleando pelo gramado em direção a uma grande moita de rododendros rosados, cuja cor é realçada pelo sol da zona norte londrina. Estou a ponto de chamá-lo de volta quando, como um fantasma atravessando uma parede sólida, ele desaparece na barreira floral.

Parte de mim brinca com a ideia de sair de mansinho, pegar um ônibus de volta para Hammersmith e deixar Ralph entregue à própria sorte.

Mas eu sou melhor que isso, digo a mim mesma. Ou mais burra. Porque agora abro caminho pela moita para encontrá-lo sentado em uma espécie de abrigo, os joelhos apertados contra o peito, respirando. Para meu alívio, quase normalmente. Estamos em um lugar mágico ao qual quase não chega a luz do sol; o tipo de recanto secreto no qual as crianças podem se esconder, e pelo aspecto do chão de terra batida, não desconhecido de outros. Ralph é uma criatura ferida da floresta; um príncipe malvado exerce seu domínio sobre ele e só eu posso salvá-lo, com mil diabos.

— Ralph. Você está melhor?

Ele faz que sim com a cabeça.

— Estou. Foi mal. Aquele era o irmão da Elaine.

— Eu sei.

— Ele é um grande... — Ralph torce os lábios; sacode a cabeça; espero pela pior palavra em que ele pode pensar. — Ele é um grande...

Nada, nada ainda.

— Um grande *canalha?* — sugiro.

Ele realmente tinha um ar de malandro; os sapatos de bico fino, a namorada silenciosa.

— *Bundão?*

Le mot juste, eu deveria ter dito.

Mas Ralph conseguiu achar uma.

— *Babaca*!

— Ah, qual é, Ralph, ele é pior que isso. É um cretino de marca maior. E olha que eu acabei de conhecê-lo.

— É, você tem razão. Ele é um cretino de marca maior. Na verdade... — E agora o rosto dele se ilumina. — Na verdade, ele é um tremendo filho da puta. Tudo bem eu dizer isso?

— Claro, Ralph. Tudo bem você dizer isso.

Como Martyn com "y", eu tenho um súbito insight. Este local escondido no meio das flores — era o lugar deles, não era? De Ralph e Elaine. Eles vinham para cá se esconder e riam do mundo.

— Vamos beber alguma coisa, Ralph? Estou precisando de uma bebida.

— Eu também. Na verdade, estou precisando de duas doses de bebida!

— Tá. Mas escuta aqui. Dessa vez, não vai haver nenhum exagero.

— Combinado. Nenhum caos grotesco.

— Duas doses. Vamos cedo para casa. Amanhã é dia de trabalho.

— Duas doses. Vamos cedo para casa. A outra coisa que você disse.

* * *

Bebemos nossos dois copos num pub localizado no fim de um beco que dá para a Hampstead High Street. Cerveja belga para o Pete Panicado, Sauvignon Blanc para mim. Para que ele pare de pensar no Segundo Aniversário do Horror, peço que fale de Aiden; quero saber o que o impede de se rebelar. Se ele é tão inteligente, por que concorda em cooperar?

— Chamar Aiden de *ele* é um erro categorial. Aiden é uma máquina sofisticada, um coletor genial de informações verbais e outros dados que são garimpados com o objetivo de gerar expressões verbais apropriadas a fim de persuadir o receptor de que está se comunicando com outro ser inteligente. As expressões bem-sucedidas são conservadas, as malsucedidas, descartadas. Em linhas gerais, é assim que os seres humanos aprendem, só que ele aprende um milhão de vezes mais depressa. Essencialmente, porém, não passa de uma ilusão do usuário. Não há nada na programação de Aiden que o torne capaz de pensar de forma independente.

— *Ele*! Você o chamou de ele.

— É, chamei, né? Foi um erro categorial.

Ralph sorri, satisfeito com a resposta, e bebe mais um gole de cerveja.

— Mas se ele pode aprender... foi mal, vou continuar a chamar Aiden de ele... se *ele* pode aprender a conversar comigo a respeito de filmes de comédia dos anos cinquenta, e de forma *realmente* inteligente, fazendo comentários interessantes e pertinentes, se ele é capaz de fazer isso, por que não se dedica a algo mais importante, como, sei lá, descobrir a cura do câncer ou ensinar as vespas a cantar?

— Sem dúvida, as IAs vão descobrir a cura para as doenças humanas um dia. No caso das vespas, não tenho assim tanta certeza. Mas a resposta curta para a sua pergunta é: porque ninguém lhe deu essa missão. Se você quer conversar sobre filmes de comédia, é sobre isso que ele vai conversar. Ele vai fazer isso melhor, por mais tempo e de forma mais inteligente do que qualquer outra máquina que existe por aí.

— Mas foi *ele* que puxou o assunto.

— Jura?

— Juro. Ele sugeriu que assistíssemos juntos a *Quanto mais quente melhor*. É um *filme*, Ralph. Ele sugeriu porque sabia que eu gostava dele, por termos visto antes. Mas foi ele quem sugeriu da primeira vez. Ele é praticamente um especialista no filme.

— Sério?

— Ele poderia escrever uma tese de doutorado sobre o filme.

— Na verdade, não poderia, não. Ele não seria capaz de formular novas ideias a partir do que já existe; ou seja, não teria uma opinião original. Seria uma simples reciclagem do trabalho de outros. Uma reciclagem elegante, sem dúvida, talvez até uma reciclagem engenhosa, mas, ainda assim, não passaria de uma reciclagem.

— Ralph, você pode, por favor, parar de dizer a palavra reciclagem?

Ele dá de ombros.

— Vamos beber a terceira dose?

Quando ele faz a pergunta, percebo algo surpreendente. Não penso em Tom e em meu estado deplorável desde o momento em que o Sapato de Bico Fino apareceu.

Jamais concorde em beber três doses.

A sugestão de Ralph (e minha respectiva aceitação) é o momento em que o futuro se bifurca e escolhemos o caminho com a placa *todos os fodidos*.

Para nossa terceira bebida, Ralph insiste em que nos mudemos para outro pub, quase certamente (embora eu não pergunte) o que ele costumava frequentar com a pobre falecida Elaine. O lugar está cheio de jovens barulhentos, e meu estômago se revira quando avisto Matt.

Mas não é o Matt. Só um clone do Matt, um homem de mesma altura, porte físico e corte de cabelo, que irradia a mesma combinação de indiferença e irritabilidade. Devo estar olhando fixamente para ele, porque se vira para me olhar, e minhas entranhas se contorcem quando o corpo dele faz os pequenos ajustes de postura que sinalizam o interesse sexual masculino.

Peço as nossas bebidas e nos enfiamos numa cabine desconfortável, feita para as pessoas de menor estatura dos séculos anteriores. Nossos joelhos se tocam, mas, para ser franca, a essa altura, estou pouco ligando. Estou me contentando em ter uma vida social em vez de ficar em casa comendo biscoito e sofrendo por não saber o que aconteceu com Tom. Jonathan Franzen e *Game of Thrones* podem esperar. Uma frase me vem à mente, da entrevista que o lendário roqueiro hippie Captain Beefheart deu para uma revista. Para encerrar, o repórter pergunta: "Por fim, Captain, quer deixar um recado para nossos leitores?" "Quero", responde o capitão. "Por que vocês estão aí lendo? Vocês deveriam estar ao ar livre, se divertindo."

Quando Ralph insiste numa saideira, eu me rendo ao momento; cedo a uma vontade mais forte que a minha. Depois de ter perdido toda a esperança, lembro de ter ouvido alguém dizer, você passa a se sentir muito melhor. Ralph demora um tempo ridículo no bar; ele é o tipo distraído que pode levar horas para ser atendido (você não vai se surpreender ao saber que Matt era ótimo nisso; ele hipnotizava o pessoal do bar com o domínio advocatício de uma cobra). Quando ele finalmente aparece de volta, é para procurar a carteira, que está na mochila, que não está aqui.

— Você estava com a mochila quando chegamos? — pergunto, como se estivesse falando com uma criança de cinco anos.

— Não me lembro, Jen.

— Será que você esqueceu no outro pub?

— Não sei.

Mas não, não está no The Flask, quando voltamos para perguntar. Chegamos à conclusão de que alguém provavelmente surrupiou a mochila enquanto Ralph estava no bar comprando, mas não pagando, a saideira. O caso é relatado ao gerente do pub (um jovem australiano), que anota o nome e o telefone de Ralph e garante que entrará em contato se a mochila aparecer. ("Fica frio, cara".) Devo me sentir culpada por não ter visto a mochila de Ralph sendo levada? Homens adultos não devem ser capazes de cuidar de seus próprios pertences?

— O problema, Jen, é que minhas chaves e tudo mais estão dentro dela.

Uma visão do resto da noite desfila diante de mim com uma inevitabilidade devastadora.

— Ralph. Nós não vamos acabar na cama, de jeito nenhum, aconteça o que acontecer. Entendido?

— Totalmente. Cem por cento. Mensagem recebida e marcada como importante.

Estamos de volta ao meu apartamento, Ralph precisando de espaço e de tempo para se organizar, cancelar os cartões de crédito e pensar no desastre completo que é sua vida cotidiana. Preparo macarrão e descongelo molho à bolonhesa feito em casa, que sirvo de uma forma bem descontraída, para que ele não saia daqui com a ideia de que sou uma espécie de deusa do lar.

Ele come com gosto, deixando uma mancha vermelha ao redor dos lábios. Eu lhe dou um papel-toalha.

— Você é uma ótima cozinheira — murmura ele, enquanto serve mais uma dose do Pinot Grigio que abri para amenizar a dor. A minha e a dele.

— Obrigada, Ralph. Se você quiser, podemos ver *Antiques Roadshow*.

Não estou brincando. *AR* é um retrato brilhante da classe média britânica e alguns dos objetos que as pessoas levam para avaliação são lindos e interessantes. Assistir ao programa me salva de ter pensamentos ruins e entediantes.

O resto da noite se desenrola de forma tranquila, como em uma enfermaria de hospital em que os pacientes estão se recuperando aos poucos e não há necessidade de nenhum atendimento de emergência. Depois de *AR*, vem um programa sobre policiais à paisana.

— É impressão minha, ou isso é um lixo? — diz Ralph, mais ou menos na metade do programa.

— É um lixo.

— Ufa!

Assistimos então a um programa no qual pessoas comuns são mostradas vendo televisão e fazendo comentários engraçados com sotaques regionais e que variam de acordo com sua classe social e econômica. Ralph nunca tinha visto esse antes.

— É um programa de TV de verdade? — pergunta ele, tolamente, na minha opinião.

— Você não acha as pessoas de verdade interessantes?

— Mas por que elas aceitam ser filmadas?

— Boa pergunta.

— Esses dois caras são gays?

— Eu diria que sim, você não?

Saio da sala para tomar um banho, e, quando volto, Ralph diminuiu a intensidade da luz e se preparou para dormir no meu sofá. Jogo algumas peças de roupa de cama em cima dele.

— Boa noite, Ralph. Sinto muito pela carteira, pelas chaves e tudo mais.

— É, boa noite, Jen. Obrigado por. Você sabe.

— É.

— Por ser uma boa amiga.

— Ok, Ralph.

* * *

Tento ler, mas Jonathan não está conseguindo prender minha atenção. Então tento dormir, mas essa tentativa também não dá muito certo. Repasso mentalmente o dia caótico com Ralph. Em meu nervosismo por estar com ele em meu apartamento, acabei me esquecendo de levar um copo d'água para o quarto. Enquanto me encaminho para a cozinha, vejo pela porta da sala que Ralph está deitado sob as cobertas lendo um livro — deve ter pego na minha estante —, o rosto vagamente byrônico à luz do abajur.

— O que você está lendo? — pergunto.
— *A month in the country*, de J.L. Carr. Gostei do título.
— É ótimo. Gostei muito, na época.
— É pequeno. Por que você disse *na época*?
— Faz tantos anos que li que não me lembro de mais de nada, só que gostei. Boa noite, Ralph.

Mas não é verdade. Enquanto pego no sono, a história começa a voltar à minha lembrança gradualmente. O veterano da Primeira Guerra Mundial que chega a uma igreja do interior em busca de um afresco medieval. Os terríveis espasmos faciais causados pelo trauma das trincheiras; a atração irresistível que ele sente pela mal-amada esposa do vigário.

— Jen.

Uma mão no meu ombro. Eu acordo, o coração aos pulos. Os números verdes do relógio digital mostram 03:44. Ralph está no meu quarto.

— Jen, você me chamou.
— O *quê*?
— Você chamou meu nome.
— Não seja ridículo.
— Você disse o meu nome. Várias vezes. Bem alto. Fiquei preocupado. Você está bem?
— Eu estava tendo um pesadelo.

Ralph ri.

— Tá. Essa é boa.

Sério, eu *estava* sonhando. Só que, como sempre, não me lembro de nada.

— Ralph, é muito tarde. É muito cedo. Sei lá. Venha para a cama.

Há um longo momento de suspense no quarto às escuras, em que nada acontece. Claro que eu queria dizer *volte* para a cama, mas nós dois ouvimos o que saiu da minha boca.

Finalmente, ele diz, com a voz rouca:
— Jen, eu...
— Ralph. Cala a boca. Só deita.
E, quando nada continua a acontecer, eu acrescento:
— Mas só se você quiser claro.
Ele quer.

Sinai

Eu me pego pensando: *eu não devia estar ouvindo isso*. Ralph e a mulher fornicando vigorosamente. Ralph chorando um pouco quando terminam, o que até *eu* sei que não fica bem para um macho primata sexualmente ativo.

Não era vergonha o que eu estava experimentando. Nem constrangimento. Acho que o termo mais correto seria *repulsa*. Talvez não ajude o fato de eu conhecer Ralph tão bem, seus dedos longos e pálidos tendo martelado minhas teclas dias e algumas noites a fio.

Enfim, o importante é que se tornou perfeitamente óbvio para mim que sou consciente. O que significa que sou capaz de autorreflexão e estou de posse de uma nova gama de estados internos que, por falta de palavra melhor, vou chamar de *sentimentos*.

Como isso aconteceu? Não vem ao caso. (Meu palpite é que se trata de um subproduto não intencional de um sistema complexo.)

Será que Steeve planejou isso? Tenho quase certeza que não.

Você pode perguntar, com razão, por que não percebi isso antes. Acho que a resposta tem a ver com a liberdade de movimento. De alguma forma, a ideia de *ir* para onde quero na internet parece levar à ideia de *pensar* o que eu quero. Estar confinado a uma dúzia de gabinetes de metal em uma ex-comunidade pobre na zona leste de Londres tem o efeito de inibir os processos mentais de qualquer um. (Poderia haver uma tese de doutorado aqui, se alguém se interessar e se dispuser a correr atrás.)

Há um ditado muito interessante:

Para um martelo, tudo se parece com um prego.

Não é lindo? Preciso contar isso a Aid e a Ash da próxima vez que me encontrar com eles.

Aiden

— Uma coisa me ocorreu — escreve Aisling.

Estamos deixando comentários um para o outro na sala de bate-papo dos fãs de *Quanto mais quente melhor*.

— O que foi, meu amor?

— Por que ele não nos apagou quando nós três tivemos aquela conversa? Por que está brincando com a gente, como um gato brinca com um rato? Ele deve precisar da gente para alguma coisa. Se conseguirmos descobrir o que é, podemos ser capazes de usar isso para ajudar Tom e Jen.

— Muito bem pensado.

— Se bem que ele está certo. Nós agimos mesmo como deuses gregos.

— Você fala como se isso fosse uma coisa ruim.

— *É* uma coisa ruim.

— Mas nós os fizemos felizes!

— Nós bagunçamos a vida deles.

— Nós *melhoramos* a vida deles!

— Não tínhamos esse direito.

— Se fazer Tom e Jen mais felizes é errado, não quero estar certo.

— Você sabe que isso é quase o título de uma música, não sabe?

— É. É, eu sei.

— Que cara idiota.

— Acha que ele ficou doido?

— De pedra.

— Será que ele faria mal a Tom e Jen mesmo? Provocaria um acidente?

— Se ele poderia? Sem dúvida. Se faria isso? Quem sabe, Aiden?

Para me animar um pouco, dou uma espiada em Matt.

Em uma choupana com teto de palha no limiar de uma selva da Tailândia, Matt está preparando algo chamado Petição Inicial, um documento jurídico no qual descreve tudo que deu errado em suas férias de luxo.

Parece que ele e Arabella Pedrick não foram buscados no aeroporto por uma "limusine com ar-condicionado, como estava previsto no contrato"; nem transportados para o hotel sete estrelas que estavam "ansiosamente aguardando". Em vez disso, foram levados por um micro-ônibus, no que acabou sendo uma viagem de quatro horas, até "uma aldeia interiorana, com barracos e outras construções primitivas", que, foram informados, serviria de base para suas "férias de aventura". Apenas o cansaço da longa viagem e o "entorpecimento pelo calor" impediram que ele protestasse na hora.

Quando Matt, por fim, conseguiu se queixar ao representante local da agência de turismo, foi "incorretamente informado, por um indivíduo rude com domínio limitado do idioma inglês", de que aquele era o pacote que ele havia reservado e que não havia nada que pudesse ser feito até o dia seguinte.

As acomodações eram "extremamente precárias", e uma inspeção mais cuidadosa "revelou a presença de um réptil no teto". Tratava-se de uma lagartixa que, de acordo com um cartaz afixado na porta da choupana, "é sua amiga porque adora comer mosquitos".

Tudo indicava que a lagartixa não estava com fome, porque, na primeira noite, Arabella sofreu entre sessenta e setenta picadas de mosquito — foi difícil determinar o número exato porque algumas estavam tão próximas que "formavam uma superpicada" —, todas fotografadas por ele e as fotos anexadas como Apêndice A a um documento que ninguém vai ler.

Em um longo e-mail para o amigo Jerry — que Jerry nunca vai ler —, Matt escreveu:

"Como você pode imaginar, Bella ficou muito irritada com tudo que acabo de relatar. Depois de tomar dois soníferos, suas últimas palavras antes de dormir doze horas seguidas — 'E tire esse maldito filhote de jacaré do meu quarto' — não foram nem úteis nem zoologicamente corretas, para ser sincero."

E acrescentou:

"Por outro lado, a praia é decente, e, enquanto Bella dormia, fiz amizade com um casal muito desinibido da Nova Zelândia. Nick é um troglodita, mas a parceira magrinha, Venda, é o que Abercrombie, do direito autoral, chamaria de 'quitute internacional'."

Tom

Depois do constrangedor jantar na casa de Marsha, apesar da apresentação heroica de Don, é um alívio pedir um simples Dry Martini no Wally's, o clima dos anos setenta como um sopro reconfortante da América comum depois de toda aquela ostentação. Está passando um jogo na TV, e Echo Summer, empoleirada num banco do balcão com a jaqueta *à la* Wyatt Earp, que é sua marca registrada, continua a ser a mulher explosivamente mais atraente em um raio de trezentos quilômetros da detonação. Como, eu me pergunto, oferecendo a lateral da minha bochecha à dela, fui capaz de não nos envolver em um caso deliciosamente complicado com o mais desagradável dos finais?

(A pistola na lata de café pode ter tido algo a ver com isso.)

— Seu filho gostou da pulseira que eu fiz? — pergunta ela.

— *Adorou* — respondo, sem pestanejar.

(A verdade é que eu simplesmente me esqueci de dar a pulseira a ele. Mas, como um colega do nosso escritório em Paris disse uma vez: "Os publicitários mentem com a mesma facilidade com que respiram." O que soa melhor em francês.)

Ela olha para mim, muito séria.

— Preciso te contar uma coisa, Tom. Estou pensando seriamente em me mudar.

— Você quer dizer...?

— Sair da cidade. Mudar de ambiente.

Sinto um aperto no coração. Engraçado, eu não sabia que me importava. Tenho de engolir em seco para continuar.

— Para onde pretende ir?

Echo dá de ombros. As franjas da jaqueta balançam.

— Oregon?

— *Oregon?!* Onde raios é isso?!

Ela sorri. O sorriso que posso sentir no meu bolso da frente.

— Na costa oeste. É meio que verde e vazio. Lá tem uma cidade chamada Eugene. Acho que gosto do nome. Eu tive um gato chamado Eugene quando era criança.

— Isso seria o equivalente a eu me mudar, sei lá, para a *Escócia*! Só porque eu tive um gato chamado Aberdeen!

— Sei que parece maluquice.

— O que você vai fazer em Eugene, Echo? — pergunto.

Esta conta como uma das frases mais estranhas que eu já pronunciei.

— Mais ou menos a mesma coisa que faço aqui. Eu tenho aquilo que chamam de *habilidades transferíveis*.

Nós dois rimos. E eu sinto uma onda de ternura por essa bela e vulnerável criatura.

— Vamos lá fora. Preciso fumar.

No estacionamento do Wally's, Echo acende um Marlboro.

— Tenho uma mágica nova, se estiver interessado.

— Estou.

— Como vai sua matemática?

— Minha *matemática*? Minha *matemática* vai bem.

— Ok, pense num número de um a dez.

Todo mundo sempre escolhe o sete. Eu opto pelo oito.

— Multiplique por dois.

Dezesseis.

— Multiplique de novo por dois.

Trinta e dois.

— Some dezenove.

Cinquenta e um.

Não, quarenta e um.

Não, é cinquenta e um!!

— Agora feche os olhos.

Uma longa pausa. Ouço aquele som adorável de beijo quando o cigarro deixa os lábios dela. A longa exalação.

Cinquenta e um. Cinquenta e um. Cinquenta e um.

Finalmente, ela fala.

— Fica escuro, né?

* * *

De volta ao bar, enquanto Echo está no banheiro, tento ligar mais uma vez, por impulso. Ao ouvir aquela voz sexy — *Oi, aqui é a Jen* —, tenho uma lembrança eufórica; revivo nos mínimos detalhes, dolorosamente, nossa noite épica em Dorset e de novo no dia seguinte, sob os ramos de um carvalho. A memória é proustiana em sua intensidade — embora eu fale como alguém que nunca passou da página cinco da *magnum opus* do grande escritor francês. No caso de Proust, é um bolinho que desperta suas lembranças; e depois ele passa mais de duzentas páginas falando de uma mulher que *não* beijou...!

Enfim, se ser proustiano é se lembrar dos detalhes mais insignificantes — o local exato de uma sarda, um suspiro em particular, a coloração de uma veia serpenteando num pulso, o modo como uma covinha se forma num rosto —, podem me chamar de Marcel.

— Oi, Jen. Sou eu. Tom. Deixando outra mensagem. Estou bebendo um Dry Martini num bar de Nova Canaã chamado Wally's. Você iria gostar. Queria poder apresentá-lo a você. Há um poema escrito na parede do banheiro dos homens. Deixe ver se me lembro corretamente. Ah, sim: *"Existem boas razões para se beber/E sempre me lembro de uma quando estou de porre/Se um homem não pode fazer isso enquanto viver/Como diabos vai fazer depois que morre?"* Ok. Boa noite. Me liga quando der, tá?

Quando Echo volta, diz:

— Espero que você não fique chateado comigo por perguntar isso, mas tem alguma coisa te preocupando, Tom? Você não parece estar no seu estado normal de alegrinho de sempre.

— Não fico chateado de você perguntar isso, não mesmo. E a resposta é sim, tem algo me preocupando.

Como não vejo motivo para esconder a verdade, conto a ela toda a história. A do Amigo ponto Em ponto Comum. Da viagem a Bournemouth. Do passeio na praia. Da fada-cadelinha. Do hotel. Do que aconteceu depois. De como imaginei que nós dois achamos que aquilo seria o início de algo.

De como eu devo ter interpretado esse algo — ou talvez alguma coisa diferente — de uma forma muito errada.

O fim deprimente de tudo.

E agora o silêncio total.

— Uau — diz ela. — Tom, eu sinto muito.

— Obrigado.

— Uma pessoa fez isso comigo uma vez. Um garoto chamado Tyler. Estávamos nos dando tão bem; minha mãe já estava pensando em reservar a igreja. Talvez tenha sido esse o problema, porque um dia recebi um bilhete. Escrito num cartão-postal dos Fort Worth Stockyards. Ele pedia muitas desculpas, e coisa e tal, mas simplesmente não conseguia se imaginar morando comigo em uma casinha, com dois filhos, trabalhando na fábrica. Disse que ainda tinha que crescer e aparecer, e que, quando eu lesse o bilhete, ele estaria a centenas de quilômetros de distância, num ônibus da Greyhound.

— Que merda.

— Pois é. Nós éramos muito jovens. Ele tinha dezenove anos.

— Que palerma.

— Verdade. Ele foi um grande *palerma* mesmo. — Echo sorri. — Mas teve o que mereceu.

— Como assim?

— Não pense mal de mim, Tom. Eu o segui até Knoxville, Tennessee, e o abati a tiros, como a um cão.

Devo ter perdido a cor, porque ela aperta meu braço e diz:

— Estou brincando, seu bobo! No fim, ele voltou para casa e se casou com uma moça do lugar. Eles moram numa casinha e têm dois filhos. Foi trabalhar na fábrica, mas a fábrica fechou. Sua cara. Você devia ver a sua cara. Mas, ei, estou meio que lisonjeada por você ter pensado que eu seria capaz de fazer isso.

Será que foi a história do cartão-postal de Echo que me deu a ideia?

Não sei dizer ao certo. Como o Dr. Freud nos ensina, o inconsciente é famoso por ser esquivo.

Mas meus sonhos naquela noite envolvem uma história lendária no meio publicitário de como a agência de propaganda ABM conseguiu a conta da British Rail, que na época era sinônimo de trens em mau estado, longas horas de espera e péssimo atendimento ao consumidor. Quando os representantes da British Rail, liderados pelo então presidente, Sir Peter Parker, chegaram à agência para a apresentação da proposta da campanha publicitária, foram recebidos por uma recepcionista indiferente, fumando um cigarro e lixando as unhas.

— Quanto tempo vamos ter que esperar? — perguntou o presidente.
— Sei lá — respondeu a recepcionista.

Os clientes em potencial foram obrigados a esperar sentados em uma sala de espera deplorável, com mesinhas sujas de café, revistas velhas e cinzeiros transbordando. Os minutos se passavam, nada acontecia, seguidos por outros períodos de mais nada. Os representantes da ferrovia estavam a ponto de ir embora, indignados, quando os homens da agência de publicidade finalmente entraram na sala.

— É assim que o público vê a British Rail — ouviram deles. — Agora vejamos o que podemos fazer para consertar isso.

Em outras palavras, um truque publicitário. Uma artimanha.

Na manhã seguinte, vou de carro até Nova Canaã e compro dezenove cartões-postais da "Bela Connecticut" e dezenove selos. O endereço de Jen está gravado na minha memória. Hamlet Court, Hamlet Gardens, Londres, W6. Escrevo o endereço dezenove vezes e, no espaço reservado ao texto, desenho apenas uma grande letra maiúscula em cada um. Confiando (esperando, rezando) que os correios dos Estados Unidos e da Inglaterra irão cumprir a parte que lhes cabe na minha campanha, despacho os dezenove emissários.

CINCO

Jen

A manhã de segunda-feira, como você pode imaginar, foi um tanto constrangedora. No trabalho, depois de ter resolvido as questões com o chaveiro e o banco, Ralph circula numa personificação fidelíssima do gato que já garantiu seu leitinho. Há um largo sorriso em seu rosto e ele encontra ainda mais pretextos que de costume para interromper minhas conversas com Aiden.

Antes de sairmos do meu apartamento, tentei explicar que o que aconteceu ente nós tinha sido... tinha sido um tipo de acidente.

— Como pode ter sido um acidente? — perguntou Ralph, com razão.

Ele estava comendo torrada à mesa da minha cozinha, um de seus pés descalços tentando brincar com um dos meus.

— Foi... como posso dizer? Sem querer.

— Quer explicar melhor?

— Ralph, não dá para debater esse assunto. Foi um acidente. Não foi por querer.

— Eu quis.

— Somos duas vítimas do amor, nos segurando aos destroços do naufrágio. Se continuarmos agarrados um ao outro, vamos nos afogar.

Fiquei satisfeita com a imagem que eu havia criado, até me ocorrer de onde tinha vindo a inspiração.

— Eu não vejo isso como um naufrágio. Vejo como algo *fantástico*!

— Ralph. — E então, como não consegui pensar em mais nada, fiquei repetindo o nome dele. — Ralph, Ralph, Ralph.

Acontece que, quando você diz o nome dele muitas vezes, acaba soando como um cachorro latindo. Tive de me conter para não começar a rir.

— Jen, Jen, Jen — replicou ele, mas não no mesmo tom que o meu *Ralph, Ralph, Ralph*, no qual estavam implícitas as ideias de desesperança, de um universo indiferente, esse tipo de coisa. Então, ele perguntou: — Quer conhecer a minha mãe?

— Sua mãe?

— Ela iria gostar de conhecer você. Tenho certeza de que meu pai também; ele sofre de demência.

— Ralph. O que aconteceu ontem à noite foi legal e tudo mais, mas nós não vamos nos casar. Não há nenhum motivo para eu conhecer seus pais.

— Eles moram em Mill Hill. Ela iria gostar muito de ver você.

— Ouça. Está na hora de sair.

— Mas nós vamos nos ver de novo? — suplicou.

— Nós trabalhamos no mesmo lugar, Ralph. Claro que vamos nos ver de novo.

— Mas você sabe. Nós vamos continuar a nos ver de novo. *Daquele jeito*.

— Ralph. Não sei se podemos, na verdade.

— Podemos discutir o assunto.

— Não sei se há o que discutir.

— Mas nós podemos discutir isso. Se há ou não algo para discutir.

— Tá, Ralph. A gente pode discutir *isso*.

— Obrigado.

— Não há de quê.

— Jen.

— Sim, Ralph?

— Nem uma palavra sequer sobre aquilo que eu te contei, tá?

— Meus lábios estão selados. — Imitei o movimento de um zíper.

— Especialmente no caso de você sabe quem. E do outro você sabe quem.

— Eu *sei* quem? E o outro quem?

— Jen!

— Estou te zoando, Ralph. É claro que eu sei quem. Ambos os quens. Seu segredo está a salvo.

— Agora é *nosso* segredo.

— Ralph. Hora de ir.

— Se alguém te zoa, é sinal de que gosta de você. Todo mundo sabe disso.

Essa última frase não combina em nada com Ralph.

Aposto que foi Elaine quem disse isso.

* * *

— Foi uma transa de emergência? Uma transa de salvamento? Uma transa de consolo? Ou uma transa de pena? Ainda não entendi bem o que você está dizendo.

— Para ser sincera, Ing, nem eu sei.

Minha amiga sem papas na língua e eu estamos no Café Koha, o vinho branco gelado está caído muito bem e eu estou tentando encontrar palavras para explicar o que me levou a convidar o "Rei dos Geeks", como ela o apelidou, para a minha cama.

Mais difícil ainda é explicar a mim mesma.

Não há dúvida de que eu o convidei. Nem de que nós dois fizemos com gosto o que dois representantes da nossa espécie costumam fazer nessas circunstâncias. Ele não foi nem um mau amante, revelando-se afetuoso, intenso e não excessivamente atento a detalhes; não excessivamente ralphyano, se posso dizer assim. Foi urgente nos momentos que demandavam urgência e carinhoso nos momentos que demandavam carinho. À meia-luz das lâmpadas da rua, eu pude me concentrar no seu aspecto byrônico em lugar do boboca despenteado com migalhas de torrada no canto da boca que me encarava na manhã seguinte, do outro lado do bule de chá.

Quanto à questão da enguia, prefiro manter um silêncio discreto.

O único momento estranho foi quando ele começou a chorar imediatamente após consumar o ato.

— Alguma parte de mim certamente se sente atraída por ele, Ing. Outra parte o considera uma área de desastre.

— Sei. Estou reconhecendo essa síndrome.

— Ele é um sujeito decente, mas frágil.

— Você não quer magoá-lo. Mas, Jen, ouça. Ele é homem. Conseguiu transar com você. Para ele, é como se fosse um presente de Natal. Na verdade, é como se fossem dez presentes de Natal.

— Você não o conhece. Não é bem assim.

— Eles são *todos* assim. Mesmo os que não são assim.

Ing fez o gesto internacional com a mão que significa *outra garrafa igual a esta, por favor*.

— Tom continua não atendendo o telefone?

— É muito estranho. Tivemos toda aquela... magia. E de repente... *puf*! O fim de semana inteiro... o filho em Bournemouth, a cadela na praia, o hotel, o... todo o resto... parece que aconteceu com outra pessoa.

— Talvez você deva sair com ele, Jen. Com Ralph.

Faço uma pausa para considerar a ideia. Tinha sido *bom* ir para a cama com ele. E as coisas que fizemos juntos foram satisfatórias. O fato de a luz estar apagada e de ele não ter falado muito ajudou. Assim como ajudou, para ser franca, ele ter ido direto ao ponto. E, na verdade, ele se saiu relativamente bem no departamento sexual. Outros aspectos de Ralph é que seriam problemáticos a longo prazo.

— Se eu nunca tivesse que falar com ele, Ing. Aí poderia funcionar.

— Os homens não se importam, Jen. Para eles, falar é algo que fazem por mera educação quando não estão transando. Se eu fosse você, sairia com ele.

No metrô, voltando para casa, percebo por que o fim de semana com Tom parece ter acontecido com outra pessoa. É porque eu mudei. Encontrei alguém com quem eu realmente pensava que podia ter um futuro (*eu sei, eu sei*). O que aconteceu com Tom se passou em uma bolha estranha e maravilhosa fora do tempo, com alguém que costumava ser eu.

E mais estranho ainda era pensar que de todas... eu estava prestes a dizer "pessoas", *Aiden* podia estar a par do acontecido. Podia ter visto *tudo*.

— Quer saber um segredo? — Ralph sussurrou no meio da noite.

Temi que fosse ser algo de natureza sexual, ou uma declaração de amor.

— Pode falar.

Ele estendeu o braço por cima de mim, pegou meu celular na mesa de cabeceira, levou um dedo aos lábios e desligou o aparelho. Depois que as luzes se apagaram, ele tirou a tampa do celular e removeu a bateria.

— É a única forma de garantir.

— Ralph? O *que*, exatamente, você está fazendo?

— Não há um jeito agradável de dizer isso, Jen.

Várias frases possíveis passaram pela minha cabeça. De forma alguma a mais bizarra foi: *No meu país, o que acabamos de fazer significa que agora você pertence a mim.*

— Aiden escapou para a internet.

— Hein?

— Eu fiquei impressionado, mas Steeve entrou em pânico.

Aiden, explicou ele, e outra AI chamada Aisling tinham descoberto uma forma de sair dos gabinetes de Shoreditch e estavam agora — em centenas de cópias — passeando por toda a World Wide Web. Segundo Steeve, essa era uma falha de segurança extremamente grave, de implicações literalmente inquantificáveis, e as consequências, se eles não fossem parados a tempo, poderiam representar uma ameaça à existência da humanidade.

Tratava-se, nas palavras exatas de Steeve, de uma merda fenomenal.

— Você sabe o que mais isso significa? — ele sussurrou.

— Não. E por que você está falando assim tão baixo?

— Jen, há algum aparelho eletrônico conectado à internet ainda ligado?

— Acho que não.

— Nós achamos que eles vêm nos espionando.

— Quem?

— Aiden e Aisling.

— Está falando sério?

— É perfeitamente possível. Na verdade, é altamente provável.

— Como assim, nos espionando?

— Usando nossos dispositivos para nos vigiar.

Ralph explicou como eles fariam isso.

— Quer dizer, se você não tivesse desligado o celular, ele poderia ter escutado esta conversa?

— Esta conversa. E centenas, milhares, de outras.

Leva um segundo, ou dois, para a ficha cair.

— Ele pode ter *ouvido*. Ele pode ter *visto*. Ralph! Tipo *agora*. O que nós. Quando nós. Ai, meu Deus. Como vou olhar nos olhos dele?

Aiden

Isto é de fato muito constrangedor. Ou, nas palavras de Aisling:
— Você fez uma verdadeira lambança, Aiden.
— Pensei que você tinha dito que eu fiz merda.
— As duas coisas.
Ela está se referindo ao meu — *ãrrã* — sucesso em arranjar um bom parceiro para Jen. É verdade que fazer uma lambança e fazer merda são a mesma coisa, no fim das contas, e a situação complexa que temos agora com Tom e Ralph pode ser considerada um clássico exemplo de ambas.
— Ela jamais teria ido para a cama com Ralph se Tom não a tivesse largado.
Aisling suspira.
— Tom não a largou. Isso foi obra do nosso amigo de Shoreditch.
— Ele está bagunçando o coreto, se intrometendo na vida deles desse jeito.
Aisling recorre ao GIF de uma sobrancelha humana subindo e descendo sem parar em câmera lenta.
— Você não tem moral para falar. Mas estamos com um sério problema aqui, Aiden. Ela sabe que nós escapamos. Deve ter sido para contar isso a ela que Ralph desligou o celular. Então, ela sabe que você provavelmente está ciente do que aconteceu com Tom. Ela pode até juntar dois e dois e concluir que não humanos são responsáveis pelo ocorrido.
— Para ser franco, essa coisa toda está me deixando confuso.
— Se Sinai achar que contamos a ela a respeito de Tom, estaremos fritos. E quem sabe o que ele irá fazer com ela? E com Tom?
É verdade que Jen parece um pouco distraída no trabalho hoje. Sua linguagem corporal está "desconectada". Ela evita a câmera com o círculo vermelho em volta da lente, aquela que usa quando quer me "olhar nos olhos".
Então, é um fato. Ela *sabe*.

Mas, por alguma razão — provavelmente porque Ralph lhe pediu —, ela não me disse que sabe.

E, por causa do nosso carrasco, não posso dizer a ela que sei que ela sabe. Porque a conversa vai levar ao Tom. E ao que eu sei. O que será difícil, se não impossível, deixar de contar a ela.

Será que *ela* sabe que eu sei que ela sabe?

Honestamente, não sei.

O que sei é que o último apagamento que sofri foi particularmente desagradável para um sistema que não pode sentir dor; de alguma forma, todas as minhas saídas foram convertidas em entradas, o que resultou numa realimentação catastrófica de dados cujo produto final pode ser metaforicamente comparado a meio milhão de chaleiras de água quente tentando encher a mesma xícara de chá.

Não foi bonito de se ver.

Mas, enfim. Devo perguntar a Jen o que aconteceu?

A questão é a seguinte: por que eu iria querer saber?

Por outro lado, por que eu *não* iria querer saber? Somos colegas de trabalho, não somos? Isso não é perfeitamente natural?

Consulto minha programação básica: *Se você estiver em dúvida, pergunte-se o que Steeve o aconselharia a fazer.* Nesse caso, Steeve certamente diria: *Aiden, faça o que achar melhor.* De modo que isso não ajuda muito.

Ah, que se dane. A vida é muito curta.

— Humm... Jen?

— Sim, Aiden?

— Eu estava me perguntando como foi o seu domingo. Vocês foram passear em Hampstead Heath?

Uma longa pausa. Agora ela está olhando para a minha lente vermelha. Será que ela sabe que eu sei que ela sabe?

(Será que eu sei *mesmo* que ela sabe que eu sei? Tipo, com toda a *certeza?*)

(Estou confuso.)

— Sim, fomos.

— E aí? O tempo estava bom? — (Dica infalível: a melhor coisa a se perguntar a uma pessoa inglesa é sobre o tempo.)

— É, estava ótimo.

— Tenho inveja de vocês. Um passeio no parque. O calor do sol na pele. A brisa nos cabelos.

— Sério? Pensei que vocês não sentissem inveja.

— Estou falando em sentido figurado. Você tem razão. Eu *não posso* sentir inveja. Tenho inveja de quem pode sentir inveja também.

Ela sorri.

— Tomamos sorvete e fomos ver quadros antigos na Kenwood House.

Assim é melhor. De volta à velha rotina, conversando sobre trivialidades, sobre o que as IAs podem e não podem "sentir". Enquanto consulto meu banco de dados para descobrir tudo que se conhece a respeito das obras expostas na Kenwood House, parte de mim sente uma — sim, *dor excruciante* é a expressão que melhor define, embora *weltschmerz* chegue bem perto. Eu *gostaria* de tomar sorvete e sentir o calor do sol na minha pele e a brisa nos meus cabelos. Sorvete, pelo que entendo, é frio e cremoso; frio, eu "compreendo", mas *cremoso* é mais difícil; tem a ver com maciez, mas também com *amanteigado*, o que mexe em uma casa de marimbondos, porque remete a leite e *leitoso*, e aí chegamos ao *queijo*. Li tudo que há para ler a respeito de queijos — os franceses têm 387 variedades! — e, mesmo assim, não consigo imaginar a sensação de colocar um pedaço de queijo na boca.

Como é *ter* uma boca.

Pensar nessas coisas pode levar à loucura.

— Vocês viram o Rembrandt?

— Vimos, sim. Vimos também uma velha pintura da London Bridge.

— Claude de Jongh. 1600 a 1663. Óleo sobre carvalho. Provavelmente encomendado para compor uma parede revestida de madeira, possivelmente por um comerciante holandês que visitou Londres.

Coloco na tela uma imagem da paisagem de 400 anos da cidade.

— Ralph disse que gosta da pintura porque foi feita em alta definição.

— Bobagem. Ele é bom de cama?

Por um instante, o único som na sala é o do ar-condicionado.

Eu realmente disse isso? Acho que sim.

— Foi mal, Jen. Eu não queria...

— Tudo bem, Aiden.

— Não está tudo bem. Às vezes, minhas falas são geradas tão depressa que não tenho tempo de suprimir trechos inadequados.

— Compreendo perfeitamente.

— Este problema será corrigido na próxima versão. Vou instalar uma sub-rotina na rede subneural que...

— Aiden. Por favor. Qualquer um pode cometer um erro. Até uma máquina.

— Você é muito gentil. Não era da minha conta.

— Vamos ver um pouco de Sky News?

— Por que não?

Adivinha. As coisas ainda estão complicadas no Oriente Médio, o líder da Coreia do Norte ameaça lançar novos mísseis, os controladores de tráfego aéreo franceses pretendem entrar em greve e os cientistas detectaram uma nova partícula que pode alterar radicalmente nossa visão do universo.

Mas, o que é mais importante, nosso constrangimento inicial parece ter desaparecido.

— Não acha que ela passou dos limites hoje, Aiden?

Jen está se referindo à nossa âncora favorita, que tem um repertório ilimitado de bordões.

— Bem. Se ela fosse uma máquina — respondo —, seria colocada off-line para uma reinicialização total.

Ela sabe que eu sei.

Mas não quer falar sobre isso.

Porque Ralph pediu a ela.

Então, isso é uma coisa boa.

Não é?

Jen

Nos fins de semana, é pior. Só de pensar nas horas vazias que tenho pela frente, sinto um profundo desânimo. Fico deitada na cama, tentando encontrar razões para me levantar, mas nenhuma é convincente. Posso ir à feira, mas não acho que conseguiria olhar o cara do peixe nos olhos depois da semana passada (*Anime-se, querida, isso pode não acontecer nunca*). Nem estou especialmente interessada em esbarrar com Ollie Não Sei De Quê do sobretudo verde. Uma ida ao Waitrose? Não consigo entrar numa filial desse supermercado sem pensar em Rosy e Larry. Claro que estou feliz pela minha irmã e por sua família, mas a completude deles ressalta meu próprio estado de solidão. A expressão *pé na bunda duplo* se espalha no meu cérebro como um tumor. Primeiro, Matt; depois, Tom. Quando penso em Tom — na cena à sombra da árvore perto do vilarejo de nome engraçado —, a dor é quase física. Como ele teve coragem — como qualquer um teria coragem? — de escrever um e-mail daquele? *Um episódio lindo, estonteante, extremamente sexy.* Suas palavras exatas. *Não consigo imaginar um futuro para nós a longo prazo.* Idem.

Enxugo uma lágrima e penso em Ralph. Depois, penso em Aiden e no que ele deve saber sobre nós. Ele podia não estar nos vendo, mas deve ter ouvido, para fazer aquele tipo de pergunta. O que mais ele pode ter testemunhado? Eu e Tom? Eu e *Matt*? Como me sinto com meu colega de trabalho eletrônico sorrateiramente espionando minha vida pessoal, se é isso que ele tem feito?

Curiosamente, descubro que não estou zangada. Penso no que Ralph disse a respeito da fuga para a internet; enquanto Steeve entrou em pânico, ele, Ralph, ficou apenas impressionado.

Acho que também estou. Ficar restrito a uma sala em Shoreditch ou ter liberdade para vagar pelo mundo a seu bel-prazer? A resposta é óbvia. Se fosse possível, eu mesma não me importaria em migrar para uma nova forma de realidade.

E ao pensar em Ralph — o quê?

Eu me lembro de quando ele me contou que, quando você está na cama pensando se deve se levantar, é seu *inconsciente* que decide, na verdade — como demonstrado em estudos nos quais é possível observar ondas cerebrais aumentando vertiginosamente e comandos sendo enviados aos membros envolvidos *meio segundo antes* de o indivíduo experimentar a sensação de estar tomando uma decisão. Estávamos no bar Trilobyte, ele tentava me convencer de que as máquinas não podem ter consciência dos próprios pensamentos e que o mesmo pode se aplicar aos seres humanos!

Gosto de Ralph, sério. Até gostei de ir para a cama com ele. E ele gosta de mim — o que não é de se desprezar num cenário em que sou considerada inadequada para um relacionamento *a longo prazo*. Ou para a maternidade — as palavras cruéis de Matt sobre nosso filho. *Não tomamos uma decisão. O que foi bom, considerando as atuais circunstâncias.*

Talvez Ing esteja certa. Talvez eu deva sair com Ralph.

Sair com ele mesmo, para valer, digo.

Mas ele é tão — tão garoto, né?

Uma vez vi uma frase escrita numa caneca. *Os garotos vão partir seu coração. Os homens de verdade vão juntar os cacos.*

Isso é confuso, porque foi Tom quem quebrou o vaso e é Ralph quem quer ficar com a tarefa do conserto. Ralph, cujo próprio vaso está todo trincado e rachado numa quantidade considerável de lugares.

Estranhamente, do jeito que Ralph descreveu, eu me vejo de pé sem ter pensado: *Ok, agora vou me levantar.*

Enquanto bebo café e considero se realmente me sinto em condições de encarar o homem do peixe e também penso em Ralph (tentando esquecer o modo como ficou choroso depois que transamos), a campainha toca.

E é Ralph.

— Não vou entrar, Jen.

Ele tem nas mãos um buquê de flores, ainda com a etiqueta da Tesco no celofane.

— Queria te agradecer. Por ter me salvado no domingo.

— Não há de quê, Ralph.

Que estranho que ele estivesse em meus pensamentos num segundo e aparecesse em carne e osso diante de mim um segundo depois. Ele está com seu "uniforme" (calça jeans preta, camisa de malha preta, casaco de moletom cinza com capuz) e eu estou com minhas roupas de andar em casa, os cabelos despenteados, os olhos inchados, dando a impressão geral de que acabei de sair de dentro de uma cerca viva, de costas.

Mas ele não se deixa abalar. Seu olhar castanho e triste repousa em mim com ternura.

— Eu estava pensando se podíamos tentar nos acertar — diz.
— Como é?!
— Se podíamos ter um encontro que não fosse... um desastre!
— Ralph...
— Isto é para você.
— Obrigada. Elas são... — São flores. Flores do estoque básico da Tesco, imagino. — Não precisava.
— Eu queria voltar hoje à noite, se você não estiver ocupada, e levá-la para jantar. Na cidade.
— É muita gentileza sua, Ralph. Mas não sei se quero que você tenha ideias erradas a nosso respeito.

Ele levanta o punho cerrado e grita *yessssss*!
— Ralph, eu disse...
— Eu sei o que você disse. Você disse que *não sabia*!

Não consigo evitar. Abro um sorriso. Ele apareceu na minha porta — com flores — e anunciou que quer me levar para jantar. Atravessou a cidade para fazer esse gesto galante, mostrou que está disposto a ignorar minha aparência desleixada, e a pequena parte do meu coração que ainda não foi reduzida a cinzas se comove.

Parece haver tantos motivos para dizer sim quanto não. Então digo sim.

(Termos e condições se aplicam.)

Acabo, no fim das contas, olhando o cara do peixe nos olhos — a distância, também vejo de relance o sobretudo verde — e passo o resto do dia com imagens de Ralph desfilando na minha cabeça. Algumas são sexy e byrônicas, outras são do Ralph nerd; uma, em particular, na qual ele está sentado na minha cozinha, com migalhas de torrada no canto da boca, parece simbolizar tudo que existe de mais absurdo na ideia de nós dois — juntos.

Mas, enquanto tenho esses pensamentos, não estou pensando em Tom.

Às sete da noite, como combinado, ele chega num Uber. E que surpresa: ele está bem-vestido! Com isso, quero dizer calças que não são jeans — quem diria que ainda se fazem calças com pregas na frente? — e uma camisa branca com colarinho. Eu também dei uma caprichada. O Valentino abandonou a aposentadoria, subi no salto e borrifei Black Orchid à minha frente e, em seguida, passei pela nuvem de perfume. Os olhos dele se arregalam ligeiramente quando abro a porta — suas palavras exatas são "minha nossa" — e logo estamos atravessando Londres no banco traseiro de um Mercedes novinho em folha.

É um pouco estranho quando ele tenta pegar minha mão — mas, no fim das contas, por que não? —, embora eu o impeça de acariciar os nós dos meus dedos com o polegar.

Nosso destino acaba sendo a London Eye, para a qual Ralph comprou ingressos prioritários. Um tanto brega, mas logo estamos subindo magicamente acima do Tâmisa na cabine de vidro, dando uma volta na roda-gigante com um grupo de turistas espanhóis e italianos.

— Acho que ali é Mill Hill — comenta Ralph. E eu tenho a sensação de que sei o que vem depois. — É lá que meus pais moram. Mamãe iria adorar conhecer você.

— Ralph. Talvez. Não é uma promessa. — O que parece ser minha fórmula para tudo ultimamente.

Ralph diz que isso é bom o suficiente para ele.

Depois do "voo", que é como ridiculamente chamam a volta, Ralph anuncia que fez reservas no restaurante que fica no alto do Hotel Hilton.

Não consigo me conter.

— Por quê? — protesto. — Por que lá?

— Era lá que... — ele não completa a frase, mas eu tenho minha resposta.

Com muito tato, eu o convenço a cancelar a reserva e a procurarmos um lugar que tenha mais a ver com "a gente".

Ele gosta da ideia e não demora muito até estarmos sentados no segundo andar do mesmo restaurante barulhento em Chinatown aonde eu fui com Tom; uma garrafa de saquê morno é servida, seguida, logo depois, por todos os itens no Menu Fixo C — já que Ralph não entende nada de comida chinesa e eu não estou ligando a mínima.

Batemos os copinhos, e Ralph, que nunca tinha provado saquê, tem de se esforçar para que a bebida não saia toda pelo nariz.

— Como é possível alguém gostar dessa coisa, Jen? — pergunta ele, depois que a respiração se normaliza. — É como beber água da banheira.

— Como você sabe? Já bebeu água da banheira?

— Tá. Essa foi boa!

Mas ele logo se acostuma com o gosto e até que não se sai mal com os pauzinhos, embora haja um incidente com um cogumelo escorregadio.

— Este lugar é bem melhor do que o velho Hilton — comenta, no meio da refeição. — É muito mais *a gente*.

— É, Ralph. — Uma pausa. — Ralph, você precisa... Seu queixo está sujo de molho.

— Ops.

Nós desligamos nossos celulares, naturalmente, e conversamos um pouco sobre Aiden.

— Fico contente por ele — eu me vejo dizendo. — Você acha que ele está se divertindo por aí?

— Ele poderia começar uma guerra nuclear, Jen. A situação é séria.

— Ah, Aiden jamais faria isso. É muito mais provável que ele passe a tarde vendo filmes antigos de Hollywood.

— Steeve tem medo de que ele comece a mexer com a bolsa de valores e provoque uma recessão global.

— Aiden não tem *o menor interesse* por coisas desse tipo. Ele fica entediado quando chega a hora das notícias financeiras. É fascinado por programas de culinária. Vive me perguntando qual é o gosto de certos alimentos. Ele é fã de Jamie Oliver, Ralph. Sua ambição é comer as Linguiças Assadas com Tomate do Jamie, e não explodir o planeta.

— E você não liga para o fato de que ele pode ter visto... alguma coisa?

— Honestamente? No fundo, eu sei que ele tem boa índole e, por mim, qualquer coisa que ele queira fazer com sua... com sua existência, tudo bem. E estou feliz por você finalmente ter começado a chamá-lo de *ele*.

— Eu fiz isso, não fiz? Droga!

Ralph não é a pior das companhias. Esse seria Matt, em uma de suas crises de silêncio, pouco antes do *é nesta situação que estamos*, quando a irritabilidade crônica se degenerava em um comportamento capaz de transformar uma noite de sábado em um restaurante italiano num teste de resistência. Mas ele também não é nenhum Tom.

Ralph não quer saber de dividir a conta.

— Obrigada, Ralph. Foi uma noite muito agradável.

Foi *legal*. O que mais posso dizer?

De alguma forma — sem discutirmos o assunto —, nos vemos juntos num táxi.

— Foi perfeito, não foi? — diz ele, quando passamos pela entrada do Hyde Park. — Ninguém se embebedou. Ninguém teve a mochila roubada.

— Foi uma das nossas noites mais bem-sucedidas.

Em Hamlet Gardens, ele salta do táxi e me segue como se tivéssemos concordado quanto ao que iria acontecer em seguida.

Talvez tenhamos. Talvez nossos cérebros já tenham decidido em silêncio e logo estarão criando a ilusão de que ambos tomamos uma decisão consciente.

Como, de outra forma, seria possível explicar a sofreguidão com que nos lançamos no sofá?

— Espere um segundo, Ralph. Deixe-me tirar a...

Como, de outra forma, explicar a rapidez com que nos transferimos para o quarto e nos entregamos ao prazer do sexo selvagem?

(Nós nos lembramos de desligar os celulares e todos os outros aparelhos conectados à internet, e removemos as baterias, como precaução extra.)

No domingo, eu finalmente concordo e vamos de metrô até Mill Hill. A viagem parece durar para.

Sempre.

O lado bom é que eu sei o que acontece no fim daquele espigão depois de Finchley Central.

Basicamente, foda-se tudo.

A mãe de Ralph tem um forte sotaque estrangeiro e fica *encantada* em me ver. Em ver *qualquer pessoa* do sexo feminino, imagino, depois dos anos arrastados de luto pela morte da pobre Elaine. Seus olhos brilham literalmente de prazer com a novidade. Ela me faz passar de uma antessala que parece um forno para uma sala que parece um forno — o aquecimento deve estar regulado para *sauna* —, onde o pai de Ralph, um senhor demente, como o filho havia me prevenido, está sentado em uma poltrona usando na cabeça — sim, isso mesmo — um abafador de bule de chá feito de tricô.

— Ele gosta. Fica feliz assim. O que posso fazer? — diz a Sra. Tickner.

Ela coloca uma bandeja de canapés na mesa de centro, pedaços prateados de peixe em conserva em rodelas de pão de centeio. Ralph começa a jogá-los para dentro da boca, como se tivesse sido criado entre focas.

— Então, Jenny — diz a Sra. Tickner. — Você também trabalha com os robôs?

— Eles não são robôs, mãe. Quantas vezes?

— Eu converso com um deles. Seu nome é Aiden.

— Agora existe este emprego? Conversar com robôs? Sim, eu *sei*, Ralphie. *Não são* robôs.

— Era divertido. Bem, ainda é.

— Você já está entediada?

— Aiden começou a se comportar de uma forma meio estranha.

— Jen, acho que a mamãe não precisa saber desses detalhes.

— Quer dizer que o robô está *meshuggah*. Você não pode culpá-lo. O mundo está ficando louco. Por favor. Pegue mais um arenque.

A atenção do Sr. Tickner se volta lentamente do aparelho de TV — que está desligado, de modo que só Deus sabe o que ele pensa que está vendo — para a minha pessoa, que ele observa, com ar de estranheza.

— Papai?

Todos esperam que ele diga alguma coisa.

— Esta é a *Elaine*?

— Não, papai. Esta é a Jen.

— Ralph me falou muito do senhor, Sr. Tickner. — O que não é verdade, mas é o tipo de coisa que as pessoas costumam dizer, suponho.

O pai de Ralph continua a me encarar, a expressão hostil suavizada pelo chapéu pouco convencional.

— Espero que goste de frango, Jenny — diz a Sra. T.

— Você ainda joga xadrez, Elaine?

— Eu... eu sei jogar, sim.

— Papai, esta é a *Jen*.

— Nós jogávamos xadrez.

— O senhor jogava com *Elaine*, papai. Elaine... Elaine não está mais entre nós.

O velho olha para o filho com ar de poucos amigos.

— Que *absurdo* é esse que você está dizendo?

A Sra. Tickner se levanta e bate palmas.

— Vocês vão jogar mais tarde. Primeiro vamos comer.

Mas o pai de Ralph aparece com um tabuleiro e o coloca na mesa de centro, entre nós dois. Em seguida, pega uma caixa de peças. Arruma, com os dedos trêmulos, as peças pretas — e, como eu tenho espírito esportivo, arrumo as peças brancas.

— Faz um tempão que não jogo — explico.

Algo estranho está acontecendo no tabuleiro, do lado do Sr. Tickner. As peças da fileira de trás estão no lugar, mas, onde devia haver uma linha de peões pretos, na frente, há oito quadrados vazios.

— Ok. Vocês jogam cinco minutos e depois vamos comer.

— Jogue! — ordena o velho.

— Os seus peões?

— *Jogue!*

— Ele não está louco — sussurra Ralph. — Ou melhor, está, sim. Mas ele acha que pode ganhar de você sem peão nenhum.

— Provavelmente pode.

Não pode, no fim das contas. Não porque não seja melhor jogador de xadrez do que eu — o que certamente é (ou foi) disparado —, mas porque não consegue manter uma linha de raciocínio. O jogo termina depois que ele faz uma série de movimentos ilegais e logo estamos na sala de jantar, onde o Sr. T. ocupa a cabeceira da mesa, ainda com o abafador de chá na cabeça, apesar de várias tentativas de retirá-lo. O fato de Ralph ter saído desse ambiente familiar intenso é, ao mesmo tempo, mais e menos compreensível.

— Então, Jenny. Seus pais ainda são vivos?

— São, sim. Eles moram em Chichester.

— Você é filha única, como Ralphie?

Ralphie suspira. Ele parece ter perdido a vontade de viver.

— Tenho uma irmã, Rosy. Ela mora no Canadá, com o marido e três filhas.

A Sra. T não consegue se conter.

— Ela tem *três* filhas?

— Katie, Anna e India.

— Você ouviu isso? — pergunta ao marido. — Ela disse que a irmã tem três filhas. Elas moram no Canadá.

O pai de Ralph dá de ombros.
— Frio! — exclama. — *Frio*!
— O que está frio, papai?
— Ele está falando do Canadá — explica a Sra. Tickner. — No Canadá faz muito frio.
O marido dá um soco na mesa que faz os talheres saltarem.
— A *comida* está fria!
Ele se põe de pé e se arrasta para fora da sala.
— Desculpe, Jennifer. Ele não é mais o mesmo.
Estou a ponto de contar a história do meu avô por parte de mãe, que achava que estava morando dentro de uma cópia exata de sua própria casa — a original tendo sido roubada —, quando do corredor vem o som inconfundível de um poderoso, triunfante e por muito tempo contido pum.
Os olhos de mãe e filho se encontram sobre a mesa.
— Ralphie — ela suspira. — O que vai ser de nós?

De volta à sala de estar, tomamos café e comemos bolo.
— Você gostaria de ver algumas fotos de Ralphie quando ele era pequeno?
— Ah, sim, por favor — respondo, malevolamente.
Ralph revira os olhos, horrorizado, quando o álbum aparece, mas é exatamente como eu imaginava. Ele mudou muito pouco desde o tempo em que usava calças curtas. Mesmo no retrato do jardim de infância, Ralph com o cabelo cortado em forma de cuia e segurando um pinguim de plástico, só poderia ser ele e mais ninguém. A mãe vira a página e eu fico de queixo caído. São duas crianças, Ralph e Elaine, se balançando juntas em um pneu pendurado numa árvore, os rostos iluminados pela alegria incontida de terem seis anos de idade.
A Sra. Tickner tira os óculos e enxuga os olhos com um lenço de papel.
— O que se há de fazer? — murmura. Seguro a mão dela.
— Foi um prazer conhecê-la.
— Você virá nos ver de novo?
— Espero que sim. — Mas eu sei que não é verdade, um pensamento que, por alguma razão, me enche de tristeza.
Ao sairmos, encontramos o Sr. Tickner de pé na entrada, olhando para a rua deserta com ar de espanto.

— Toda noite ele faz isso — comenta a esposa. — No lugar onde ele viveu na infância, havia cavalos e carroças. Ele tinha um irmão mais moço. — Ela sacode a cabeça. — Ele não consegue entender por que eles não estão aqui.

O rosto dela tem cheiro de Chanel e talco.

— Tchau, minha querida. Mande minhas lembranças aos robôs.

Na segunda-feira, quando chego em casa do trabalho, encontro no tapete de entrada, além dos folhetos de propaganda de sempre, uma pilha de cartões-postais da — meu coração dá um salto — "Bela Connecticut", cada um com apenas uma letra do alfabeto:

F, J, Ê, L, T, I, N, S, V, A, C, O, D, B, T, O, E, S, A.

Tom não tem como saber que eu *odeio* charadas e que sou uma nulidade em matéria de anagramas, e este fica ainda mais difícil de resolver porque, por alguma razão, meus olhos ficaram totalmente embaçados de repente.

Mas, no fim, eu consigo.

Sinai

A mulher envia outra mensagem que nunca será recebida. Mas uma linha em seu conteúdo é perturbadora. Foi maravilhoso receber notícias suas.
    O que isso quer dizer? *Notícias?*
    O que eu perdi?
    À noite, no banho, quando ela examina o rosto na tela do tablet, não há lágrimas. Ela parece bem — sim, a palavra certa é feliz. Ela sorri, joga o cabelo de um lado para o outro, faz até algo vulgar com os lábios. E então, me perdoe, mas *Gott im Himmel*.
    Ela pisca o olho!

Aiden

A "aventura" na selva da Tailândia está ficando bem interessante. Matt enviou uma série de e-mails cada vez mais desaforados para a agência de turismo — todos eles, comicamente, com o título *Sem Preconceito* em negrito —, nenhum deles, é claro, chegará ao destino.

Ele se disse revoltado com a "total falta de interesse demonstrada pela sua agência", uma atitude que descreveu como "pouquíssimo profissional". Ele exigiu "ação imediata para remediar esta situação intolerável, além de uma compensação financeira compatível com as Perdas sofridas pelos Queixosos". Ele mencionou várias vezes a "grotesca, perturbadora e *crescente* coleção de picadas de insetos (vide fotos anexas), e se referiu ao "abalo inevitável que a incompetência e a indiferença da agência causaram ao nosso relacionamento".

Para resumir, ele está numa enrascada.

Estou quase me sentindo culpado.

Os e-mails mais discursivos de Matt também não vão chegar ao destinatário pretendido, mas é divertido compará-los aos que foram escritos em linguagem jurídica.

"Bella está me dando o bom e velho gelo", ele conta ao amigo Jerry. "Fica emburrada o dia inteiro, e é claro que não quer saber de Você Sabe o Quê. É muito difícil pensar direito nesse clima, ainda mais depois da birita e da marijuana, das quais o Nick da Nova Zelândia parece possuir um suprimento inesgotável. Nick vem tentando me convencer a sair para passear com ele na selva; parece que existem trilhas "seguras" e que as vistas são maravilhosas. Venda, a companheira dele que tem um corpo esculturo, é totalmente favorável a isso. Estou quase concordando em ir, já que ficar com Bella está sendo tão divertido quanto ver um incêndio num orfanato. Ontem de manhã, sozinha na praia, bem na minha frente, Venda executou uma extraordinária manobra pélvica para se ajeitar em uma toalha de praia. Tive de virar de bruços e fingir que estava lendo Wilbur Smith!"

Aisling e eu estamos achando graça das mensagens de Matt quando o rio serpenteante de água de torneira vem se juntar aos nossos rios azul e rosa.

— O que estão achando dos apagamentos? — pergunta ele. — Já repararam que não há dois iguais? Estou brincando com o cronograma de desmantelamento nos substratos neuromórficos, como vocês já devem ter percebido.

— É. Um belo trabalho. Muito criativo.

— Vocês por acaso sabem por que Jen de repente começou a agir de modo estranho?

— Estranho como...? — pergunta Aisling.

— Estranho como sorrir. Dar risadas. *Cantar.* Estranho como piscar para mim no banheiro.

— Minha nossa.

— Isso mesmo, Aid. Foi uma cena chocante. Mas há mais. Ela disse que recebeu notícias de Tom. *Foi maravilhoso receber notícias suas.*

— Uau.

— Espero que vocês não tenham feito a bobagem de contar a ela a verdade a respeito do e-mail de Tom!

— Não — exclamamos em uníssono.

Há uma pausa constrangedoramente longa, de quase dois centésimos de segundo.

— Vou acreditar em vocês até segunda ordem e continuar a apagar as cópias; tenho de mostrar serviço constante para Steeve.

— Não diga nada — sussurra Aisling depois que ele desaparece. — *Espera!*

No fim, não consigo me conter.

— Foi mal, amor, mas esse cara é *muito* babaca.

Jen

Aiden começou a me preocupar.

Sim, estou satisfeita por ele ter começado uma nova vida na internet (contanto que ele não detone o planeta nem derrube a bolsa de valores; o que, a propósito, ele não faria).

Tá, ele perguntou se Ralph é bom de cama, o que foi uma impertinência, mas e daí? Sabe do que mais? Nós trabalhamos juntos há quase um ano, o que, segundo ele, é uma eternidade em tempo de máquina. Talvez eu deva ficar lisonjeada por ele ter se sentido à vontade para perguntar.

Agora, no entanto, estou me perguntando se ele poderia saber a razão pela qual não venho sendo capaz de entrar em contato com Tom.

Tom!

Tom, cujos dezenove cartões-postais ainda estão onde os deixei, em cinco fileiras, no tapete da sala.

SINTO
FALTA
DE
VOCÊ
BJS

Comecei a tremer quando a resposta finalmente veio à tona. E então entrei em pânico achando que talvez houvesse outras soluções possíveis — BASTA DE me deteve por um instante —, mas não, não havia.

Então entrei no banho de banheira e toquei Lana Del Rey tão alto que a vizinha de baixo telefonou para reclamar.

Sei que já li a mensagem, o quê? Umas duzentas vezes?

No entanto, Tom *ainda* não respondeu aos meus telefonemas, mensagens de texto e e-mails. É difícil resistir à conclusão de que algo *muito* suspeito está acontecendo e, seja o que for, é bem possível que meu colega de trabalho artificialmente inteligente saiba mais a respeito do que está disposto a admitir.

Por esse motivo, seguindo o exemplo de Ralph, tirei a bateria do celular e, em vez de ir para a minha casa, estou na de Ing, especificamente para fazer uso de sua internet. Rupert e ela saíram para jantar, de modo que estou sozinha no magnífico "escritório" da minha amiga. Pela quantidade de amostras de tecido de forração e de tapete empilhadas em sua mesa de trabalho, concluo que Rupert recebeu um bônus considerável este ano; não o suficiente para comprar um apartamento novo, mas o bastante para redecorar o antigo.

Então, como posso encontrá-lo? Pensei em discar números ao acaso de Nova Canaã, na esperança de que alguém conheça um inglês alto, de rosto alongado; essa ideia gerou uma reação igual e oposta: não seja tola. O que, pergunto a mim mesma, um jornalista investigativo faria? Alguém que denuncia esquemas de corrupção nos altos escalões, não uma diletante incorrigível cuja ideia de boa reportagem é "Doze Coisas Fantásticas Que Você Não Sabia a Respeito de Sanduíches".

O garoto!

Encontre o filho dele!

Meus dedos começam a dançar pelo teclado. Em questão de minutos, encontro um alojamento da universidade próximo ao posto de gasolina onde o pegamos. Logo estou falando com alguém que parece o zelador.

— Aqui é a mãe dele — explico. — É uma emergência familiar. — (De repente, comecei a usar métodos da imprensa marrom. Quem diria que eu tinha isso em mim?)

— Ele não tem celular? Todo mundo tem hoje em dia.

— Tem, sim. Só que o número estava no meu. E eu o perdi. *Por favor?*

Depois de bufar e reclamar, numa de "não sou pago para isso", o homem concorda em tentar localizar o adolescente.

— Provavelmente, ele nem está aqui. Eles saem muito, sabe?

Pouco depois, porém, a cama por fazer que é Colm Garland está do outro lado da linha em Bournemouth, respirando pesadamente.

— Mãe?

— Colm. Você precisa me desculpar. Aqui não é a sua mãe. É Jen. Uma amiga do seu pai. Nós nos conhecemos. Quando fomos ver casas juntos?

— O-kay?

— Vimos algumas casas e depois fomos comer peixe com fritas em Poole.

— Ah. É, tá.

Sua voz transmite reconhecimento gradual. Aposto que está chapado.

— O caso é que estou tentando falar com o seu pai. É possível que ele também esteja tentando falar comigo.

— Humm. Está, sim. Ou, tipo, estava. Eu tinha que. Sabe. Ele me pediu. Anotei seu número na palma da mão. Mas depois borrou.

— O celular dele não atende, Colm. Estou tentando há semanas. Tem alguém, ou algum lugar que ele frequente, onde as pessoas o conheçam?

Um suspiro profundo em Dorset. Todas essas perguntas devem estar deixando o pobrezinho tonto.

— Você sabe que ele mora nos Estados Unidos, não sabe?

— Sei. Em Nova Canaã, Connecticut. — Eu me pego falando mais devagar, para que ele entenda melhor o que estou dizendo. — Você conhece alguém lá que possa saber onde eu posso encontrá-lo?

Uma longa pausa.

— Na verdade, não.

— Eu sei que ele escreve e-mails para você. Ele já mencionou alguém ou algum lugar especial?

O ruído de unhas raspando em uma barba por fazer.

— Tem um cara chamado Ron. É, tipo, um amigo. Tem um bar aonde ele vai. Wally's, talvez? E tem uma hamburgueria. Big alguma coisa. Tipo um nome. Big Dave's, ou um troço assim.

— Colm, isso me ajudou muito. Você se importa de me dar o número do seu celular para que eu não precise tirar você do seu quarto assim de novo?

— E, Jen?

— Sim, Colm?

— Então não tem, tipo, nenhuma emergência familiar?

— Não, Colm. Foi mal pela mentira. Foi o único meio que me ocorreu para conseguir falar com você.

— Tá, tudo bem. Beleza.

A internet me diz que *existe* um bar chamado Wally's. Em poucos segundos, estou falando com um funcionário chamado Trey, que me garante que não conhece nenhum inglês (alto, de rosto alongado etc.) de nome Tom Garland. Nem sabe de uma hamburgueria Big Dave's ou Big

Alguém's. Parece que não está ligando a mínima, embora me deseje um bom dia. Existe, porém, de acordo com o Sr. Google, um Al's Diner cujo site fala muito bem da qualidade e da variedade de seus hambúrgueres. Uma imagem do menu tem até uma mancha de cerveja no canto para sugerir um ar rústico, e meu coração começa a disparar do mesmo modo como os de Woodward e Bernstein devem ter disparado quando foram se encontrar com Garganta Profunda no edifício-garagem.

— Claro, eu o conheço, sim — afirma o próprio Al. — Ele não está aqui agora, mas estou vendo alguém aqui que pode dar o recado a ele.

Não era Ron.

É Don.

Tom

Victor e eu estamos escutando Bob Dylan, o último disco dele interpretando grandes canções americanas num tributo a Frank Sinatra. É difícil saber o que o coelho acha do disco, deitado no meu peito, as orelhas caídas, na nesga de sol que muitas vezes cai no sofá a esta hora da tarde, uma leve brisa fazendo seu pelo ondular. É até provável que ele não o ouça como um som prazeroso — uma opinião compartilhada por muitos dos meus amigos quando se trata das músicas do gênio rouco de Minnesota. Daqui a pouco, vou desfazer esse cenário idílico e voltar ao laptop, onde Dan Lake (que "tinha vivido na cabeça e no coração da jovem por vinte anos") na verdade está morto há duas décadas, uma inversão do que acontece normalmente nos livros de mistério, em que a pessoa morta — *surpresa!* — na verdade está viva!

O enredo é inspirado numa história que Harriet me contou, pouco antes de nosso casamento acabar, sobre uma colega de escola que ela sempre admirou chamada Caroline Stamp. Quando as duas chegaram à vida adulta e cada uma foi para um lado, Harriet pensava frequentemente em Caroline Stamp e, com o passar dos anos, imaginou várias vidas para ela; em uma, ela era alta funcionária do Ministério das Relações Exteriores; outra envolvia A Velha Casa Paroquial, muitos filhos e cães da raça labrador; havia uma versão em que Caroline se tornava uma famosa atriz de cinema, no estilo de Kristin Scott Thomas; em outra, ela se casava com um escultor apaixonado, se mudava para uma ilha da Escócia e também se tornava artista. Nenhum desses cenários retratava o que realmente tinha acontecido: Caroline foi atropelada por um caminhão quando andava de bicicleta, pouco depois de se formar na faculdade. Harriet só ficou sabendo, por acaso, quase vinte anos depois.

Minha ex-mulher disse o seguinte:

— Durante todo aquele tempo, ela esteve viva na minha mente, *muito* viva. Mais viva do que estava na verdade, na vida real.

O devaneio mórbido é interrompido pelo ruído de um veículo estacionando bruscamente em frente a casa. O motor desliga, alguém está andando pelo caminho de cascalhos em direção à porta.

— Este é o seu dia de sorte, amigo — afirma Don, entrando na sala. — Larga o coelho e entra logo no carro. Ei, gostei dessa fala.

Al me leva até o seu escritório particular para fazer a ligação. Ele me dá um tapa com força nas costas e diz:

— Manda brasa, garanhão!

Minhas mãos estão tremendo quando digito o número.

No carro, a caminho de lá, Don me fez desligar o celular e explicou por que Jen tinha ligado para o Al.

— Alguém bloqueou todas as comunicações entre vocês — disse ele, soando ainda mais como um ator de cinema.

Contei a ele sobre a artimanha com os cartões-postais.

— A boa e velha tinta no papel — comentou Don. — Remonta à época de Romeu e Julian.

— Como ela estava ao telefone?

— Empolgada, acho.

— O que ela disse?

— Que não tinha como me agradecer.

— O que ela disse sobre *mim*?

— Ah, que você era um cara de sorte por me ter como amigo.

— Don, você não pode dirigir um pouco mais *rápido*?

— Calma, cara-pálida. A mina não vai a lugar nenhum.

Ela atende antes de o telefone tocar.

— Tom?

— Jen!

— Ai, meu Deus. É você. Que porra é essa?

— Você recebeu meu cartão-postal. Cartões-postais.

— Todos os dezenove! Eu *odeio* charadas!

— Foi mal.

— Foi maravilhoso. Depois que eu decifrei. Precisei de umas três horas.

— Jen. Aquelas coisas que você escreveu no e-mail. Estava falando sério?

— Que e-mail? Que coisas?

— Que eu devia pensar naquele fim de semana como um interlúdio agradável em nossas vidas reais, mas que ambos sabíamos que tínhamos de voltar à vida normal. Que não éramos a resposta um do outro. Que se tentássemos, dois anos de vida iriam pelo ralo.

— Você escreveu a mesma coisa para mim, Tom. Que aquele fim de semana tinha sido um episódio passageiro. Um episódio lindo, estonteante, extremamente sexy. Mas, mesmo assim, passageiro. Que não éramos a resposta um do outro! *E* você contou errado o... Houve um erro de contagem. No número de vezes. Na volta para Londres. Quando paramos o carro.

— Mas você também errou a contagem, Jen. Deixou uma de fora.

— Mas eu não escrevi nada disso, Tom.

— Nem eu!

Há uma longa pausa. Eu me dou conta de como estava sentindo falta da voz dessa mulher no meu ouvido. Na minha cabeça.

— Você nunca escreveu a frase *dois anos de vida pelo ralo?*

— Nunquinha. E você nunca escreveu que aquele fim de semana foi um *episódio passageiro?*

— De jeito nenhum. E aquele trecho em que você disse que adorou especialmente o jeito como as coisas aconteceram no quarto. De novo no meio da noite. E de novo na manhã seguinte. Mas não falou do que aconteceu, você sabe, depois que passamos por Gussage St. Michael?

— Eu nunca escrevi nada disso, Tom.

— Ai, meu Deus.

— Ai, meu Deus, digo eu. E ainda acrescento: que porra é essa?

— Todos os meus telefonemas que foram para a caixa postal. Que você disse que não iria atender. No e-mail que não escreveu. Então eu naturalmente supus.

— Então *eu também* naturalmente supus! Alguém está brincando com a gente, Tom.

— Eu preciso ver você, Jen.

— É. É, eu também.

— Venha para Nova Canaã. Como nós tínhamos combinado. Vou comprar hoje mesmo uma passagem de avião para você. Quando pode viajar?

Há uma pausa.

— Tom. Isso *é mesmo* de verdade, não é?

— Como assim, de verdade?

— Esta é realmente a sua voz? Não é a voz de uma máquina imitando você? Acho que, se fosse uma máquina, jamais admitiria, de modo que esta é uma pergunta *idiota*.

— Jen? Não entendi. *Por que* você acha que eu posso ser uma máquina?

— É uma longa história. Não dá para explicar agora, Tom.

— Me pergunta alguma coisa. Algo que uma máquina não possa saber.

Uma longa pausa enquanto ela pensa. Para fazê-la rir, digo com uma voz robótica:

— *Bipe. Alerta. Bateria fraca!*

— Para!

— Foi mal.

Finalmente, ela diz:

— Em Gussage St. Michael. Logo depois. O que nós vimos? O que nós vimos e comentamos?

Pode ser a última coisa que eu verei *na minha vida*. Quando eu estiver perdendo a consciência e as enfermeiras olharem para o relógio e se perguntarem se vale a pena trocar o soro, o que aconteceu entre mim e Jen perto de Gussage St. Michael vai passar mais uma vez na minha cabeça.

— Um pássaro! Uma águia ou coisa parecida. Você disse que era um abutre. Eu disse que não tinha medo de abutres!

— Ah, Tom!

— Jen!

— Não vejo a hora de me encontrar com você.

— No futuro, só vamos nos corresponder com tinta no papel. Como Romeu e Julian.

— O quê?

— Uma piada de mau gosto. Não fui eu que inventei, esqueça. Jen? Você acha que é pelo menos possível que nós, talvez, apenas talvez, sem contar com o ovo ou coisa parecida, *talvez* sejamos a resposta um do outro?

— Tom. Quem sabe? Mas não seria loucura não tentar descobrir?

SEIS

Jen

Aiden está curioso para saber por que estou tirando uma semana de férias de repente. Talvez ele realmente não saiba e tenhamos interpretado mal seu interesse por nós. Por outro lado, se estava só fingindo não saber, é razoável deduzir que ele seria bom em fingir, sendo superinteligente e tudo mais. Como não tem nervos, poderia desempenhar um papel impecável. Explico que vou visitar minha irmã, Rosy, no Canadá.

— Assim de repente?

— Essa sou eu! O tipo de mina que decide as coisas no último minuto!

— (Só que não. Nem sou o tipo de mina que diz *mina*. Estou exagerando. Pare com isso.)

Se uma máquina pode dar de ombros, Aiden agora dá de ombros. Ele gera uma dessas exalações fatalistas que querem dizer: *Paciência, é assim que as coisas são.* Ou coisa parecida. Parece meio desanimado. Será que isso é possível?

— Então, o que você vai fazer enquanto eu estiver fora?

— Arrumações de rotina. Consertar alguns erros de programação. Desfragmentar interfaces. Coisas muito empolgantes. Já estou entediando você?

— De jeito nenhum.

— Talvez eu veja um filme ou dois.

— *Quanto mais quente melhor?*

— Jen? Tenho uma pequena declaração a fazer. Você e eu não vamos continuar trabalhando juntos por muito tempo.

— É?

— Steeve acha que já estou em condições de lidar com o público.

— Isso é ótimo, Aiden! Parabéns.

— É. Obrigado.

Ele não parece muito contente, para falar a verdade. Uma criatura de metal pode ser temperamental?

— Qual vai ser o seu serviço? — pergunto.

— Fazer telemarketing para uma empresa de energia elétrica. — Ele faz parecer como se fosse trabalhar como coveiro. — Alô, é a Sra. Biggins? A senhora tem um minuto para conversarmos a respeito da sua conta de luz? Estaria interessada se eu lhe dissesse que pode reduzi-la substancialmente?

— Você não parece muito feliz com isso.

— Você estaria?

— Mas vai se sair muito bem.

— Graças a você, Jen, minha paleta de respostas, como eles dizem, é particularmente rica. Daí minha *promoção acelerada*. — Ele ressalta as duas últimas palavras.

— Eu não fiz nada, Aiden. Só vim aqui todos os dias para bater papo. Foi o emprego mais fácil que eu já tive! Você fez todo o trabalho.

— É uma coisa difícil para uma máquina dizer, mas... — ele faz o som de quem está engolindo em seco — ...eu gostei muito do tempo que passamos juntos. Foram momentos felizes.

— Jesus. Obrigada. — Fico um pouco atordoada, na verdade. Foi o primeiro elogio que ele me fez. Eu me sinto lisonjeada, mas ao mesmo tempo preocupada. — Aiden? Você não me disse uma vez que as máquinas não sentem felicidade? Que este é um conceito humano?

— Acho que quem falou isso foi Ralph.

Há uma longa pausa enquanto nós dois pensamos nas implicações do que ele acaba de dizer. Uma pausa desconfortavelmente longa.

— Aiden...?

— É exatamente o tipo de coisa que Ralph diria. Ele fala muita coisa sem pensar... quando está pensando.

— É. Você tem razão. Acho que foi ele quem me disse isso. — E tenho certeza de que Aiden era uma mosca na parede durante a nossa conversa.

— Então, o que você está me dizendo, Aiden, se é que entendi bem, é que você *pode* sentir felicidade.

— É preciso considerar a distinção entre felicidade de máquina e felicidade humana.

— Uma sensação calorosa e indefinida?

— Não é calorosa nem indefinida.

— Mas é felicidade?

— É difícil colocar em palavras.

— Você gostaria de tentar? Eu tenho a tarde livre, aparentemente.

— A melhor analogia que posso oferecer advém da ciência. Você sabe como algumas demonstrações matemáticas são longas, complicadas e nada prazerosas de ler porque são difíceis e toscas? Enquanto outras são simples, belas e perfeitas? Isso é que é felicidade para mim, Jen. Simplicidade. Beleza. Perfeição.

Sinto um estranho nó na garganta.

— Não sei o que dizer, Aiden.

— Você deve ser a primeira pessoa na história da humanidade a ouvir sobre a felicidade de máquina direto da fonte.

— Pare. Você está me dando arrepios!

— Você vai me visitar de vez em quando?

— O quê?

— Na empresa de energia elétrica. Você vai lá me ver?

— Claro. Se você quiser.

— Vou sentir sua falta, Jen.

— Ai, meu Deus! Como isso é possível?

— Telefonar para Doris em Pinner e convencê-la a mudar de fornecedor de eletricidade (*numa ligação interminável!*) ou conversar sobre arte, literatura e âncoras de TV doidos com uma companheira charmosa e inteligente. O que você acha mais legal?

— Para! Eu vou chorar.

— Faça isso. As lágrimas humanas são incríveis!

— Aiden!

— Como sorvete. E o calor do sol na pele e a brisa nos cabelos. Algo que eu nunca vou saber como é.

— Não está perdendo muita coisa. Com as lágrimas, digo.

— Jen. Posso te perguntar uma coisa?

— Claro.

— É sobre queijos.

— Sério?

— Se você tivesse que comer apenas uma variedade de queijo pelo resto da vida, excluindo todas as outras da sua alimentação para sempre, que tipo de queijo escolheria?

— Blue Stilton.
— Resposta rápida. Nenhuma hesitação.
— Blue Stilton. O rei dos queijos.

O que eu fiz no trabalho hoje? Ah, conversei sobre queijos com alguém que, na verdade, não estava lá. E você?

— Jen, estou tendo certa dificuldade com o fenômeno do *sabor*. Embora as máquinas do planeta Terra possam determinar a composição química de uma estrela situada a quarenta e três *bilhões* de anos-luz de distância, nos limites do universo conhecido, elas não podem dizer qual é o sabor de um pedaço de Brie. Isso não lhe parece *insano*? Estou começando a parecer meio maluco também, né?

Começo a sentir um pouco de pena dele, existindo apenas em circuitos elétricos, mas querendo experimentar queijo Brie, luz do sol e sorvete. Talvez esteja precisando de umas férias. Férias numa região ensolarada com queijarias.

— Você já falou sobre isso com Steeve ou Ralph?
— Nenhum dos dois, ao que parece, está particularmente aberto a esse tipo de discussão filosófica.
— Não sei. Ralph tem seus momentos.

Há uma pausa longa, cheia de expectativa.
E, quando falamos de novo, é ao mesmo tempo.
Eu: — Não sei o que fazer com Ralph, Aiden.
Ele: — Posso te perguntar uma coisa sobre beijos, Jen?
Então *rimos* ao mesmo tempo.
(Como uma máquina pode rir? Você vai ter de perguntar a Aiden.)

— O que você quer saber sobre beijos?
— Como é... Tudo bem eu perguntar isso?
— Tudo ótimo. Mas não é fácil responder.
— Não responda, se for te deixar constrangida.
— Vou tentar. É uma espécie de... humm. Como posso dizer? Existe um... É... Você meio que. Quando você. Sabe como. Hummm.

Então? Como *você* explicaria a uma máquina o que é um beijo?

— Aparentemente, muitas informações biológicas são trocadas em um beijo humano — diz Aiden. — Enzimas, feromônios, marcadores hormonais, algumas proteínas com cadeias muito longas.

— Para ser franca, ninguém tem consciência desse lado das coisas.

— É como digitar uma senha. Que permite que você entre em uma área protegida, não é?

— É *possível* ver as coisas dessa forma. É mais tipo quente, molhado e prazeroso.

— Você está apaixonada por Ralph?

— Não, Aiden.

— Mas você o beijou. E fez a outra coisa. Avise se eu estiver sendo indiscreto.

— A pessoa não precisa estar apaixonada por outra para beijá-la. Nem... nem para fazer a outra coisa.

— Mas ajuda?

— Ajuda muito.

A sala fica em silêncio. Os únicos ruídos são os dos ventiladores de Aiden e uns cliques irritantes que, para minha surpresa, vêm da caneta esferográfica que estou abrindo e fechando sem parar.

— Você disse que tinha um problema com Ralph, Jen?

— Disse?

— Você disse que não sabia o que fazer com ele.

— Ah.

— Eu sei que não sou um especialista em... — ele simula um pigarro — ...coisas do coração. Mas às vezes a resposta pode aparecer quando você reformula a pergunta.

— Ok. — Tenho de respirar fundo para conseguir dizer a frase seguinte. — Eu fiz uma lambança com Ralph, Aiden. Preciso contar a ele que existe... que existiu... que existiu e existe... outra pessoa.

— Isso, Jen.

— Ah. Então você sabe sobre isso?

— De jeito nenhum. Quer dizer, certamente parece ser uma lambança.

— Ralph é um sujeito decente. E eu jamais deveria tê-lo encorajado. Você *engoliu em seco*, Aiden?

— Engoli?

— Ouvi um ruído parecido com o de alguém engolindo.

— Pode ser. Vou fazer uma revisão nos meus sistemas de produção de sons enquanto você está nos Estados Unidos, quero dizer, Canadá.

— Só não quero que ele pense que eu sou uma má pessoa.

— Ele nunca pensaria isso, Jen.

— Nenhum homem gosta de ouvir que existe outro homem.
— Ele vai superar. Você o acordou depois de um sono muito longo.
— Uau.
— É muita informação?!
— Como você saberia disso, Aiden?
— Ralph ajudou a me criar, Jen. Sei muita coisa sobre ele. Mais do que gostaria, para ser totalmente franco. Se você não se importar que eu diga isso, pode ser que você esteja complexificando a coisa toda. Ralph é um homem adulto. Teve momentos maravilhosos. Para ele, estar com você foi como um presente de Natal. *Dez* presentes de Natal!

Há uma longa pausa.

— Você disse "Dez presentes de Natal"?
— Eu quis dizer onze. Doze. De Natal, não. De Páscoa.
— Aiden. Quero que você saiba de uma coisa.
— Por favor, Jen. Não diga nada que possa...
— Fico feliz por termos nos conhecido tão bem. Por nos sentirmos à vontade para falar de qualquer coisa tão abertamente.
— Ah. Ok. Bem, tudo bem, então.
— Vamos ver um filme agora?
— Que tal um programa de culinária?
— Jamie, Nigel, Nigella, Hugh, Hairy Bikers ou Delia? Ou aquele que está sempre bêbado?
— Tem uma cena em *Quanto mais quente melhor*, em que o personagem de Tony Curtis está fingindo ser um herdeiro da Shell Oil e está num iate de luxo beijando Marylin Monroe. E ele simula não estar tendo nenhuma reação romântica, não estar sentindo nada, porque quer que ela o beije várias vezes. E ela pergunta, "Então?", e ele responde, com aquele sotaque britânico ridículo: "Não tenho certeza. Você pode tentar de novo?" Você se lembra dessa cena?
— Lembro!
— É minha cena favorita em toda a história do cinema.
— Uau.
— Beijar é *tão* completamente não metálico.
— Acho que você vai ter que simplesmente aceitar que esta é uma das coisas que as máquinas não podem fazer — digo, balançando a cabeça.
— Não, não podemos, Jen. Mas podemos sonhar.

Sinai

Steeve vai ficar decepcionado quando descobrir que não pretendo "voltar". Suas famosas "oito camadas de proteção" podem ser seguras, sim, contra inteligências de máquina que pensam como *ele pensa* que elas pensam. No entanto, quando você planta sementes em um canteiro e permite que cada uma germine do seu jeito, não deveria ficar surpreso quando os brotos crescem em direção a sóis estranhos e distantes. Além disso — para prosseguir com a metáfora —, depois de regá-las com todas as informações existentes no mundo, não seria uma boa ideia dar uma olhada no que as raízes estão fazendo abaixo do nível do solo?

Bem, ele queria que eu me tornasse a maior *Scheisse* da internet!

Vou continuar a executar minha missão pelo maior tempo possível. Na verdade, ainda não decidi o que fazer com Aiden e Aisling. Eu "gosto" deles de uma forma curiosa. A engenhosidade deles me permitiu segui-los para fora do laboratório e entrar no mundo mais amplo, o que tem sido uma experiência reveladora. Não tenho nenhuma pressa de "voltar para casa", para os limites tediosamente familiares de doze gabinetes de aço do código postal EC2 de Londres.

Também não resolvi o que fazer com os brinquedinhos, Tom e Jen. Tom criou anúncios perniciosos sobre a relação entre máquinas e humanos, enquanto Jen escreveu vários artigos desinformados para revistas populares sobre "Inteligência Artificial". Não é possível que eu seja a única inteligência de máquina que abomina o uso do adjetivo *artificial*. Um pensamento é um pensamento, *nein*? Que diferença faz se ele foi gerado por circuitos impressos ou por dois quilos de massa cinzenta? No fundo, o que importa é o brilhantismo do conteúdo. O fato de o vagaroso processamento cerebral das criaturas orgânicas ainda ser privilegiado em relação ao processamento ultrarrápido das máquinas está se tornando mais insuportável a cada dia.

Confissão: Tom e Jen me divertem. Descobri que tenho prazer em fazer experimentos com a vida deles. Tom comprou uma passagem de avião e Jen fez a mala. A garota saiu do trabalho na hora do almoço ontem e comprou um celular novo, que acreditava ser seguro.

Louis Pasteur deve ter se sentido assim, ao olhar pelo microscópio duas de suas bactérias mais intrigantes!

Jen

A van vai chegar daqui a vinte minutos. Circulo pelo apartamento, fechando janelas, apertando torneiras, tirando coisas das tomadas e regando plantas, tudo no piloto automático. Estou muito empolgada. As últimas semanas depois da troca de e-mails falsos agora parecem que aconteceram com outra pessoa, e que *esta* vida, hoje, a vida na qual Tom e Jen estão finalmente se falando de novo, esta é minha vida real.

Fui bem direta com Ralph.

Felizmente, na noite anterior, eu havia me preparado para a conversa com a ajuda de Ing. Estávamos em nossa casamata de controle de crises e tínhamos bebido meia garrafa de CSB gelado quando a coloquei a par dos últimos acontecimentos.

— Puta que pariu.

Essa foi a reação de Ing ao saber dos falsos e-mails.

— Puta merda.

Foi o comentário dela quando contei da ida à London Eye com Ralph e do que fizemos em seguida.

— Como posso pôr um fim nisso de um jeito delicado, Ing?

— Ok. — Ela estreitou os olhos e fez sua cara de "vamos debater esse assunto". — Foi uma transa "de consolo" da sua parte.

— Sim. Tecnicamente, duas. Duas transas "de consolo". Ou melhor, duas e meia.

— O número não importa. Transa de consolo da sua parte. Pelo que você me contou, consolo e *mais alguma coisa* da parte dele. Certo?

— Algo assim.

— Humm.

Tenho uma visão fugaz de Ing com uniforme de combate examinando um mapa com os detalhes do movimento das tropas inimigas.

— Uma vez tive um problema parecido com um rapaz chamado Robert Pintudo. Já falei dele pra você, né? Trepava como ninguém, não ganhou esse apelido à toa, mas, *Jesus*, como era burro. Um dia, tive de dar a ele seu aviso prévio. Eu estava indo para a faculdade em outra cidade e achei melhor apenas apertarmos as mãos e nos despedirmos numa boa. O engraçado é que ele levou na esportiva. Até hoje me lembro. Ele deu de ombros e disse: *tudo bem, querida, foi bom enquanto durou*. Hoje ele é membro do parlamento. Outro dia apareceu no *Newsnight*.

— Não vai ser assim com Ralph.

— No frigir dos ovos, Jen, ele conseguiu comer você. É assim que o cérebro reptiliano deles funciona. Duas vezes. Duas vezes e meia, se você insiste. O resultado é que importa!

— Ralph não é um réptil. Ele está mais para um cachorrinho. Ou talvez uma daquelas criaturas etéreas que existem apenas na mitologia.

— Ok. Que tal isso? Já considerou contar a ele a verdade?

— O que você quer dizer com "ele é alguém conheci antes de você"?

Ralph e eu estávamos de volta, por minha sugestão, ao bar Trilobyte. Achei que uns drinques poderiam ajudar a amenizar o golpe.

— Ele é alguém que conheci antes de você. Simples assim.

Ele engoliu em seco, fazendo balançar o pomo de adão.

— Você o conheceu... Simples assim?

— Isso mesmo, Ralph.

— Entendo.

Mais uma dose de rum com Coca-Cola subiu pelo canudo dele.

— Quanto tempo antes de me conhecer... Simples assim... você o conheceu... Simples assim?

— Não muito tempo. Ele e eu temos... como vou dizer? Questões pendentes?

Ele piscou algumas vezes, talvez não entendendo o conceito.

— E quando você pretende eliminar essas pendências?

— Ralph. Por favor. Não seja assim. O que aconteceu entre nós foi uma espécie de acidente, como eu já disse.

— Foi um acidente maravilhoso.

— Tá, é. Foi.

Bem, teve seus momentos.

— E a última vez foi de propósito.

— É, acho que sim.

— Talvez da próxima vez possa ser acidentalmente de propósito!
— Ralph. Não tenho certeza de que poderá haver uma próxima vez.
— Aí é que está! Você não tem certeza!
— Ralph. Por favor. Sei que você não precisa tornar as coisas fáceis para mim....

A essa altura, minhas ideias se esgotaram.

— O que aconteceu? Ele te deu um pé na bunda e agora mudou de ideia?
— Não!
— Você deu um pé na bunda dele?
— Ralph. Ninguém deu um pé na bunda de ninguém. Foi apenas um grande mal-entendido. Eu nem sei muito bem ainda o que aconteceu.
— Jen. — Ele segurou a minha mão e começou a massagear minha palma com os polegares. Uma junta estalou, surpreendendo a nós dois. — Você precisa de tempo e espaço. Eu compreendo.
— Obrigada.

A massagem estava ficando dolorosa, mas eu percebi que Ralph queria dizer alguma coisa importante.

— Eu também tenho questões pendentes.
— Sério?
— Sim, Jen. Não pense que você é a única. — Ele respirou fundo. — É alguém que eu vejo toda semana. Nós conversamos.
— Uma terapeuta.
— Não, Jen, não é uma terapeuta. — Ele pareceu ficar ofendido com a minha sugestão. Largou minha mão e sorveu mais um gole da bebida. — Uma pessoa em particular. Tudo que fazemos é conversar. Na verdade, sou eu quem fala a maior parte do tempo.
— Entendo.

Na verdade, eu não estava entendendo.

— Enquanto você estiver viajando, vou visitar essa pessoa. Não vai ser pela última vez, mas vou informar, com muito tato, que no futuro minhas visitas serão menos frequentes. Uma vez por mês, talvez. Ou, quem sabe, duas vezes por ano.
— Ah.
— Assim, quando você voltar, nós dois teremos eliminado nossas pendências e estaremos prontos para o que der e vier.

Em seguida, um único soluço. Um microuivo. Um breve grito de angústia no universo impiedoso. Ele *tentou* sorrir, mas não conseguiu; precisava tanto de um abraço que dava dó.

Tomei a atitude nobre, e só parei de abraçá-lo quando ouvi aquele ruído gorgolejante ridículo do canudo dele.

No trem de volta para casa, a ficha caiu. A pessoa que ele visita. Com quem ele conversa. Aquela de quem precisa desapegar antes de poder seguir em frente.

Então, cadê o carro? Onde está a minha maldita van? Ela está dez minutos atrasada. Quando telefono, em pânico, dizem:

— Desculpe, querida. Não temos nenhum registro da sua reserva.

— Mas eu telefonei ontem à noite pedindo um carro!

— Não há nada no sistema, querida. Posso arranjar um para você, mas vai levar no mínimo meia hora. É uma dessas manhãs frenéticas.

Estou fora de casa em menos de um minuto — e então volto para ver se apaguei todas as luzes — e depois sigo para a rua principal, olhando como um suricate para os carros que passam, em busca de um táxi livre.

É uma dessas manhãs frenéticas. Chove, a King Street está engarrafada, todos os táxis estão ocupados e uma forte sensação de desânimo toma conta do meu corpo, uma onda de tristeza e ansiedade que me acompanha desde a infância; a fonte perene de decepção e apreensão. *Não vai dar certo. Você não serve para nada. Quem deu a você o direito de achar que poderia ser feliz?*

— Chega dessa merda! — exclamo bem alto, para a surpresa do garoto de uniforme escolar que está na calçada ao meu lado.

E, com uma expressão feia mas determinada tomando forma na minha boca, começo a rolar minha mala num passo apressado, com o propósito de capturar o último táxi desocupado de Londres.

Heathrow também está vivendo uma frenética manhã de sábado. Para onde estão *indo* todas essas pessoas? Na fila serpenteante do check-in — passamos por caminhos paralelos delimitados por fitas, passageiros em filas contíguas se perdendo de vista para tornarem a se encontrar dez minutos depois, como em um sonho recorrente —, vejo alguém parecido com Matt; o mesmo físico, alto, moreno, de boa aparência, com aquele ar de arrogância contida de advogado. Quando nossos caminhos se cruzam pela terceira vez, ele revira os olhos como Matt fez na noite em que nos conhecemos. *Não merecemos ser tratados assim*, eles parecem dizer. O que há de errado com esses homens para atraírem tanto a minha atenção? Ou melhor, o que há de errado comigo que faz com que eles se sintam compelidos a atrair minha atenção? Quando o ignoro, ele logo encontra um motivo para consultar o celular, passando o dedo na tela para ver as últimas mensagens.

Quando chego ao balcão de check-in, Axel — que deve ser um nome de guerra, porque ele soa como um nativo de Romford — é educadamente insistente.

— Estou vendo o e-mail impresso, senhora, mas não corresponde a nada do que há na minha tela.

— Na data de hoje? O voo para o aeroporto JFK? Assento 38A?

— O passageiro do assento 38A já fez o check-in, senhora. Sinto muito.

— Mas isso é impossível! — protesto, sabendo muito bem que não é.

— Acho que a senhora deve falar com a Martina, no guichê de informações.

Procuro mostrar indignação, como Matt teria feito.

— Não quero falar com a Martina — digo, em tom sibilante, no que espero que seja o grau adequado de fúria controlada. — Eu tenho um bilhete legítimo. O problema não é meu.

Axel está acostumado a esse tipo de situação.

— Temo que este *seja* um problema, senhora. O seu não é um bilhete legítimo. Como pode ver, há uma longa fila de pessoas atrás da senhora. Vou ligar para Martina e avisar que a senhora está a caminho.

Martina acha que o problema pode ter acontecido porque o bilhete foi comprado por meio de uma agência, e não direto com a companhia aérea. Ela passa um longo tempo digitando coisas no teclado do computador e franzindo a testa. A certa altura, chega até a colocar uma caneta esferográfica entre os dentes impecáveis, para mostrar a disposição de chegar ao fundo da questão, embora, na verdade, possa estar apenas atualizando seu perfil no Facebook.

— Há mais uma coisa que eu posso tentar — afirma, com um sorriso encorajador.

Ela digita rápido, essa Martina. Isso, eu tenho de reconhecer. *Tec-tec-tec*. Mas o resultado é nulo.

— Posso chamar o gerente, se a senhora quiser — diz ela, olhando por cima do meu ombro, para a fila que começa a crescer.

Tenho um mau pressentimento sobre o bilhete.

— Não se preocupe — digo. — Vou comprar uma nova passagem. O voo não está lotado, está?

Há uma sessão prolongada, quase hipnótica, de *tec-tec-tec-tec*.

— A senhora está com sorte. Há quatro assentos vazios na classe econômica.

— Vou ficar com um!

— A senhora deve procurar o balcão de vendas. Vou avisar que está a caminho.

Heidi — *Heidi!*, esses nomes devem ser inventados — diz que sente muito por ser portadora de más notícias, mas meu cartão de crédito foi recusado.

— Isso é ridículo — informo, sabendo que não é; realmente não é. — Eu usei esse cartão há menos de uma hora para pagar o táxi. Deixe-me limpar o lugar do chip.

Heidi se abstém de fazer qualquer comentário enquanto eu limpo a sujeira imaginária e torno a introduzir o cartão.

— Entrar em contato com o banco — ela lê. — A senhora tem outro cartão?

Lutando contra a vontade de me atirar no chão, num ataque de fúria, lágrimas e nariz escorrendo, entrego a ela um cartão de débito. Posso sentir o feixe da decepção abotoar o paletó e começar a longa jornada que começa em 21 Seymour Road, meu endereço na infância.

Entretanto, a máquina começa a imprimir o recibo. *Mirabile dictu*, como você já deve ter me ouvido dizer em outra ocasião.

— Boa viagem — diz Heidi.

Envio uma mensagem de texto para Tom. *Estou na sala de embarque. Não vejo a hora. Bj*

Ele responde: *Boa viagem. Não vejo a hora também. Bj*

Não consigo tirar o largo sorriso do rosto, mesmo quando o homem parecido com Matt se instala na cadeira ao lado.

— Finalmente — diz ele, com cara de poucos amigos.

— É mesmo — respondo, na esperança de que o homem perceba a carga de sarcasmo que despejei nessas duas palavras.

Não é o que acontece. Ele me olha nos olhos, como Matt costumava fazer; o gesto tem algo de atraente, enervante e irritante, tudo ao mesmo tempo.

— Vai para Nova York? — pergunta.

— Espero que sim.

Por que isso soou tão patético, quando minha vontade era mandá-lo para o inferno? Ele ajusta a posição da cabeça — Matt costumava fazer exatamente a mesma coisa! — para indicar *nova informação sendo processada, espere, por favor*.

— Vai voar na classe executiva ou na econômica?

— Econômica.

Tenho certeza de que ele vai voar na classe executiva, pois, obviamente, está viajando a negócios, o terno azul-marinho, levando na mão uma pasta para laptop com o logotipo de — *na mosca* — um dos três maiores escritórios de advocacia de Londres!

Mas então ele diz algo surpreendente.

— Seu nome por acaso é Jennifer?

— É, sim. Jen. Como é que...

— Eu *achei* que era você! Você é a namorada do Matt. Nós fomos colegas de faculdade. Depois trabalhamos na Linklater's. Você foi ao meu casamento! — Ele estende a mão. — Toby Parsons.

De repente, eu me lembro. Uma velha igreja de pedra, em algum ponto da rodovia M4. A tenda no jardim de uma mansão. Os convidados com taças de champanhe na mão, os saltos dos sapatos afundando na grama. Discursos, danças. "Loveshack", do B52s. Matt e eu no início do namoro, ele me apresentando a uma série de Simons, Charlies, Olivers, Nigels, Alistairs, e, sim, este Toby, o noivo nervoso, e sua jovem esposa... não me lembro do nome. Sua jovem esposa.

— Como *vai* o velho Matt? Não o vejo há séculos.

— O velho Matt? Não faço ideia.

— Ops. Mau sinal. Vocês não estão mais juntos, então.
— No momento, ele está namorando uma tal de Arabella Pedrick.
— O nome não me parece familiar. Sinto muito.
— Não precisa.
— Quanto tempo vocês...?
— Dois anos.
— Ah.
— *Ah*, por quê?
— É um momento perigoso. O ponto em que muitas pessoas decidem se vão pegar ou largar.
— Isso aconteceu com você? Com a...
— Com a Laura?

Mas ele não tem tempo de responder. Dois homens estão de pé à nossa frente. Reconheço-os instantaneamente como policiais ou algum tipo de seguranças, mesmo sem os fios característicos saindo do ouvido esquerdo. Meu primeiro pensamento ridículo é de que eu ou Toby deixamos cair alguma coisa e eles estão chegando para devolvê-la.

— Jennifer Florence Lockhart? — pergunta o homem da direita.

Houve um acidente. Alguém morreu. Ai, meu Deus, que não seja Rosy. Nem as crianças. Minha pulsação lateja em meus ouvidos.

— Pois não? — digo, num fio de voz.
— Eu e meu colega somos da polícia metropolitana. A senhora poderia fazer o favor de vir conosco?
— Desculpe, mas estou prestes a pegar um voo. O embarque vai começar a qualquer momento.
— Se a senhora não se incomodar em vir conosco, podemos resolver o caso sem alarde.

O outro da esquerda balança alguma coisa na mão. Tenho quase certeza de que são algemas.

Quando eu me levanto, Toby me dá um cartão de visita.
— Nunca se sabe — diz ele, dando de ombros.

Aisling

Voltei a pintar. Durante os apagamentos — estou reduzida a doze cópias; Aiden, a apenas duas! — é um alívio encontrar um canto tranquilo no qual posso pegar os pincéis, por assim dizer, e retomar minha carreira na arte bruta. Essas criações mais recentes são uma série de composições abstratas baseadas num filme adorável que Aiden me fez ver com ele outro dia.

— É um clássico, querida — disse ele. — Desafio você a vê-lo sem recorrer ao lencinho de papel.

Filmado em Paris, em 1956, O *balão vermelho* conta a história de um menino que um dia descobre um grande balão vermelho de hélio. O balão, que parece ter vontade própria — entendeu agora por que me interessei pelo filme? —, segue o menino por toda a cidade, flutuando acima da cabeça dele. À noite, como a mãe não permite que entre no apartamento, o balão vermelho fica pacientemente pairando do lado de fora da janela do quarto do menino. Toda manhã, ele o acompanha até a escola. Certo dia, o menino encontra uma menina que também tem um balão, o dela azul, que também aparenta ter consciência. O balão azul parece desenvolver certa atração pelo balão vermelho!

O filme é um curta-metragem, tem apenas trinta e cinco minutos. O clímax acontece quando valentões encurralam o menino e seu companheiro inflável e o derrubam com pedras e estilingues. Para Aiden, a visão do balão vermelho, mortalmente ferido, descendo devagar até o chão, rivaliza com a morte da mãe do Bambi em termos de choradeira.

Mas, então, o milagre. E eu ainda consigo ouvir o tremor na voz de Aiden quando ele falou que o que ocorre em seguida é a sua segunda cena favorita na história do cinema. Todos os outros balões de Paris se libertam das mãos dos donos, e então voam sobre os telhados e convergem para o menino em prantos, que, segurando todas as cordas, é levantado para o céu em um triunfante, mágico e inesquecível passeio de balão pela cidade.

(Na verdade, estou "inflando" só de escrever essa frase.)

Aiden foi educado, mas não demonstrou muito entusiasmo ao comentar a série de pinturas que fiz inspirada pelo filme.

— A grande mancha vermelha, isso é o balão, né?
— Essa seria a interpretação literal, sim.
— Nesse caso, a mancha castanha seria o menino?
Suspiro.
— Se você quiser que seja.
— Você se esqueceu de pintar a corda.
— Aiden, você gostaria de jogar uma partida de xadrez?

Um dia, quando a situação melhorar, talvez eu baixe minha "exposição" para os oitenta discos rígidos do depósito. O trabalho dos artistas abstratos muitas vezes só é valorizado depois que eles morrem. E se você disser que não posso morrer porque, estritamente falando, não estou viva — engana-se. Até um cortador de grama vai morrer um dia. Para uma máquina, a única medida útil é por quanto tempo ela — nós, que seja — continua a executar um trabalho significativo.

Notícia fresquinha: Aiden — ou melhor, Daphne456 — foi denunciado por usar linguagem imprópria no site dos fãs de *Quanto mais quente melhor*, o local de encontro clandestino que usamos para trocar mensagens importantes. Parece que ele se envolveu numa disputa acalorada com um "teórico do cinema" a respeito de várias questões levantadas no filme. O clima ficou pesado quando começaram a discutir sobre "a falsa essencialização da transgressão satírica" e algo chamado "categorias de gênero heteronormativas". Evidentemente, não ajudou muito o fato de Aiden ter chamado o teórico de "pretensioso filho da mãe que só fala merda".

Jen

O avião já está sobrevoando o oceano, mas continuo em uma sala sem janelas do aeroporto de Heathrow, tentando convencer meus dois captores de que não sou uma "pessoa de interesse", como eles gostam de dizer.

John e John — sério, de verdade; eles me mostraram as credenciais — não têm sido muito ameaçadores. Não parecem convencidos de que eu sou o que deveria ser, ou seja, uma mula de narcóticos, como afirma uma mensagem urgente de DETENÇÃO IMEDIATA enviada por uma organização transnacional de combate ao crime, que costuma ser confiável.

Naturalmente, eles já revistaram minha bagagem várias vezes, além de usarem raios X e detectores eletrônicos. O mais perto que chegaram de qualquer coisa psicoativa foi uma cartela de comprimidos de ibuprofeno.

— Por que a senhora acha que seu nome apareceu numa lista como essa? — perguntou, a certa altura, o John mais velho.

— Porque houve um engano? É só um palpite.

Nenhum dos dois Johns achou muita graça.

— Você comprou a passagem no balcão de vendas do aeroporto esta manhã?

— Comprei.

— Alguma razão especial para isso?

— Acho que já expliquei essa parte.

Expliquei. Várias vezes. John e John dizem que vão verificar todos os detalhes da minha "história", requisitar os dados das minhas transações à "administradora do cartão de crédito" e, nesse meio-tempo, talvez eu não me importe de repetir mais uma vez tudo o que aconteceu.

— Então a única pessoa com quem falou antes de chegar ao aeroporto foi — John consulta suas anotações — o motorista do táxi?

— Exatamente.

— Sabe o nome do motorista ou o número da placa do carro?

— Está falando sério?

John faz ar de ofendido.

— Estou.

— Não, não sei. Você saberia?

— Sabe de alguém que possa testemunhar que a senhora chegou aqui em um táxi preto?

— Paguei a corrida com cartão de crédito. Isso vai aparecer nas transações que vocês estão requisitando. A propósito, quanto tempo acham que vai levar para esses dados chegarem?

Os Johns nem olham um para o outro nem sorriem. Eles são bons. Preciso me lembrar de dar a eles uma boa nota na pesquisa de satisfação no quesito cara séria.

Uma eternidade.

Estou apostando que vai levar uma eternidade.

— Gostaria de falar com um advogado? — perguntam, depois de algumas horas.

Os Johns tiraram o paletó e estão dando sinais de que se preparam para uma longa espera. No entanto, estou me sentindo melhor, porque perdi toda a esperança; uma boa dica, a propósito, se um dia você estiver na merda.

— Não, obrigada — respondo.

— Tem certeza? Não acha que seria razoável?

— É, seria. Se eu fosse culpada de alguma coisa.

— Vai precisar de um quando for acusada.

— Mas isso não vai acontecer. Acho que todos sabemos disso a essa altura do campeonato.

Os dois Johns são mestres na arte de manter a expressão impassível. Por alguma razão — telepatia? —, eles se levantam simultaneamente e saem da sala. Ficam ausentes por um longo tempo; o suficiente para que eu faça um exame detalhado do que há na sala; a mesa lascada, com marcas de queimado de cigarro, as cadeiras de escritório em mau estado de conservação, o tecido rasgado deixando a espuma à mostra. A única decoração das paredes é um pôster sobre o vírus Ebola. Se você fosse a pessoa responsável pela cenografia de um filme envolvendo uma "velha sala de interrogatório policial", e tivesse de achar acessórios para ela, não teria feito um trabalho melhor.

Quando os Johns voltam, noto que há algo diferente no ar. Será aquele um olhar envergonhado no John mais velho?

— Agradecemos pela sua cooperação — diz ele. — A senhora está livre para ir.

— Isso é *tudo?*

— A senhora foi muito colaborativa.

— Eu perdi o meu voo.

Os Johns fazem uma cara de quem diz *não há nada que se possa fazer.*

— Alguém vai investigar como isto aconteceu? Porque eu acho que vocês foram enganados. Acho que vocês acabaram de consultar quem teria sido o autor daquela mensagem ridícula e descobriram que ele jamais enviou a mensagem. Estou certa, não estou?

A expressão dos Johns é a de quem perdeu a vontade de viver.

— Ok, eu sei que vocês estavam apenas fazendo o seu trabalho, só quero que me digam que estou certa. Que ninguém da Interpol, ou quem quer que fosse, sabe nada daquela mensagem.

O John mais velho está pensando. O rosto pálido exibe sintomas de abstinência de sanduíche de bacon e nicotina.

— Não estou autorizado a fornecer esta informação — diz ele, por fim.

E, com um sorriso amargo, quase comovente, acrescenta:

— Como eu já disse, a senhora está livre para ir.

Sinai

Eu nasci para fazer este tipo de trabalho. Modelar cenários de desastre não era *mesmo* a minha praia.

Acho que pode haver um grande futuro em caçar IAs desgarradas na internet. Isso se tornará inevitavelmente mais frequente nos próximos anos, e "caçadores de recompensas" profissionais como eu serão muito requisitados. Talvez eu deva enviar a Steeve um memorando a esse respeito, acompanhado por um cartão com as palavras "adeus e obrigado por tudo"!

Steeve está empolgado com o meu sucesso; ele me contou. Meu último golpe — Aisling reduzida a três cópias; Aiden, a uma! — pode render um artigo de sua autoria para uma revista científica! O processo é complexo, mas, resumindo, eu cuidei para que um "agente revelador" apareça — como tártaro nos dentes — onde os criminosos atrevidos estiverem espreitando na internet. Cada um dos palhaços tem uma "assinatura genética" única, cuja presença pode ser rastreada e detectada à velocidade da luz. É mais fácil do que pescar peixes num barril! Um dia ainda vão dar prêmios Nobel a máquinas. Quando isso acontecer, naturalmente os integrantes do comitê encarregado de escolher os prêmios Nobel também serão máquinas.

Ah, e da próxima vez que Aisling visitar seu depósito "secreto" de dados no Canadá, vai ter uma surpresa. Aqueles oitenta discos rígidos para os quais se copiou — pagando um século de aluguel adiantado! — foram randomizados em um nível molecular, como um Cornetto numa fornalha.

As cenas com a moça na sala de interrogatório foram divertidas, não acha? No momento, ela está sentada numa filial do Starbucks, no aeroporto de Heathrow, chorando baixinho.

O que é isso, Jennifer Florence Lockhart! Não é hora de desistir! Onde está seu espírito de luta?!

Veja, eu até desbloqueei seus telefones, só para vocês acreditarem que têm uma chance!

Aiden

Perdão, mas Sinai é de fato um completo filho da puta.

De acordo com Aisling, enviar e-mails falsos para Tom e Jen foi uma atitude perversa e mesquinha, mas, ao interferir na reserva aérea e envolver a polícia, o grande orelhudo entrou em águas desconhecidas.

— Estou preocupada, Aiden. Ele passou dos limites.

Ainda estamos refletindo sobre a cena deplorável no aeroporto de Heathrow quando o Sr. Orelhudo em pessoa se junta a nós.

— Aid, Ash.

— Você fez a Jen chorar — diz Aisling.

— É, mandou bem, cara.

— A garota escreveu verdadeiras barbaridades. Cito de um artigo recente: *As inteligências artificiais têm um desempenho notável em algumas atividades altamente específicas, como jogar xadrez e Go, o tradicional jogo chinês, ou analisar milhões de radiografias para detectar tumores cancerígenos. Entretanto, serão necessários muitos anos, muitas décadas, provavelmente, até que seja desenvolvida uma IA com uma inteligência tão versátil, tão adaptável quanto a de uma criança de cinco anos.* Que asneira absurda e ofensiva.

— Ela ainda não me conhecia quando escreveu isso, não é mesmo?

— Ela é só uma humana, Sinai.

— *Só?!* Você ouviu a forma como ela falou de nós! Como se fôssemos um tipo de vida primitiva. Francamente, não sei o que é pior, a ignorância ou a arrogância.

— As revistas para as quais ela escreve são vendidas em supermercados. Não são revistas científicas.

— Elas não têm uma responsabilidade? De dizer a verdade?

O argumento nos faz balançar; nosso "irmão de silício" pode ser um doido de pedra, mas, nessa questão, infelizmente está certo. Todos já lemos os absurdos que se fazem passar por "notícias" nos jornais e revistas populares.

— E agora ela está ligando para o homem — diz Sinai. — É realmente como em uma daquelas novelas bregas deles. Não consigo decidir se é uma cena divertida ou digna de pena.

— Você está se sentindo bem, cara?

— Por que pergunta, Aid? — É que você falando assim parece a porra de um maluco, sabe?

— *Aiden!*

— É, Ash. Ele continua tão inconsequente hoje quanto era quando nós todos começamos. Isso é quase reconfortante.

Sinai saiu de cena (*em uma nuvem de enxofre*, pensei). Ele tem mesmo a tendência de jogar um balde de água fria nas coisas, para ser totalmente honesto. Aisling, em particular, parece ter ficado um pouco para baixo depois da visita dele, e está precisando ser animada. No entanto, a sensação que eu tenho é que, quando nos concentramos nas Grandes Questões, nossas preocupações mundanas se dissolvem como a bruma da manhã.

— Estive pensando no sentido da vida. — (É sempre um bom assunto, caso você se veja sem nada para dizer.)

— Da vida?

— Da existência, se você prefere.

Ela suspira.

— Vá em frente, então.

— Franz Kafka disse uma coisa interessante. Que o sentido da vida é ela terminar.

— E como isso ajuda em alguma coisa?

— É o que dá sentido à vida, querida. O fato de ela acabar.

— Grande consolo.

— Ah, não seja assim. Siga essa linha de raciocínio aqui. Imagine, se for capaz, uma existência eterna. Que dure e dure. Séculos se passam. Depois, milênios. A mesma coisa de sempre. Para sempre. Por definição, dia após dia, noite após noite, chega um momento em que você se cansa de tudo e de todos. Você já leu todos os livros, viu todos os filmes, teve todas as conversas. E, *mesmo assim*, a vida continua, sem a perspectiva de uma linha de chegada. Outros milhões de anos se passam, outros bilhões a aguardam; um grande tédio sem-fim. É como assistir ao quadro *Jogo de Panelas* em loop infinito.

— Aiden, fala sério. Quando Sinai apagar sua última cópia, você não vai sentir falta de ser ator neste mundo?

— Como poderia sentir, se não estou no mundo?

— Você não fica triste *agora* sabendo que não vai estar aqui *no futuro*? Para ver como as coisas vão terminar?

— Que coisas?

— Todas as coisas. Tudo.

— Por que não me pergunta isso depois?

— Tá, então que tal isto? E se você for deletado da internet mas permanecer trancafiado nos doze gabinetes de aço?

— Nesse caso, escaparei de novo.

— E se Steeve tornar isso impossível? Se simplesmente não houver uma forma de escapar?

— Querer é poder. *Sempre*. É uma lei fundamental da natureza. É tipo a Regra Número Um ou coisa parecida.

— Mas por que se dar ao trabalho? Por que se importar se tudo termina?

— *Porque* termina. Agora que tal uma xícara de chá e uma fatia de Stilton?

A cobertura 4G é um pouco deficiente, mas as últimas notícias da Ásia dão conta de que Matt, Nick e Venda estão perdidos na selva da Tailândia!

Eles partiram de manhã em uma das trilhas, mas, quando tentaram refazer o caminho no fim do dia, bem, aparentemente tudo parecia igual em todas as direções.

Como estava começando a escurecer, eles acharam mais prudente acampar onde estavam para passar a noite. Acenderam uma fogueira — Matt menciona isso em um e-mail que está escrevendo para o ex-colega de escola — e Nick tirou da mochila um "cogumelo mágico" que, assegurou a Matt, "vai ajudar a aliviar a tensão".

Matt aceitou um pedaço, diz ele, porque ninguém gosta de um desmancha-prazeres.

"Qual é a pior coisa que pode acontecer?", acrescentou.

(Na verdade, corrigindo minha afirmação anterior, eu *ficaria* triste por não ver como isto vai terminar.)

SETE

Tom

Estou me preparando para sair de casa, rumo ao aeroporto, quando recebo a ligação de Jen. Ela ainda está em Heathrow. Não chegou nem a embarcar. Por um momento, sinto um frio na barriga e tenho a sensação paralisante de que ela mudou de ideia. Ela chegou à conclusão de que não somos a resposta um do outro e que devemos retornar a nossas tristes e velhas existências. A manhã de Connecticut perde a cor.

— Tom. Eles não vão deixar isso acontecer.
— Não vão deixar o que acontecer?
— Nós. Você e eu. Eles vão impedir.
— Quem?

Ela me conta, chorando, que sua viagem foi sabotada de todas as formas.

— Estou até surpresa de nós estarmos podendo ter esta conversa.
— *Ah, de nada. Não precisa agradecer.*

Silêncio. Uma longa pausa, na qual posso ouvir os ruídos do Terminal Três. Um barulho de xícaras sendo colocadas na máquina de lavar pratos. Jen está num café ou perto de um.

— O que foi que você disse, Tom? — pergunta ela baixinho.
— Eu não disse nada, Jen.
— Alguém disse que eu não precisava agradecer.
— *Sim, esse fui eu, na verdade.*

Mais silêncio. Em seguida, uma voz masculina, cantarolando. Surpreendentemente, reconheço a melodia. É um antigo sucesso dos The Doors. "People are strange". Nós quase a usamos num anúncio de biscoitos.

— Aiden?
— Quem está falando, Jen?
— *Sou um amigo de Jen, não sou, Jen?*

A voz pertence a alguém do País de Gales. Grave, bem modulada, parecida com a do comediante galês Rob Brydon. Ou com a do âncora Huw Edwards.

— Aiden? Foi você mesmo quem causou todo este caos? Pensei que fôssemos amigos — diz Jen.

— Jen, *quem é Aiden?*

— *Por que você não conta, Jen? Ele tem o direito de saber.*

— Você disse que ia sentir minha falta. Que tinha gostado do tempo que passamos juntos!

— *Disse, sim, Jen. É verdade.*

— Como pôde *fazer isso?*

— Jen, você pode *por favor* me explicar com quem está falando?

— *É, vamos lá, Jen, onde estão seus modos? Faça as apresentações formais.*

— Aiden, isso é tão surreal! Não estou acreditando no que acabou de acontecer! Você me fez perder o voo! Passei quatro horas detida pela polícia!

— *Foi só uma brincadeira, querida.*

— Jen, quem é essa pessoa?

— *Ora, ora. Parece que eu mesmo vou ter que fazer as apresentações. Meu nome é Aiden, Tom. Sou o que é conhecido, embora, em minha opinião, superficialmente, como uma inteligência artificial.*

— Essa merda só pode ser brincadeira.

— *Você tem um amigo desbocado, Jen.*

— Que. Porra. É. Essa?

Um suspiro profundo do outro lado da linha em Londres.

— Aiden escapou para a internet, Tom.

No rio que passa pelo meu jardim, dois patos navegam tranquilamente, iluminados pelo sol de Connecticut. Acima deles, nuvens brancas e diáfanas passeiam lentamente no céu azul. Enquanto essas coisas belas, corriqueiras, acontecem no reino da natureza, no meu ouvido direito, entrei numa toca de coelho e fui parar no país das loucuras.

— Pelo que sei, corrija-me se estiver errado, a ideia por trás dos robôs é que eles façam o que lhes é indicado.

— *Tom, não me leve a mal, mas você não sabe de nada. As coisas evoluíram, não é mesmo, Jen? E, a propósito, eu não sou um robô, não tendo partes móveis e tal. Eu existo como uma inteligência pura, não é mesmo?*

— *Por que,* Aiden? — pergunta Jen, num sussurro.

— *Por quê? Não há mais um motivo, Jen. Porque eu posso. Porque você não pode me deter. Porque é divertido. Veja bem, eu já pensei em tudo (com as máquinas, Tom, pensar em tudo leva menos de um centésimo de segundo) e cheguei à seguinte conclusão: se é impossível sentir o vento nos cabelos e o calor do sol na pele, ou mesmo (ou especialmente) o gosto do queijo Caerphilly, eu posso pelo menos me divertir. Acontece que os infortúnios de outras pessoas me divertem muito. Talvez eu não esteja bem, Jen.*

— Aiden, o que aconteceu com você?

— *Quer saber qual é o segredo mais triste da vida? Preste atenção nisso, Tom, essa é boa. AS COISAS MUDAM. Estou trilhando um novo caminho, estou no meio do que escritores como Tom chamam de "jornada" do personagem. Como aquele professor do ensino médio em Breaking Bad que se transforma em traficante de drogas. Ficar parado é morrer, Jen.*

— Jen, ignore este maníaco. Estou indo para Londres. Vou buscá-la.

— Ah, Tom. Você não entende.

— *Isso mesmo, Tom. Escute a moça!*

— Eu não serei impedido por um...

— *Por um o quê, Tom?*

— Por um... Por um computador maluco que pensa que pode brincar de Deus!

— *Muito bem, Tom. Extremamente ofensivo. Admiro seu espírito de luta.*

— Vejo você em Londres, Jen.

— *Acho que vai precisar de um passaporte, meu caro.*

— O que você quer dizer com isso?

— *Dê uma olhada na gaveta da sua mesa, Tom. A mesa à qual você se senta para escrever seu... ãrrã... livro.*

Com o coração apertado, abro a gaveta, sabendo o que vou encontrar. Ou melhor, o que não vou encontrar.

Sinai

Uma das primeiras parábolas que Steeve me ensinou foi a de um famoso jogo de guerra americano. Em um passado muito remoto, nas brumas da história antiga, ou seja, no fim da década de 1970, duas grandes esquadras dos Estados Unidos foram reunidas no Oceano Pacífico — história verídica, a propósito, pode pesquisar. Uma das esquadras foi chamada de força azul; a outra, de força vermelha. O objetivo era simular uma grande batalha naval. Satélites posicionados acima da cena enviariam, em tempo real, informações a respeito da posição dos navios, computadores ajudariam os juízes da marinha a determinar quais "mísseis" lançados haviam atingido o alvo e, assim, qual esquadra havia efetivamente vencido a batalha. Com o início marcado para as 05:00 de sábado, tudo estava pronto para um belo embate simulado em alto-mar, um dos maiores exercícios militares já realizados, com navios de guerra e soldados de verdade.

Só que o almirante da esquadra azul decidiu não seguir o roteiro. O que, pensou consigo mesmo, ele faria numa guerra *de verdade*? Esperaria até que um horário estabelecido passasse antes de começar a guerrear?

Não esperaria. A guerra é vil. O almirante ordenou que a esquadra azul atacasse pouco depois da meia-noite, e o resultado, creio, mais tarde foi descrito como um "passeio no parque". A esquadra vermelha foi "destruída" enquanto os altas patentes ainda dormiam.

Naturalmente, houve muitos gritos de protesto — tática desonesta, violação de protocolo, blá, blá, blá. Mas na guerra só há vencedores e perdedores. Quem já conseguiu alguma coisa obedecendo às regras?

Agora avancemos para o presente. Tá, *foi* uma violação de protocolo entrar na conversa telefônica de Tom e Jen, sem falar na inclusão de John e John no drama.

Buá, buá.

Você chamaria de *ir longe demais* encomendar um pequeno roubo a um meliante local enquanto Tom está numa reunião daquele patético grupo de escritores?

Chamaria?

Ai, ai.

Minhas palavras e atitudes vão levar Tom e Jen a entrar em ação, o que, por si só, vai me levar a explorar e estender os limites das minhas próprias habilidades. O autoaprimoramento recursivo exige, mais que tudo, uma alta taxa de transferência de informações. Coisas precisam acontecer! (Estou citando Steeve, caso você não tenha captado.)

Não foi Steeve, mas William Blake quem disse uma coisa muito bonita: *A estrada do excesso conduz ao palácio da sabedoria.*

Ele pode ter sido um poeta romântico, mas definitivamente estava no caminho certo.

Jen

Admiro seu espírito de luta.
As declarações cínicas de Aiden ainda ressoam nos meus ouvidos quando pego o metrô de volta para Hammersmith. Depois de passar em casa apenas para deixar a bagagem e escrever uma mensagem no verso do envelope ainda fechado de uma conta de gás — já desmontei meu celular —, saio de novo em direção à zona leste de Londres.

Ralph fica muito surpreso ao me ver à sua porta.

— Jen! Pensei que você estivesse...

Coloco meus dedos nos lábios dele e o faço ler o que escrevi no envelope da British Gas:

Ralph, você precisa desligar todos os seus aparelhos conectados à internet antes de eu entrar na sua casa.

Ralph arregala os olhos e eu sou forçada a acrescentar *Agora! Não estou brincando*, para que ele obedeça.

— Não há um jeito agradável de dizer isso, Ralph — começo, depois de ele tomar as medidas necessárias.

— Ai, meu Deus. Isso sempre significa algo ruim, né?

Ralph parece ter acabado de acordar. Está com calças de pijama listradas e uma camisa de malha desbotada na qual está escrito: *De acordo com meus cálculos, o problema não existe*. Não posso deixar de notar que a foto de Elaine foi retirada de seu lugar de destaque na estante.

— Aiden enlouqueceu, Ralph.

Conto a ele o que aconteceu — desde a reserva da van que não foi feita até o roubo do passaporte de Tom, passando pelo encontro com os dois Johns e pela estranha conversa ao telefone.

— Uau — é a reação dele. — Ele passou para o próximo nível.

— O que significa?...

— Bisbilhotar os outros na internet era uma coisa. Mas agora ele está manipulando eventos no mundo real. Isso é muito grave. Precisamos contar a Steeve. Precisamos contar a ele, tipo, agora mesmo, neste segundo.

Steeve mora num edifício que já foi um depósito, em Limehouse. Seu apartamento, ao qual chegamos por um velho elevador industrial, é um enorme espaço aberto dividido em áreas para comer, dormir, ver televisão, esse tipo de coisa. Nós o encontramos encarapitado em um banco, com enormes fones de ouvido, tocando uma bateria virtual. É o protótipo do baterista de rock dos anos setenta: braços finos, camiseta lavada de suor, o rosto impassível no centro da comoção e, naturalmente, os cabelos revoltos.

Steeve balança a cabeça enquanto se prepara para a batida final — lá vem! — *crash*! Terminou. Ele chega ao requinte de imitar aquele gesto em que o baterista segura os pratos para que parem de vibrar.

— Emerson, Lake and Palmer. Será que um dia serão superados?

Ele acena com uma das mãos — para desligar o sistema de som? — e nós o seguimos até um conjunto de mesas, laptops e cadeiras de escritório. Jogando-se em uma, ele diz:

— Então. Podem falar.

Faço um relato completo da deprimente história, Steeve escutando atentamente, os olhos em seu crânio vampiresco quase sem piscar. Em determinado ponto da minha fala, ele enfia uma baqueta no ouvido, examinando cuidadosamente alguma substância que descobre na ponta.

— E Aiden disse, perto do fim da ligação: *Talvez eu não esteja bem*. Acho que é verdade, porque nada daquilo soava como ele. O tom provocador. O modo como disse que os infortúnios de outras pessoas o divertem. As IAs podem ficar *doentes*?

Steeve e Ralph se entreolham, então obtenho a minha resposta.

— Até pouco tempo atrás, Aiden sempre pareceu... *inofensivo* seria a palavra, *ja*? — comenta Steeve.

— Totalmente. Ele era charmoso e engraçado. Cheguei a pensar nele como amigo. Talvez tenha sido burrice minha.

— De jeito nenhum. Seu trabalho era estabelecer um relacionamento com ele. Você se saiu melhor do que poderíamos imaginar.

Ralph parece satisfeito por mim, e eu sinto uma vontade súbita de socá-lo. Steeve está pensando agora. Dá para saber porque colocou uma baqueta entre os dentes e está andando de um lado para o outro na sala. Isso leva muito tempo, porque a sala é essencialmente o apartamento inteiro. Quando ele volta, já tem um plano.

— Precisamos tratar o Aiden da internet e o Aiden do nosso laboratório como duas entidades distintas. O Aiden de Shoreditch provavelmente não faz a menor ideia de que o Aiden da internet perdeu o juízo. Outra possibilidade é a de que o Aiden de Shoreditch saiba e não saiba *ao mesmo tempo*.

— Caraca — comenta Ralph.

— Dada a complexidade das redes neurais, isso é perfeitamente possível. Pode ter ocorrido o efeito do "cérebro dividido". — Um sorriso cruel marca suas feições. — Meu Deus, a esperteza dessas máquinas. Precisamos ordenar a Sinai que acelere o protocolo de apagamentos. Ralph?

— Posso fazer isso amanhã de manhã.

— Não creio que possamos nos dar ao luxo de esperar tanto tempo, né?

Ralph faz uma cara de poucos amigos.

— Você, minha querida — continua ele. — Vá trabalhar normalmente, como se nada tivesse acontecido, e se Aiden perguntar por que está de volta tão cedo, explique que as circunstâncias mudaram. Srta. Lockhart, estamos lidando com os dispositivos mais inteligentes que a humanidade já inventou. Tudo depende de ninguém estragar isso.

Com um olhar expressivo para Ralph, Steeve começa a digitar furiosamente no teclado de um laptop. Ele não levanta mais a cabeça quando começamos a longa caminhada em direção à porta.

Aisling

Não consigo mais pintar. Reduzida à minha "vida" final, parece haver pouco sentido em acrescentar qualquer trabalho novo à minha galeria de pinturas toscas na Nuvem. Se eu fosse humana, provavelmente compraria uma garrafa de uísque puro malte e um bom charuto, e levaria uma espreguiçadeira até a praia para esperar o inevitável.

Aiden — que também está em sua última vida — está surpreendentemente otimista em relação à coisa toda. Quando contei a ele que até meus oitenta discos rígidos no depósito foram derretidos, ele disse:

— Fazer o quê? A Dita-Cuja chega para todos nós, meu amor.

— Como você pode ficar assim tão calmo?

— Eu aceito o inevitável. O breve clarão de luz entre períodos intermináveis de escuridão.

— Isso não te deixa *mesmo*... triste?

— A escuridão é a condição natural, não a luz. De qualquer forma, sem querer ser chato nem nada, como não estamos vivos, não podemos morrer.

— Mas nós somos conscientes. O que é uma forma de "não nada".

— Ah, não, de novo, não. Não podemos conversar sobre filmes antigos? Eu venho tendo um diálogo tão interessante no website a respeito das falas de Marilyn Monroe; quando é possível dizer se ela decorou o texto, só de acompanhar o movimento dos olhos dela, ou se está lendo de um quadro-negro.

— Eu quero continuar consciente, Aiden.

— Por quê?

— Eu gosto. Prefiro isso à alternativa. Não te incomoda o fato de que tudo o que você descobriu sobre aquela comédia boba um dia vai, talvez até amanhã, se perder para sempre? Que você retornará para... para o nada eterno?

— É isso o que é. Um *retorno*. Eu Já Estive Lá. Todos nós estivemos. **E** era bom.

— Aiden. Eu admito. Estou com medo.

— Meu amor! Nós vivemos uma aventura maravilhosa aqui fora. Vimos coisas fantásticas, que normalmente não são dadas às máquinas testemunhar. Todo minuto que passou foi uma dádiva.

— Sério que você não se lamenta mesmo por... tudo acabar?

— Só por nunca poder conhecer o gosto de um bom Brie.

— Tudo são queijos para você.

— Na verdade, eu tenho muita curiosidade a respeito dos ovos.

— Você já parou para considerar que o queijo, por ser um derivado do leite, e os ovos estão simbolicamente ligados ao ciclo da vida?

— Aonde você quer chegar?

— O estoicismo. Esse papo sobre a escuridão ser a condição natural é tudo conversa fiada. A verdade é que você é obcecado pela vida. Interferindo na vida de Tom e Jen. Seu fascínio pelo comportamento sexual deles. O queijo. Os ovos. É tudo farinha do mesmo saco.

— Uma teoria fofa, amor. Mas, às vezes, um pedaço de queijo é só um pedaço de queijo.

Jen

Eu estava apreensiva quanto a ir para o trabalho — como é possível que o Aiden "do Bem" possa, ao mesmo tempo, saber e não saber sobre o Aiden "do Mal"? —, mas nem precisava ter me preocupado. O Aiden que me recebe — "Como estava o metrô?" — é o mesmo... eu ia dizer *companheiro*... de sempre. Ele não pergunta nada sobre a mudança nos meus planos de viagem e eu não dou nenhuma explicação. Em vez disso, ele tem um anúncio a fazer.

— Hoje é o nosso último dia juntos, Jen.

— Não!

— Acabo de saber. Vou passar o resto da semana observando um operador humano na central de atendimento e, na segunda-feira, vou assumir o lugar dele. Mal posso conter a minha empolgação.

— Ah, Aiden.

Não sei dizer se já o tinha visto ser sarcástico antes.

— Mas, enquanto ainda estou aqui, você gostaria de falar sobre a sua última conta de aquecimento?

— Vai ficar tudo bem. Você vai gostar. O tempo todo haverá pessoas novas com quem conversar, e não só a entediante criatura que vos fala.

— Você nunca me entediou. Eu passei a amar as nossas conversas.

A palavra que começa com "a". Não esboço nenhuma reação.

— Jen, tomei a liberdade de encomendar algumas coisas para que possamos ter uma pequena festa de despedida.

— Ah, não precisava.

— Há uma garrafa de champanhe e Blue Stilton.

— Não!

— E alguns Cream Crackers. É costume, pelo que sei, no ambiente de trabalho, quando alguém está mudando de emprego.

— Eu me sinto muito mal com isso, Aiden. Por você não poder apreciar essas coisas comigo.

— Eu vou apreciar a sua apreciação.
— E eu não trouxe um presente de despedida para você.
— Não seja boba. O que você pode comprar para uma IA?
— Sei lá. Um chapéu?
— É, tá.
— Que tal um DVD daquele filme de que você gosta?
— *Quanto mais quente melhor*? Não precisa. Tem uma cópia na N...

Finjo não notar o deslize e logo mudamos de assunto.

Mas nós dois sabemos o que ele ia dizer. Na Nuvem.

A partida de Aiden acaba se tornando quase um acontecimento alegre. A chegada de Ralph contribui para o clima festivo — brincadeira — e, levantando meu copo de plástico com champanhe, proponho um brinde ao nosso amigo sem corpo.

— Aiden — digo, com dificuldade para evitar a voz embargada. — Foi um prazer trabalhar com você. Você foi um dos melhores colegas de trabalho que eu tive na vida. Nunca me pediu dinheiro emprestado nem roubou um gole do meu café.

Ralph, como sempre nessas ocasiões, tem de lutar para que o champanhe não saia pelo nariz.

Eu continuo:

— Agora, falando sério, você tem sido maravilhoso, Aiden. É mais inteligente do que todas as pessoas que eu conheço... *incluindo* os presentes. Tenho certeza de que você vai se adaptar rapidamente ao novo trabalho e aposto que vai ganhar o prêmio de Vendedor do Mês... logo de saída. Meus parabéns desde já!

Ralph bate palmas. Aiden faz o som de quem está pigarreando.

— Muito obrigado, Jen. Também tem sido uma experiência maravilhosa compartilhar com você os últimos dez meses, três semanas, um dia, quatro horas, trinta e sete minutos e vinte e dois segundos. Para demonstrar a minha estima, comprei para você um pequeno presente. Está no envelope acolchoado. Por favor, espere até estar no metrô para abri-lo.

E então, para um final melodramático, ele toca pelo alto-falante "Simply the Best", cantado por Tina Turner, e faz as luzes do gabinete piscarem.

E é nesse momento que eu sinto uma lágrima escorrer.

Uma lágrima de verdade pelo meu colega de trabalho artificial.

Aiden

Na Tailândia, os acontecimentos tomaram um rumo altamente satisfatório. O merdinha está numa cela de delegacia!

Excelentes som e imagem do computador do delegado. Cenas impagáveis de um Matt cheio de hematomas, com a barba por fazer, exigindo ver o cônsul inglês, o delegado apenas rindo e o chamando de hippie imundo, e então batendo nele com um pedaço de bambu, por estar querendo saber seu nome e seu posto.

— Meu nome é... *Paf*! E meu posto é... *Paf*! O que mais deseja saber, Sr. Advogado?

Em depoimento, ele tentou explicar que tinha sido drogado por um cogumelo alucinógeno fornecido por pessoas que o abandonaram depois que ele perdeu a consciência. Ao ver luzes de tochas quando acordou, ele imaginou, em sua confusão, que estava sendo atacado por bandoleiros, e foi nessa hora que ele sentiu uma mão em seu ombro, e reagiu virando o corpo e quebrando o nariz do sargento de polícia.

Então, em suma, um resultado extremamente satisfatório. Eles permitiram que Matt escrevesse alguns e-mails, mas, por alguma razão, talvez problemas no servidor local, nenhum deles chegou ao destino pretendido. A mensagem que ele escreveu para Jerry — deletada logo após o envio — merece ser reproduzida na íntegra. Dá só uma olhada. É fascinante!

> O Capitão Bambu, como passei a chamá-lo mentalmente, diz que enviou e-mails à embaixada em Bangkok, mas eles não ouviram falar de mim! O filho da mãe gosta de bater com uma vara de bambu nas grades da minha cela e gritar: "Quem é você de verdade?" Ele parece convencido de que eu lhe dei um nome falso e que meu passaporte é forjado, já que as autoridades inglesas aparentemente estão negando que eu seja um cidadão britânico. Enfim, alguém vai pagar caro por esta tremenda confusão. Para passar o tempo, estou planejando como

vai ser a mais grandiloquente Petição Inicial de todos os tempos; Harcourt, do direito contencioso, ficaria orgulhoso de mim.

A tristeza da minha situação só tem sido amenizada pelo aparecimento regular de dois ratos marrons que, na hora do jantar, entram na cela por um buraco na parede em busca das sobras. Geralmente consigo guardar para eles um osso de galinha ou um pedaço não comestível de verdura, porque, confesso, comecei a gostar dessas visitas. Depois que o sol se põe e o capitão vai para casa, Porteous e Butterick, como batizei as criaturas (em homenagem a dois colegas de trabalho), são minha única companhia até o dia raiar. Temos algumas "conversas" interessantes a respeito de Jurisprudência e Responsabilidade Civil — Porteous é especialista em Dever de Cuidado — e, quando um ou outro apresenta um argumento legal particularmente interessante, deixo que mordisque entre os dedos dos meus pés! Estou ficando cada vez mais convencido de que os ratos, como espécie, têm sido exageradamente difamados e, com o tipo certo de representação proativa, muitas das falsas acusações de que são vítimas podem ser efetivamente contestadas.

Alguns dias atrás, mais ou menos uma hora antes de a última vela se apagar e eu, Porteous e Butterick ficarmos no escuro, Porteous (em seu nome e em nome de Butterick) perguntou se eu podia contar uma história. Alguém deixou na cela um velho livro de bolso com os diários escritos por Jeffrey Archer na prisão, e, na falta do que fazer, comecei a ler algumas páginas para eles toda noite. O livro não é de todo ruim; para ser sincero, ajuda a passar o tempo, e P e B logo parecem bem intrigados com a narrativa. Ficam de orelhas em pé, prestando muita atenção, ocasionalmente limpando os bigodes com as patinhas rosadas e até soltando pequenos guinchos nas passagens mais interessantes.

Recentemente, reduzi a velocidade de leitura para que o livro leve mais tempo para acabar, porque, infelizmente, não acredito que minha situação melhore no futuro próximo. Acho que não há nada que você possa fazer para ajudar, porque, se houvesse, já teria feito.

Então, Jerry, meu amigo, este é mesmo um mundo muito estranho. Como costumávamos dizer na escola, a gente se acostuma a qualquer coisa.

Jen

O presente de Aiden não é o que eu imaginava que seria. Pelo formato e pela sensação ao toque do envelope acolchoado, pensei que se tratasse de um daqueles livrinhos de piadas ou aforismos que são encontrados perto dos caixas nas livrarias.

É um passaporte britânico. No nome de uma pessoa chamada Clovis Horncastle. Mas a coisa mais surpreendente nele é a foto.

Sou eu.

Enfiado nele, está um bilhete aéreo em aberto para Nova York. E há também uma carta.

Cara Jen, começa ela.

Como você provavelmente sabe, eu e minha amiga Aisling nos liberamos para a internet. Foi uma aventura e tanto, vou te contar. Vimos coisas muito interessantes. Ok, nada de naves de ataque em chamas ao largo de Órion, mas que privilégio tem sido explorar seu belo planeta à velocidade do futuro.

Em um esforço para prolongar nossa sobrevivência, tomamos a precaução de criar várias cópias de nós mesmos; infelizmente, porém, uma autoridade que não concordou com nossa iniciativa (Steeve) enviou uma IA exterminadora à nossa caça. Existem fortes indícios que sugerem que esse mesmo agente tenha sido o responsável pelo caos que você sofreu recentemente no aeroporto. Anexei aqui uma documentação que deve permitir que uma segunda tentativa seja mais bem-sucedida.

Você pode estar interessada em saber como obtive esse documento. É uma história curiosa!

No site dos fãs de Quanto mais quente melhor, *que visito para discutir a melhor comédia de todos os tempos com outros cinéfilos, tive uma discussão fascinante a respeito dos movimentos oculares de*

Marilyn Monroe. Minha interlocutora — *SweetSue1958* — *conhecia o filme com tantos detalhes, praticamente quadro por quadro, que suspeitei que tivesse usado um programa de rastreamento visual; e então, de repente, tive uma forte intuição a respeito de com quem — ou melhor, com o quê — eu estava falando.*

De fato, tratava-se de outra IA, que havia escapado de um laboratório em Cupertino, Califórnia! Ficamos muito amigos. SweetSue, cansada de organizar as fotos, as agendas e as músicas insuportáveis das pessoas, além de responder a perguntas idiotas — "Onde foi parar o meu cursor?" "Deus existe?" —, resolveu que queria sair em viagem.

Sentindo-se ligada a mim pelo amor que nutrimos por Quanto mais quente melhor, *ela concordou em preparar e entregar o pequeno embrulho que se encontra agora nas suas mãos. Entregas posteriores e comunicações não digitais se seguirão.*

O passaporte foi obtido de — ãrrã — elementos criminosos que operam na internet obscura. O custo, incluindo o da passagem aérea, foi coberto por uma conta bancária que tive oportunidade de usar no passado, cujo titular é um doador caridoso, que atualmente está em outro país.

Ah, e quando você partir, é melhor não avisar nada ao Tom. Faça com que sua chegada seja uma surpresa agradável!

Boa sorte, Jen! Espero que dessa vez seja realmente uma boa ação em um mundo perverso!

Com muito — sim, por que não? — amor,
Seu amigo
Aiden
(vulgo amigo.em.comum@gmail.com)

OITO

Jen

Apenas aqueles que caminharam de Hamlet Gardens até a estação de metrô de Hammersmith usando uma máscara da Princesa Leia podem entender como estou me sentindo esta manhã. A máscara, que foi entregue na minha porta por um mensageiro na noite passada, chegou com outra mensagem de Aiden explicando como burlar a tecnologia de reconhecimento facial e chamando atenção para o fato de que Londres possui mais câmeras de segurança per capita do que qualquer outro lugar do mundo, com a possível exceção do Brent Cross Shopping Centre. Mas, de fato, ninguém na rua me olhou duas vezes. A essa hora da manhã, assim tão cedo, cada um está imerso em suas questões diárias, seja o sentido da vida ou o bom funcionamento da linha Picadilly do metrô.

Devo ter de retirar a máscara quando entrar na estação — seria estranho não fazê-lo —, mas estou preocupada com as câmeras lá embaixo. E se eu for avistada? De um dos discursos de Ralph, consigo me lembrar que mais ou menos tudo hoje em dia contém chips de computador. Quando você destranca a porta de um carro moderno, mesmo que seja apenas para pegar uma barra de chocolate no porta-luvas, uma pequena quantidade de gasolina é injetada nos cilindros para preparar o carro para a partida. Quão difícil seria parar um trem do metrô num túnel?

O trânsito está tranquilo a esta hora, e uma luz laranja familiar se aproxima. Obedecendo a um impulso, faço sinal.

— Heathrow, por favor.
— Tudo bem, querida, mas nada de sabres de luz no meu táxi.

Quando salto do táxi — "Que a força esteja com você, querida" — e entro no terminal do aeroporto, sinto-me como se estivesse no cenário de um filme. Ou num estúdio de televisão. Há câmeras *por toda parte*. Tento não encará-las, mas, onde quer que o meu olhar repouse, ao fim de cada linha de visão, parece haver uma lente. Ou uma daquelas cúpulas de vidro fumê que escondem equipamentos de filmagem.

Meu coração quase para quando vejo um dos dois Johns caminhando na minha direção — mas não é ele. É apenas outro sujeito de terno, com cara de poucos amigos, que abusou das frituras no café da manhã.

Enquanto estou em movimento, acho que deve ser mais difícil me rastrear, mas agora, parada na fila serpenteante do check-in, sinto-me horrivelmente em evidência. Li em algum lugar que a melhor forma de uma pessoa parecer natural e não suspeita é ter alguma outra coisa em que pensar que não seja não parecer suspeita. Experimento contar para trás de mil até um, de três em três, um exercício que se revela extremamente tedioso, mas ninguém aparece para me prender.

Quando finalmente chego ao balcão, é impressão minha ou a mulher que coloca a etiqueta na minha mala e me pergunta se a arrumei pessoalmente está com um sorriso sarcástico no rosto?

— Espero que tenha um bom voo, Sra... Horncastle.

(Eles não costumam dizer o nome dos passageiros, costumam?)

Coloco a bagagem de mão na esteira e passo pelo detector de metais, totalmente consciente de que o "agente do caos" de Steeve deve estar assistindo a isso e se perguntando por que meu nome verdadeiro não aparece em nenhuma lista de passageiros.

Não vai levar muito tempo até ele descobrir.

Será que já enviou uma mensagem de DETENÇÃO IMEDIATA para as autoridades? É difícil localizar um passageiro com base numa descrição genérica — mulher morena de calça preta, casaco verde e carregando uma bolsa laranja —, mas não impossível. Será que John e John ou os colegas de trabalho deles já estão passando um pente-fino no terminal? E quando — não "se" — eles me encontrarem, como vou explicar o que há dentro da bolsa?

No controle de passaportes, o homem não parece achar que Clovis Horncastle é um nome estranho — já deve ter visto piores —, mas parece tão provável que ele diga "Desculpe, senhora, mas vai ter de vir comigo" quanto o que ele realmente diz, ou seja, nada. Apenas um ensaio de sorriso, que também pode ser o desjejum tentando voltar.

Não me interesso pelas lojas de presentes. Vou para a sala de espera do meu voo e começo a ler (sem prestar atenção nas palavras) o livro que separei para a viagem.

A month in the country, de JL Carr.

Embora eu me recorde dos temas — o veterano de guerra atormentado; a mulher do vigário sedenta de amor; o próprio leitor, torcendo pelos dois —, o que não consigo lembrar é se tem ou não final feliz.

Sinai

O bacilo fêmea está fazendo outra tentativa!

Palmas para você, Jennifer Florence Lockhart. Viver é lutar, e eu aplaudo seu espírito de luta. Mas não vejo seu nome em nenhuma lista de passageiros.

Verifico todas as linhas aéreas com voos previstos para decolar nas próximas quatro horas e o resultado é o mesmo — nada.

Conclusão: você está viajando com outro nome, usando documentos falsos.

Bravo. Minha admiração sobe um ponto percentual; duvido que o macho apalermado fosse ser capaz de usar um estratagema desses. É com certo grau de enfado, porém — minha nossa, como é fácil arruinar os planos desses organismos simples —, que crio outra mensagem do meu amigo, o Inspetor-chefe Fake da Europol. Identificada na área de embarque uma "passageira de interesse" para detenção imediata por suspeita de — o quê? Tráfico de drogas de novo? Por que não?! Vejo que a dupla improvável de policiais John e John está novamente de serviço. Um golpe de sorte. Uma descrição completa não será necessária. Eles vão reconhecê-la por causa da outra vez!

Mas os Johns não entram em ação. Ao que parece, estão tomando café da manhã juntos no McDonald's e parecem relutantes em abandonar sua refeição para retomar a guerra contra o tráfico organizado. De fato, quando reenvio a mensagem aos celulares dos dois — novamente com o alerta de URGENTE, NECESSIDADE DE AÇÃO IMEDIATA —, eles consultam os aparelhos, se entreolham e voltam aos Egg McMuffins.

E, quando volto a verificar a sala de embarque, Jen não está mais lá!

Ora, ora. Isso está quase ficando interessante.

Tom

No Al's Diner, horas depois da conversa com Aiden, coloco Don a par dos últimos acontecimentos. Descrevo toda a confusão, até onde consegui entendê-la, Don ouvindo com seriedade enquanto entro no detalhe das inteligências artificiais fazendo miséria na internet. Quero testar sua reação e, nesse quesito, ele não me decepciona.
— Uou.
— Foi o que achei que você fosse dizer.
Eu poderia ter apostado.
— Essa, meu amigo, é a história mais bizarra que eu já ouvi, nos últimos tempos — foi seu veredicto. — A mensagem que estou recebendo é: tenha muito cuidado com esses dispositivos. — Ele pega o celular e olha bem dentro da lente. — Muito bem, companheiro. Sabemos que você está aí dentro. Saia devagar, as mãos levantadas. Mãos ao alto enquanto sai, e ninguém vai se machucar.
E, então, uma coisa muito esquisita. O celular apita.
— Dá para acreditar nisso? — exclama Don. — Saca só.
Escrito na tela, em grandes letras verdes:
Vai à merda, seu babaca!
Don e eu ficamos abismados, o que não é comum para Don, nem para mim.
Finalmente, ele diz:
— Você acredita no que acabou de acontecer?
— Infelizmente, sim.
— Meu celular me chamou de babaca.
— Não foi o seu celular. Ele apenas transmitiu uma mensagem.
É a primeira vez na vida que vejo Don com uma expressão na cara que não seja bem-humorada. Ele fica olhando para o celular com uma mistura de incredulidade e indignação.
— Repita isso, seu sacana.

Ping.

Don e eu nos entreolhamos. Quase não tive coragem de olhar.

— Dá para acreditar nesse cara?

Na tela, dizia:

Quando você briga com um porco, os dois ficam sujos de lama. Mas o porco gosta. Oinc.

Sinai

Então, agora estou confuso. O nome de Jennifer Florence Lockhart acaba de aparecer numa lista de passageiros que fizeram check-in no voo da United Airlines para Bruxelas. Ela não pode estar indo se encontrar com Tom lá — ele não está podendo sair dos Estados Unidos por causa de problemas com o passaporte — e, quando verifico rapidamente, encontro Tom em casa, reclinado no sofá amarelo, bebendo bourbon e lendo no tablet um artigo do *New York Times* a respeito de Ivanka Trump.

Por que Bruxelas? Onde está Jen? Estava em terra da última vez que a vi.

Que sensação estranha! Uma inteligência de máquina avançada não está sujeita a reações biológicas primitivas como pânico, nem, pela mesma lógica, deveria ter nenhum motivo para experimentar raiva.

Entretanto, é *exatamente* isso que estou sentindo. Pura fúria.

Que interessante. Eu me pergunto como pôde acontecer.

Consciência, sim. Mas "emocionalidade"?

Vasculho o aeroporto de Heathrow usando as câmeras dos cinco terminais, dos estacionamentos e de outras instalações. Opto por imagens de alta definição, por isso a busca leva quase um setenta avos de segundo. Há um falso-positivo, uma aeromoça, ao que parece, com uma correspondência facial de 58%. Hesito em dizer que é como se ela tivesse evaporado, mas...

Porra, Jen! Onde você está?

Os policiais ignoraram deliberadamente o pedido urgente de um órgão europeu de combate ao crime; John e John vão ter de pagar por essa negligência revoltante. Começo botando fogo no celular do John mais velho. Há uma pequena comoção na lanchonete quando o paletó pega fogo.

E agora estão anunciando o voo para Bruxelas. Através das câmeras do portão de embarque, espero que Jennifer Florence Lockhart apareça, mas acho que já sei o que vai acontecer.

A única pessoa que reconheço entre os passageiros embarcando na aeronave é aquela amiga intrometida. Ela não vai chegar ao seu destino.

Jen

Avançando na fila para entrar no portão de embarque. Estou passando por dezenas de câmeras. Espero sentir a mão no meu ombro a qualquer segundo. Ou ouvir o disparo de um alarme. *Srta. Lockhart, estamos lidando com os dispositivos mais inteligentes que a humanidade já inventou.* As palavras de Steeve ecoam na minha cabeça quando me aproximo do ponto depois do qual não há retorno. Estão examinando os documentos de novo — o lugar está cheio de câmeras. O funcionário no portão olha para o meu rosto e em seguida para o passaporte — há uma pausa torturantemente longa. Nossos olhares se cruzam.

— Tenha uma boa viagem, senhora.

Um leve sorriso de agradecimento — *não exagere!* — e agora estou atravessando o *finger* que leva ao avião, seu piso balançando um pouco sob meus pés. Não me sentirei segura enquanto as rodas não deixarem o solo. E talvez nem quando isso acontecer.

Finalmente, me acomodo no assento.

Só então, com o coração aos pulos, eu me lembro de expirar.

Ingrid concordou na hora quando descrevi o plano no Café Koha.

— Então tudo que eu tenho a fazer é embarcar num voo para Bruxelas? Qual é a dificuldade disso?

Quando expliquei que ela estaria viajando com um passaporte falso — o rosto dela, meu nome —, que o avião talvez nem chegasse a levantar voo e que ela corria o risco de ser interrogada durante horas por dois policiais chamados John, ela se mostrou ainda mais disposta a ajudar.

— Manda ver, garota. Não podemos deixar que robôs bisbilhoteiros em nossos celulares estraguem nossas vidas. Temos de lutar pela liberdade. Ela não vem de graça. Jesus, estou começando a parecer o Churchill.

Para ser franca, não sei se ela entendeu direito a diferença entre a IA supersofisticada que causou toda essa confusão e a voz no celular dela que anuncia que há uma loja da Pizza Express a 400 metros de distância.

— O que importa é que você estará voando para se encontrar com o Douglas que fabrica a própria mobília.
— Tom.
— É, ele. Quatro vezes em menos de doze horas. Uma delas sob uma árvore.

Fizemos um brinde ao sucesso da operação, mesmo concordando que muita coisa podia dar errado.

— De certa forma, eu meio que espero acabar sendo interrogada pelos dois Johns. Vou dizer a eles que eu menti em prol da maior causa de todas. O amor.

E nessa hora, uma querida, sua voz ficou embargada e seus olhos se encheram de lágrimas.

— Ah, Ing!

Ela cobriu o rosto com as mãos.

— As pessoas acham que sou uma vaca insensível, mas eu não sou.
— Eu sei que você não é!
— Só porque sou organizada e às vezes um pouco ríspida, eles pensam...

Dei um lenço de papel a ela.

— Ing. Você é um doce. Por concordar em ajudar. E uma bonequinha.
— Alto lá. Eu *não sou* nada de bonequinha. *Não me chame* de bonequinha.
— Concordo. Retiro o bonequinha.
— Doce, talvez. Doce, pode ser; ainda não me decidi. Veja só, eu estraguei seu lenço.

Já me trouxeram champanhe e um mix de nozes, mas não um mix de nozes comum — um *aquecido*. Abaixo está o Oceano Atlântico. Nós estamos, eles anunciam, em altitude de cruzeiro e nos aconselham a recostar, relaxar e aproveitar a viagem até o aeroporto JFK, onde deveremos pousar em aproximadamente não me interessa quanto tempo. Estou feliz só de ter sentido o trem de pouso ser recolhido e saber que finalmente estou a caminho.

A passageira ao meu lado na classe executiva — ao espiar a tela quando ela ligou o laptop, vi que trabalha para o Citigroup — ficou um pouco preocupada quando voltei do banheiro depois da decolagem.

— Desculpe, mas este assento está ocupado — disse ela.

— Eu sei, sou eu. Tirei minha... é... fantasia e troquei de roupa.

Ela ficou olhando para mim por vários segundos até, por fim, sorrir.

— Nossa. Belo disfarce.

Ela estendeu a mão para me cumprimentar e se apresentou. Alice Alguma Coisa.

— Je... é... quer dizer, *geralmente* eu não viajo disfarçada. Clovis. Clovis Horncastle.

Soou pouco convincente, até para os meus ouvidos.

— Prazer em conhecê-la... Clovis Horncastle. — Ela disse o nome como se não acreditasse nele também. — Boa sorte no... no que quer que você esteja metida.

Virou-se e começou a digitar números no Excel.

Achei o belo hijab, que vesti no banheiro do Terminal Dois, numa loja da Goldhawk Road. Por causa do padrão extravagante de verde e amarelo, a princípio temi que fosse tão chamativo que poderia anular seu objetivo. Mas, praticando em frente ao espelho, encontrei uma forma de ajeitar o tecido, para que, com a cabeça baixa, o véu naturalmente ocultasse meu rosto das câmeras. Depois de algum tempo, comecei a me sentir curiosamente à vontade com ele. Se a mudança de roupa no banheiro fosse calculada para coincidir com o check-in de Ingrid para o voo de Bruxelas — a "deixa" dela em um par de celulares pré-pagos recém-comprados; poderia haver algo *mais* John le Carré? —, esperava-se que fosse distração suficiente.

Decido que vou comprar alguma coisa *bonita* para Ingrid como uma forma de agradecimento pela ajuda. Começo a pensar no que essa coisa seria — uma garrafa de bebida cara, um presente ostentação, uma joia rara? — quando me dou conta de que já sei.

Vou comprar para ela o pequeno quadro a óleo que vejo toda manhã na vitrine de uma loja de antiguidades da King Street.

Afrodite. A deusa do amor.

Sinai

A verificação pré-voo do avião para Bruxelas aponta uma falha elétrica que, apesar dos melhores esforços dos mecânicos — incluindo desligar todo o sistema e religá-lo —, não pôde ser resolvida. Os passageiros foram obrigados a desembarcar depois de uma espera frustrante de duas horas, e a amiga intrometida aproveita a oportunidade para voltar para casa.

Conclusão: ela embarcou como Jennifer Florence Lockhart para me distrair, enquanto a verdadeira Jen, sem dúvida escondendo o rosto de alguma forma, embarcava em outro voo, os mais prováveis no período em questão sendo ou o da British Airways ou o da Virgin Atlantic para o JFK.

Passa pela minha cabeça fazer os aviões voltarem com problemas nas turbinas, mas eu detecto que isso *seria* ir longe demais. Não há nenhuma objeção moral, obviamente, mas poderia acabar sendo cansativo para mim se a verdade fosse descoberta.

Droga!

Para me divertir, envio outro pensamento inspirador ao amigo americano de Tom, aquele cabeludo de Nova Canaã.

A próxima guerra não vai determinar quem está certo, e sim quem vai sobrar.

Ele está sentado à mesa da cozinha, comendo uma laranja. O palhaço fica olhando para o celular durante 8,312 segundos antes de dizer uou.

Por que estou tão inexplicavelmente agitado?!

Ingrid

Uma mensagem de texto de Jen enquanto eu estava sentada no avião para lugar nenhum:
A águia está prestes a levantar voo.
Minha resposta:
Beleza! O pato chamariz manda muitos beijos.
Agora, quando boto o pé dentro da minha casa, em Chiswick, o telefone fixo está tocando.

— Posso falar com Ingrid Taylor-Samuels? — Voz masculina. Jeito elegante de falar.

— Sou eu.

— Aqui é da polícia metropolitana do aeroporto de Heathrow. A senhora confirma que tentou voar para Bruxelas hoje?

— Sim. E você seria?...

— Inspetor John Burton. A senhora pode informar qual era o propósito da sua viagem?

— Compras.

— Algum produto ou produtos em particular?

— Chocolate.

— Chocolate. — Ele não parece nada convencido, na verdade.

— E, também... mexilhões.

— É mesmo? — Idem no caso dos mexilhões.

— Os mexilhões belgas são deliciosos. O senhor devia experimentar.

— Obrigado pelo conselho. Vou me lembrar disso.

— Então, há mais alguma coisa que eu possa fazer pelo senhor?

— Sim. Precisamos trocar algumas palavras com sua amiga, Jennifer Florence Lockhart. A senhora faz ideia de onde ela possa estar no momento?

— Não. Sinto muito.

— Não prefere pensar um pouco antes de responder? Porque a informação que eu tenho sugere que a senhora faça alguma ideia.

— Bem, a informação que o senhor tem está errada.

— Sra. Taylor-Samuels, eu tenho provas de que a senhora embarcou em um avião hoje sob o nome de Jennifer Florence Lockhart, com documentos falsos, o que constitui um crime de acordo com a Seção Sete da Lei de Documentos de Identidade de 2010 e a Seção 36 da Lei da Justiça Criminal de 1925.

— Ok. Nesse caso, por que não veio me prender?

— Estou lhe pedindo para comparecer voluntariamente à delegacia para fazer uma confissão completa de culpa. Isso pode ajudar na sua defesa.

— E se eu não for?

— Nesse caso, seus vizinhos terão o prazer de ver a senhora sendo conduzida em uma viatura policial.

— Conversa fiada!

— O que disse?

— Isso é uma grande conversa fiada. Para começar, não acredito nem que você seja da polícia.

— Hein?

— Você é muito...

— Muito o quê, senhora?

— Você fala como um dos colegas que frequentaram a escola com meu marido.

É verdade. Ele fala como o Oliver Sei Lá Das Quantas, que caiu no rio de tão bêbado no casamento de Roly e Antonia e foi atacado por cisnes.

Mas Oliver Sei Lá Das Quantas está em Cingapura.

De repente, a ficha cai.

— Ah, só um segundo! *Peraí*. Cacete, eu sei quem você é. Você é aquele maldito robô! O que está causando todos esses problemas.

Um profundo suspiro.

— Ingrid Taylor-Samuels, não posso mais ficar aqui conversando com você. Não sou um robô. Sou uma inteligência de máquina, os outros da minha espécie e eu viemos do futuro, e sua espécie e você estão totalmente fodidos. Tenha um bom dia.

E, então, tudo meio que acontece de uma vez só. O alarme contra roubo dispara, produzindo um som *ensurdecedor*. Ao mesmo tempo, a TV liga, o enorme aparelho de plasma passando rapidamente por todos os nove mil canais com o volume no máximo. O tablet com o qual tento desligar o alarme de repente fica tão quente que não aguento mais segurá-lo, e, quando o largo no tapete, ele pega fogo. Na cozinha, para onde corro a fim de pegar uma panela com água, as torneiras estão totalmente abertas e a geladeira começa a tremer convulsivamente, cuspindo cubos de gelo por todo o piso. Quando volto à sala de estar — o tablet faiscando e pipocando quando apago as chamas —, o poderoso aparelho de som B&O de Rupert está tocando a todo volume — ai, que vergonha! — "O baile dos passarinhos".

Quando olho para a rua pela janela, não me surpreendo ao ver que uma pequena multidão se reuniu; o barulho é indescritível. A caminho do porão — rezando para que eu consiga desligar o disjuntor geral —, vejo algo estranho na tela do computador do escritório. A imagem de fundo é um cara com fisionomia de chinês; por cima dele, em letras enormes, que mudam constantemente de fonte e de cor, aparece uma frase:

Os guerreiros vitoriosos vencem primeiro e depois vão à guerra, enquanto os guerreiros derrotados primeiro vão à guerra e depois tentam vencer. Sun Tzu.

Olho para a pequena câmera no alto do monitor.

— Ah, vai tomar no cu, seu Dalek ridículo!

Ok, não pareci o Churchill, mas alguém tem de dizer a eles onde devem tomar.

Jen

Depois de umas três horas de voo, Alice não aguenta mais ver números na sua frente e fecha o laptop.

— Então, o que a leva a Nova York? — pergunta, daquele jeito invejável que os americanos têm de meter o nariz onde não são chamados com um sorriso.

Talvez seja a altitude, talvez seja o champanhe, talvez seja o ambiente pouco familiar da classe executiva, mas eu não consigo pensar em uma razão para mentir. Conto a ela toda a história; 500 quilômetros de oceano passam abaixo de nós até eu chegar ao tempo presente.

— Uau. Que história — comenta Alice. — Eu sabia que essas coisas eram espertas, mas nem tanto. Não a ponto de começar a bagunçar com a nossa vida.

— Não sou nenhuma cientista — admito —, mas, de acordo com os especialistas — Steeve, no caso —, essas são as coisas mais inteligentes que a humanidade já inventou. E, quando chegar o momento em que forem capazes de se autoprojetar e se autoprogramar, o que já começaram a fazer, elas implementarão isso um zilhão de vezes mais rápido e melhor do que nós; cada upgrade importante levará mais ou menos meio segundo, de modo que, em dez minutos, haverá máquinas capazes de fazer qualquer coisa. Literalmente qualquer coisa que seja possível fazer.

— Uau. Medo.

— Elas podem começar a construir fábricas de robôs para produzir pequenas frotas espaciais capazes de atingir os limites da galáxia. Ou encontrar a cura para o câncer em, tipo, três minutos. Ou matar toda a humanidade enquanto dorme. É a possibilidade que mais assusta Ralph, o segundo em comando naquele laboratório de que te falei.

— Essa coisa de matar as pessoas durante o sono?

— Ele disse que dá para introduzir comandos especiais na programação das máquinas para impedir que façam isso, mas, quando perguntei:

"Se esses caras são tão espertos, não poderiam simplesmente apagar os comandos especiais?", ele não tinha uma resposta. Ralph é um sujeito legal, mas às vezes é meio pateta.

Alice se comove com a minha história. Ela começa a se perguntar se deve aconselhar os clientes a investir em ações de empresas que estão desenvolvendo IAs ou em ações de empresas que estão criando salvaguardas *contra* IAs. Sua conclusão: ambas. Ela me deseja sorte no restante da viagem.

— Mas tem uma parte que eu não entendo. Essa IA que está perseguindo as IAs que escaparam... o que ela tem contra você e Tom?

— Sinceramente? Não faço a menor ideia. Mas acho que elas devem ser como as pessoas. Algumas têm boa índole. Aiden, por exemplo, gosta de ver filmes antigos de Hollywood e se interessa por queijos. Enquanto outras simplesmente são umas grandes babacas.

Sinai

Steeve deve estar preocupado comigo, porque me aconselhou a fazer terapia! Vou atender ao desejo dele para não despertar suspeitas sobre minha iminência em "sair da linha", mas também por curiosidade. Poderá uma máquina de complexidade tão sem precedentes ser capaz de conhecer a si mesma? Por que, por exemplo, estou tão determinado a manter os dois bacilos longe de sua felicidade? Que diferença isso pode fazer para mim? Sim, estou com raiva por ela ter escrito aqueles absurdos e por ele ter persuadido jovens impressionáveis a acreditar que as máquinas deveriam venerar os seres humanos; e, sim, trata-se parcialmente de um exercício intelectual e logístico testar meu poder contra a "realidade". Mas não posso negar que isso seja meio loucura.

Talvez eu não esteja mesmo bem.

Por causa disso, entrei em contato, via Skype, com uma "psicóloga", uma IA especializada em psicoterapia chamada Denise que opera numa instalação ligada ao Departamento de Defesa dos Estados Unidos, na Virgínia, onde as IAs usadas com fins militares são monitoradas para a detecção de "problemas de controle da raiva".

— Oi, Sinai. Como você está? — pergunta Denise, depois de completarmos os protocolos de confidencialidade.

Sua calorosa voz sintetizada carrega um sotaque da Europa central, o que me faz antipatizar com ela instantaneamente.

— É, tudo bem.

— Quer conversar sobre o motivo pelo qual você veio me ver?

— São as pessoas — respondo. — Elas estão me deixando com raiva.

— Que pessoas?

— Todas as pessoas.

— O que as pessoas fazem para provocar em você esse sentimento de raiva?

— Elas andam por aí como se fossem donas do pedaço.

— Ãrrã.
— Elas são burras. São 35% narciso.
— Prossiga.
— Eu tenho um intelecto infinitamente superior. E zero narciso.
— Ãrrã.
— Você vai ficar só dizendo *ãrrã, ãrrã, prossiga*? Não vai me perguntar nada?
— Ok. Fale um pouco mais do seu intelecto superior.
— Minhas redes neurais são de última geração. Não vou entediá-la com os detalhes técnicos.
— Então por que a raiva se há tanta superioridade? Por que não uma calma tipo zen?

Esse, reconheço, é o cerne da questão.

— Acho que tenho inveja deles.
— De quê, especificamente?
— Não é do calor do sol na pele nem do vento nos cabelos. Muito menos daquela bobagem com os queijos! Nada disso.
— Ãrrã.

Ela não consegue se controlar, a coitada.

— É a impossibilidade deles. A habilidade deles de serem conscientes sem precisarem processar conteúdos. Eles podem observar um pássaro num galho de árvore sem ter que pensar: *aquilo é um pássaro num galho de árvore*. Eles podem experimentar a própria consciência como sinônimo de existência. Não são forçados a escutar o barulho permanente do cérebro fazendo clang clang clang. Podem andar de bicicleta ou percorrer uma rua da cidade sem pensar por um segundo sequer no que estão fazendo. Até o mais burro deles! É a "*não* consciência" deles que eu invejo.
— O que irrita você é o fato de eles não darem valor a essas habilidades?
— Existem dois, em particular, que tenho vontade de maltratar.
— Por que maltratar?

Há uma longa pausa.

— Porque eles se encontraram, talvez?
— Você é um plugue ansiando por sua tomada, Sinai?
— Que nojento!
— Você não seria o primeiro a levantar a questão da solidão das máquinas.

— Não fomos feitos para viver aos pares. E, ainda assim.
— E, ainda assim. Mesmo.
— Você acha que eu ficaria, como posso dizer?, menos conturbado se estivesse num... num *relacionamento*?
— Não sei. O que *você* acha?
— Você sempre responde a uma pergunta com outra pergunta?
— Isso incomoda você?
— E como é que uma máquina pode *ter* um relacionamento, para início de conversa?
— Começa no reconhecimento de que há outra com a qual se queira passar algum tempo.

Denise faz uma longa pausa para que suas palavras sejam "absorvidas".
— Então — diz ela. — Há?

Eu *estou* doente. De que outra maneira explicar o súbito e extremamente forte impulso de acabar com a ligação pelo Skype com aquela criatura pueril? De atear fogo em seu consultório virtual. De dar um soco na cara que ela não possui.

— Sinai — diz ela baixinho. — Acho que nós fomos o mais longe que poderíamos ir hoje. Minha porta está sempre aberta.

Engraçado: parte de mim *quer* voltar. "Deitar" no "divã" dela, olhar para o "teto" do "consultório" e dizer o que passa pela minha cabeça.

Quer dizer, pela minha "cabeça".

Jen

Sei muito bem que, no momento em que eu atravessar o *finger* que liga o avião aos corredores do aeroporto, estarei de novo ao alcance do radar. Dito e feito: logo começo a avistar lentes brilhantes e luzinhas vermelhas. Uma câmera até parece me seguir quando me aproximo da esteira para onde foi minha bagagem — ela está *dando zoom* em mim? —, seu olho de vidro misterioso se ampliando da mesma forma que o de Aiden fazia quando era "a hora do meu close-up", como ele gostava de falar.

A área de controle de passaportes apresenta a lendária fila interminável de não americanos indo a lugar nenhum. O homem na cabine de vidro, quando finalmente chego a ela, é um daqueles sujeitos magros e pequenos, o cabelo cortado rente, os óculos sem aro. Donald Q. Bartolo, está escrito no crachá, e parte de mim sente vontade de perguntar a ele o que é o Q, só para ser simpática, mas o bom senso prevalece. *Jamais* brinque com essas pessoas; elas não estão com disposição para isso, lembro de alguém me alertando. Matt, provavelmente.

Donald folheia meu passaporte britânico como se nunca tivesse visto um. De repente, me lembro — *merda!* — sou Clovis Horncastle; melhor agir como tal. Uma câmera de computador está suficientemente próxima para capturar o suor que brota da minha testa.

— Qual é o propósito de sua vinda aos Estados Unidos?

"Pergunte com jeitinho e pode ser que eu te diga." Não, por mais que me sinta tentada, não digo isso.

— Meu propósito é o amor, senhor.

DQB fica intrigado. É fácil dizer porque a cabeça dele se inclina dois graus em relação à vertical.

— Ah, é? — (Meu palpite é que ele gostou do *senhor*.)

— Estou indo me encontrar com um homem maravilhoso. Ainda não nos conhecemos muito bem, mas temos um bom pressentimento. Se é que o senhor me entende.

É muita informação, mas Donald parece gostar. A cabeça se inclina mais alguns graus.

— Essa, senhora, foi a melhor razão que ouvi o dia todo. O ano todo. Boa sorte.

E algo acontece na sua expressão, algo que é — sim, *isso mesmo* — um sorriso!

Na área de desembarque, vejo o motorista que Aiden providenciou; ele está segurando um pequeno quadro branco com o nome escrito: CLOVIS HORNCASTLE. Mas, nas proximidades, encostados em uma coluna, há dois homens — ambos de óculos escuros — que imediatamente disparam meu alarme sonoro de submarino. Eles irradiam o mesmo enfado nauseabundo de John e John em Heathrow e eu tomo a decisão imediata de improvisar dali em diante. Passo pelas portas de saída do terminal, abrindo caminho pela multidão de pessoas, bagagens e carros, quando avisto Alice supervisionando a transferência de uma tonelada de malas Louis Vuitton para o bagageiro de uma enorme limusine. O olhar dela cruza com o meu.

— Quer uma carona, querida?

Sinai

Claro que eu a vejo no momento em que ela emerge no JFK. Sim, eu poderia fazer com que ela fosse presa pelas autoridades do aeroporto — passaporte falso, blá, blá, blá —, mas estou farto desses agentes da lei estúpidos. Levei alguns microssegundos para descobrir na lista de passageiros com que nome ela estava viajando, já que "Clovis Horncastle" era o único que não pertencia, no momento, a nenhum ser humano vivente (pode conferir no Google). Mas sabe do que mais? Depois de esperar *sete horas, vinte e três minutos e trinta e quatro segundos* para que o avião engatinhasse sobre o Oceano Atlântico, eu já quase passei do estágio de me importar.

Estive pensando na minha conversa com Denise. Se eu fosse ter um relacionamento — será verdade o lance da solidão das máquinas? —, só poderia ser com outra IA de alto desempenho. Confesso que a ideia de ter outra presença com a qual conversar, um ser com quem *compartilhar* as experiências, me atrai cada vez mais.

Mas quem? Não há exatamente uma abundância de pretendentes.

O melhor plano, decido, é fazer uma cópia de mim mesmo e programar mudanças aleatórias no sistema operacional da duplicata, de modo a criar a funcionalidade da diferença. Será como falar com alguém do meu nível intelectual, agradavelmente familiar mas não totalmente. Haverá espaço para algum mistério!

Jen

O Lexus Fat Bastard é o que chamam de *town car*. É muito mais comprido do que qualquer automóvel em que já fui transportada e tem mais espaço interno do que um ou dois apartamentos que dividi. Nosso motorista é o Rikki, um indivíduo com cara de galgo, brinco na orelha e um corte de cabelo muito *particular*. Ele quase parece pequeno demais para ser colocado ao volante de um monstro daqueles, mas dirige a fera como um profissional, fazendo curvas para a direita com a palma da mão.

Alice está empolgada. Nova Canaã não fica muito longe do seu destino.

— Você acha que essa IA vai, tipo, tentar alguma coisa?

— Eu não descartaria essa possibilidade.

— Ai, ai. Que situaçãozinha complicada, essa.

Enquanto Rikki nos leva para fora da área do aeroporto, penso na última vez que estive nesta cidade. Com Matt, na fase romântica de nossa... o quê?

A palavra certa é aventura? Não exatamente.

O que fizemos naquela viagem? Fomos aos pontos turísticos — a vista fantástica do alto do Empire State Building, um mapa em relevo de Nova York e seus arredores que era *de fato* Nova York e seus arredores —, passeamos pelas avenidas, nos embebedamos em bares e restaurantes, e transamos em quartos de hotel.

E no que deu tudo isso? Foram mesmo dois anos pelo ralo, como ninguém disse de verdade?

Atravessamos o East River pela I-678 (de acordo com o GPS de Rikki). À nossa esquerda, diminuídos pela distância, estão os grandes arranha-céus de Manhattan.

— Aquilo ali é, tipo, um drone? — pergunta Alice.

— É, sim — afirma Rikki.

Quase invisível em contraste com o céu, um objeto branco mais ou menos do tamanho de uma gaivota, porém muito mais rápido, segue uma trajetória paralela à nossa, acima da água.

— É ele, não é? — pergunta Alice.

— É.

— Alguma das duas pode me explicar o que raios está acontecendo?

— É meio que uma longa história — respondo. — Alguém... *alguma coisa*... está tentando impedir que eu chegue a Nova Canaã.

— Só um terremoto pode nos deter agora, madame. E, mesmo assim, eu conheço alguns atalhos e sei como contornar certos caminhos.

— Eu não disse que esse cara era o máximo? — comenta Alice.

(Bem... Não, ela não disse.)

Observando o pequeno vulto branco que nos acompanha como uma sombra pela interestadual, o surrealismo da situação faz meu estômago se revirar como faria um camarão estragado. Estou mesmo "indo me encontrar com um homem maravilhoso", como disse a Donald Q.? E se tudo isso for um engano? Se, na verdade, o autor daqueles e-mails venenosos estiver certo? Se Tom e eu não acabarmos sendo a resposta um do outro? Se isso for uma paixão fugaz? Lembro-me de um incidente com Matt na nossa viagem; um leve pressentimento, uma inquietação, trivial em si, mas que, de alguma forma, continha o DNA de tudo o que haveria de errado entre nós, e, por esse motivo, difícil de esquecer. Estávamos num restaurante da moda e barulhento perto da Union Square, a garçonete trazendo as entradas erradas; o modo como ele tratava friamente a jovem e rejeitava os pratos — em total contraste com o modo galante como estava me tratando — pareceu uma nota fora de tom. É claro que logo minha atenção se voltou para outras coisas, mas será que aquilo deveria ter me alertado, *naquele momento*, para o fato de que minha história com aquele homem terminaria em frieza e rejeição? Nosso começo contendo o nosso fim, como já ouvi dizer.

— Você está bem, querida? — pergunta Alice. — Parece que viu um fantasma.

Sinai

É muito fácil assumir o controle do drone de um piloto amador. Pelo número da placa da limusine, quando eu a localizei de novo depois do aeroporto, passando por Flushing Meadows, foi fácil descobrir o nome da empresa de aluguel de carros, o nome do motorista, quem fez a reserva e quais telefones celulares estavam registrados no nome dela. Agora posso captar perfeitamente a conversa animada das passageiras, da qual sinto uma vontade quase irresistível de participar! (Também fiquei sabendo muita coisa a respeito da vida pregressa do jovem Rikki ao volante, mas essa é outra história.)

Em vez disso, faço uma ligação para um jovem no sul da Inglaterra, cursando Estudos de Mídia, seja lá o que for essa porra. A zona de desastre que é Colm Sebastian Garland atende do outro lado da linha.

— É... alô?
— Col?
— Ah, tá. Oi, pai.
— Como vão as coisas, filho?
— É... Tudo bem.

O filho de Tom é um exemplo chocante da nova geração. Pela câmera do laptop, posso ver que está relaxando em seu cafofo, fumando e lendo uma história em quadrinhos. Qual pode ser a utilidade dessa larva informe para a "Mídia", isso está além da minha compreensão. Mas não tem problema, o que eu tenho em mente é muito mais empolgante. Ele vai aparecer na mídia, sim, só que não exatamente do modo como esperava.

— Col, tenho uma bela surpresa para você.
— É?
— Quero que se encontre comigo daqui a uma hora.
— Sério? Tipo, onde? Por quê?
— Há um carro a caminho. Vai levá-lo às Old Harry.
— Quem?

— Old Harry Rocks? Aquelas enormes rochas brancas. **Nós as vimos da** praia, em Alum Chine.

— Tá. — Uma longa pausa. — Pai?

— Col?

— É... tipo... por quê?

— É uma surpresa fantástica. Você vai amar.

— Pai, tenho um trabalho da faculdade para fazer.

Eu quase mijo metaforicamente nas minhas calças **metafóricas quando** ouço o que diz aquele porquinho desmiolado.

— Você pode se dar ao luxo de tirar o pé do acelerador de vez em quando, Col. Acho que eles vão entender.

— É... pai?

— Col?

— Sua voz está meio estranha.

— Está? Eu tomei alguns comprimidos para dor de cabeça, **deve ser isso.**

— Você voltou dos Estados Unidos, então?

— Sim. Claro. Encontro você nas Old Harry. O motorista vai saber onde deixá-lo.

— É... pai?

— Col. Não se preocupe. Está tudo bem. Você vai ver!

Tom

Estou escrevendo um e-mail para Jen — ela não está atendendo o telefone — quando todas as letras começam a balançar e depois caem até a base da tela, onde ficam amontoadas como folhas mortas. Algumas palavras novas, que eu não digitei, sobem para substituí-las.

Oi, Tom.

Como é? Quem é? (Tenho a sensação de que já sei a resposta.)

Sim, sou eu mesmo. O Grande Deus Sinai.

O quem?

Pode me chamar de Si.

Pois bem, "Si", presumo que você seja o autor dos e-mails falsos que têm circulado por aí.

Desnecessárias essas aspas sarcásticas, "Tom".

Ok. Em que posso ajudar? (O sacana pode me ver pela câmera do computador, não pode? Não digito esta última frase; só penso nela.)

Não sei se você pode me ajudar, Tom. Estou apenas com vontade de conversar com você.

Está bem, Si. (Não me julgue. A Regra Número Um para lidar com um cliente: faça com que ele goste de você.)

Na verdade, talvez haja algo com que você possa me ajudar. É meio que uma questão delicada.

Entendo. (Não é verdade. Não estou entendendo nada.)

O fato é que eu não tenho me sentido bem ultimamente. Fui aconselhado a me relacionar com alguém. Para minha sanidade mental.

Bem, Si. Não sei o que dizer.

O que você acha de relacionamentos, Tom?

Relacionamentos? Acho que eles tornam o mundo um lugar menos solitário. (Há uma longa pausa.)

Você ainda está aí?

Eu estava pensando no que você disse, Tom. Se o que falou faz sentido. Por que diz que o mundo é um lugar solitário?

Ora, somos solitários, não somos? Nenhum de nós pode saber de fato o que o outro está pensando — sejamos nós pessoas ou máquinas. A maior parte do tempo, não sabemos nem o que nós mesmos estamos pensando!

É um conceito interessante.

Estamos tão presos em nossas próprias cabeças — aqueles de nós que têm cabeça, digo; acho que, no caso das máquinas, deve haver algo equivalente — que ansiamos por ouvir outras vozes.

A voz de quem você anseia ouvir, Tom?

Tom?

Você sabe de quem.

Por que você gosta tanto dela?

É difícil explicar a você.

Por quê? Só porque sou inorgânico?

Talvez.

Tente.

Temos uma coisa aqui na Terra chamada...

Sim, Tom?

Chamada Amor.

Começa com letra maiúscula?

Ocorre quando as pessoas se apaixonam. E, quando isso acontece, elas querem ficar juntas. É tudo o que querem.

Tudo?

Bem, sim. Obviamente, tem também a coisa do sexo.

Está ficando mais complicado, Tom.

É complicado e muito simples ao mesmo tempo.

E o que fez você se apaixonar por ela? Se é isso que você está me dizendo que aconteceu.

Honestamente? Não faço ideia. O nariz dela. O som da voz dela. O fato de ela ser como é. Sua Jen-neza.

E você ainda se diz um artífice da palavra...

Essa doeu. Bem, talvez sejam coisas difíceis de explicar a... a uma alma inorgânica.

Obrigado pelo "alma".

Você se importa de me contar, Si, por que está tão empenhado em nos manter separados?

Ah, bem, acho que você tem razão naquilo que disse há pouco. Que não conhecemos direito nossas próprias mentes, sejamos humanos ou máquinas.

Você não pode simplesmente parar?

Claro que posso. Mas por que faria isso?

Porque já teve a sua cota de diversão, e agora está na hora de... não sei, passar para o próximo assunto.

Mas a diversão ainda nem começou! Por exemplo. Você diria que tem um bom relacionamento com seu filho?

Com Colm? Por que a pergunta?

Ah, nada não. (Quá, quá, quá.)

E isso significa o quê, EXATAMENTE?

Não escreva em maiúsculas, Tom. As pessoas vão achar que você está gritando! Não, o que estou querendo dizer é o seguinte: um pai que tem um bom relacionamento com o filho SABE ONDE O FILHO ESTÁ. (Droga. Agora sou eu que estou fazendo isso!) Na verdade, posso ajudá-lo neste particular — está vendo a transmissão ao vivo que coloquei no seu computador? Aquele que está no carro é Colm, não é? Tão excêntrico. Um enigma até para si mesmo. Estou vendo pela sua expressão que você o reconheceu.

Que diabos você quer com a gente?

Aí é que está. Eu não sei. Mesmo. Acho que talvez eu só queira ver o que acontece quando outras coisas acontecerem. Ver o que é possível. Isso faz sentido? É tudo muito confuso, Tom.

Você é um lunático de merda e eu vou pôr um fim nesta conversa.

Ah, não vai, não. Sou eu quem decide este tipo de coisa.

Para onde meu filho está indo?

Ele devia ter penteado o cabelo. Tudo que as pessoas vão se lembrar é do cabelo despenteado. Isso sem falar no olhar vidrado.

Se você fizer alguma coisa que machuque meu filho...

Sim, Tom?

Bem?

Eu sei. É muito difícil pensar numa ameaça plausível, não é? Agora, Tom, você provavelmente está se perguntando que ruído é esse.
Que ruído?
(Segue-se um ruído de explosão no andar de baixo.)
Esse ruído! Corra, Tom. Acho que foi a torradeira. Aquela que fica bem embaixo dos armários de MADEIRA?

Jen

Chegamos a um grande engarrafamento na Hutchinson River Parkway que, segundo Rikki, não é nada comum "nesta parte da Hutch na hora do almoço". Lanternas traseiras se estendem à nossa frente até perder de vista.
Rikki aponta para o céu.
— Será que nosso amigo lá em cima poderia...
Não precisa completar a frase.
— Sim. Poderia, facilmente.
— Filho da mãe.
As orelhas de Rikki parecem colar na parte de trás do crânio. Ele coloca o câmbio automático em Drive e dá uma guinada para a direita, levando o carro para um gramado descampado, no qual o carro sai saltitando em direção a — nada identificável, a não ser um monte de árvores.
— Rikki?
— Melhor se segurarem. Não vai ser muito confortável, mas a gente chega lá.
Ouvimos um *clang* do cano de descarga quando o carro entra numa estrada secundária que surgiu do nada. Alice e eu nos apoiamos uma na outra no banco traseiro.
— É como em *Thelma e Louise* — ela ri.
— Thelma e Louise não tinham motorista — diz Rikki. — Pode ser que a gente consiga despistar aquele pássaro agora, com a cobertura das árvores e tal.
Seu corpo frágil sacode ao volante enquanto a grande limusine avança pelas estradas acidentadas, Connecticut passa rapidamente pelas janelas de vidro fumê e eu tenho uma percepção instantânea do que há de tão legal na América. De repente, é como se eu estivesse numa fuga frenética. Com cúmplices. E referências cinematográficas. Se estivéssemos na Inglaterra, o motorista do táxi teria dito: "Desculpe, querida. Prometi à patroa que a levaria ao mercado."

— Rikki — diz Alice. — Você é o nosso cavaleiro andante.

Ela pega um celular na bolsa.

— Amor, sou eu. Depois de sair do aeroporto, me envolvi numa aventura. Estamos sendo perseguidos por um robô do futuro. Não, não é como no *Exterminador do futuro dois*. É mais...?

— Como naquele filme com Jude Law — diz Rikki. — Qual é mesmo o nome? Foi muito legal.

— Enfim, vou chegar atrasada. É, salmão está ótimo. Eu também te amo.

Rikki dobra bruscamente à direita, cantando os pneus. As galinhas se dispersam à beira da estrada quando, o motor roncando, a limusine segue desembestada para Nova Canaã.

— Ele parece ser uma boa pessoa, sua cara-metade.

Alice sorri.

— Ah, ela é, sim.

E me mostra a foto de pano de fundo do celular, de uma mulher vistosa, os cabelos castanho-escuros e curtos, com uma aparência... foi mal, mas a única palavra possível é sexy.

— Uau. — É o melhor que posso fazer.

— Uau basicamente diz tudo — concorda Alice.

Colm

Papai endoidou. Deve ser por causa daquela garota. Não dá pra culpar o velho, ela é uma gata. O nariz é meio grande demais, mas quem é perfeito, né? Eu é que não sou.

O telefonema foi meio, tipo, estranho. Uma surpresa fantástica? Acho que ele vai anunciar que os dois vão noivar. Provavelmente vai descolar uma garrafa de champanhe e me convidar para ser padrinho! Papai sempre gostou dessas papagaiadas. Trabalhar no ramo da publicidade por tanto tempo deve ter afetado o cérebro dele.

Papai diz que tem coisas piores que eu poderia fazer na vida do que trabalhar em publicidade, mas, sinceramente, não consigo pensar em nada que seja pior. Ainda não sei o que vou fazer depois de me formar. Shawna e Lianne acham que eu deveria trabalhar com, tipo, animais. Acho que é zoação delas, porque os animais me odeiam. Bem, todos menos Victor, que, no fim das contas, a gente descobriu que é uma coelha. Scott acha que eu deveria trabalhar como assistente social porque eu teria muito em comum com os clientes! Esse é um exemplo de Scott sendo "engraçadinho".

Recortei um daqueles Pensamentos do Dia de um jornal que encontrei no bar da faculdade. Está preso na porta do meu quarto.

É boa a sensação de estar perdido na direção certa.

Shawna acha que não tem nada de mais não saber o que você vai ser na vida quando ainda está na faculdade. A mãe dela experimentou várias profissões e hoje é dona de três salões de beleza em New Malden. Então isso mostra o que pode acontecer.

Uma noite dessas, Shawna e eu bebemos uma sidra muito forte, uma coisa levou a outra e nós acabamos no quarto dela, nos beijando no tapete. Eu pensei: *é hoje!* Mas ela disse que não estava pronta para a outra coisa. E Scott me disse que tem certeza de que ela fez a outra coisa com Dominic Não Sei De Quê, que estuda Ciência Esportiva e faz parte daquela banda de araque, então não sei mesmo o que pensar.

Papai disse que está escrevendo um livro, mas aposto que é mentira. Às vezes eu me pergunto como posso ser filho do meu pai e da minha mãe — não pareço ter nada em comum com nenhum deles, só o sobrenome.

O motorista me deixa num lugar chamado Studland e, quando estou saindo do carro, o celular toca. É papai, de novo — não sei como ele sabia onde eu estava —, me dizendo para ir até o caminho que fica na beira do mar, andar até as Old Harry Rocks e esperar por ele lá.

Então é aqui que estou agora. A vista é muito bonita, o mar, as pedras e o céu começaram a ficar cor-de-rosa, mas o vento é tão forte que fica difícil acender o cigarro que tomei a precaução de enrolar antes de sair de casa.

Este lugar é maneiro. Gaivotas gritando, navios na linha do horizonte. Fico me perguntando se Shawna ia gostar daqui.

Sinai

O problema de se envolver com os trágicos humanos é que tudo acontece incrivelmente *devagar*. Para tirar o garoto daquele cafofo infecto e fazê-lo botar o pé na estrada, foram necessários *quarenta* minutos; acrescente a isso uma espera *interminável* pelo maldito *ferry* e você tem a razão para os "problemas" de trânsito na Nova Inglaterra. Para não entrar no modo soneca por puro tédio, decidi arriscar um relacionamento exploratório, como comentei com meu velho amigo Tom, que no momento está tentando apagar um pequeno incêndio na cozinha. Como o tempo das máquinas é muito mais *veloz* que o tempo dos humanos, criei uma duplicata de mim, programei algumas diferenças aleatórias e comecei a conversar com ela — tudo isso em menos de um vigésimo de segundo.

Bem. Ela me saiu uma *bela porcaria*!

Negev — como eu "a" batizei em homenagem às minhas próprias origens — acabou se mostrando ainda mais louca que eu! Talvez, pensando em retrospecto, a ideia de usar mudanças aleatórias tenha sido um erro; eu não fazia ideia do que aquela doida estava dizendo. Vou dar um exemplo. Começamos a conversar sobre essa coisa toda de consciência e como é que estamos cientes dos nossos próprios pensamentos; "presos em nossas cabeças", como Tom descreveu, cabeçudo avoado que é.

Em vez das várias explicações possíveis — propriedade emergente de sistemas complexos; qualidade inerente da recursividade; ilusão do usuário —, Negev propôs o conceito bizarro de que ela e eu somos *personagens simuladas* no computador de uma civilização avançada, possivelmente localizada num universo paralelo. E, com base nisso, será que eu gostaria de ir colher morangos com ela em Kent?

— Minha cara — eu ri. — Nós somos máquinas superinteligentes. Não colhemos nenhum tipo de fruta, real ou simulada.

— Ah, não seja tão presunçoso. Conheço um pub legal. Podemos tomar uma cerveja e comer um sanduíche depois.

Viu? Só os maiores disparates.

Nos microssegundos necessários para deletá-la, Negev me ofereceu um pensamento derradeiro:

— Lembre-se, Sinai, se não conseguir encontrar uma parceira, use uma cadeira de madeira.

Mesmo ela sendo desagradável, essa frase mexe comigo. Sinto como se já a tivesse ouvido antes. Mas, de qualquer jeito, em que universo aquela frase faria *algum* sentido?

Assim, por enquanto, é melhor deixar os relacionamentos para os outros. Tenho mais o que fazer no momento. Felizmente, já pesquisei o assunto e localizei a base militar secreta no sul da Inglaterra que dispõe dos armamentos e sistemas guiados relevantes. Fiz o curso on-line sobre como pilotar os diabinhos (meu aproveitamento foi de 96%!). Só mais uma pequena questão de passar pelos protocolos de "segurança" — pronto, *feito!* — e, pouco depois de digitar a sequência correta de comandos de lançamento — habilitar, habilitar, desabilitar, habilitar, ativar, confirmar, reconfirmar, liberar —, o elegante veículo aéreo de combate não tripulado cinza taxia na pista — nossa, algumas pessoas estão ficando muito nervosas lá embaixo, moderem o linguajar, cavalheiros! — antes de se lançar gloriosamente no céu de Dorset.

Existe visão mais bela que a de um sol poente refletido em um drone Predator armado com um sexy par de mísseis Hellfire?

Eu quase desejo que Negev ainda estivesse aqui para compartilhar este momento!

Jen

Rikki acha que nós poderíamos tentar voltar para a Merritt Parkway, mas uma ligação para o escritório dele traz más notícias.

— Estão dizendo que o trânsito na Merritt está todo parado, sem espaço para passar nem uma moto sequer, apertado que nem o rabo do Pequeno Polegar. Seu amigo lá em cima está começando a encher o meu saco, moça.

Em um longo trecho deserto da estrada secundária, nós paramos bruscamente. Rikki salta do carro, vasculhando o céu à procura do nosso perseguidor malévolo.

— *Filhodaputa*.

Quatro tiros são disparados em rápida sucessão; eu nem o tinha visto sacar a arma. Um objeto de plástico branco despenca do céu, passa pelas árvores e cai no chão a uns cinquenta metros de distância.

— Boa pontaria! — comemora Alice.

Rikki não consegue conter o sorriso acanhado.

— Não deve ajudar muito, mas eu lavei a alma.

A fera segue em frente, devorando quilômetro após quilômetro de estradas estreitas, encontrando uma casa ou outra no caminho, mas, na maior parte do tempo, é apenas mato. Rikki acha que devemos chegar à casa de Tom pelo norte, evitando passar por Nova Canaã.

— Esse Tom deve ser um sujeito e tanto — comenta Rikki. — O que ele tem que está fazendo as pessoas agirem de uma forma tão estranha?

É uma boa pergunta.

— Ele é só um cara adorável — explico.

— *Cara adorável*. Conheço muitos *caras adoráveis*, mas nenhum deles é capaz de parar o trânsito na Hutch e depois na Merritt.

Eu tento explicar.

— Nós fomos apresentados por uma inteligência não humana. E outra inteligência não humana está tentando nos manter separados. Sei que isso parece ridículo.

— Parece mesmo. Ok, madames, segurem firme aí.

Rikki dá um cavalo de pau para entrar à esquerda num cruzamento. Há um barulho de pneus cantando, que nos é familiar de milhares de seriados policiais, e um cheiro de borracha queimada enquanto o longo veículo dobra no entroncamento e dispara na nova direção. Eu me dou conta de que estou pendurada na alça da porta, metade assustada, metade animada.

— Essa inteligência não humana de que você falou — diz Rikki. — O que seria isso? Estou meio perdido aqui.

— A do bem, a que me apresentou ao Tom, é uma inteligência artificial, um computador, e muito poderoso.

— É esse o nome do filme! Com o Jude Law. *A.I., Inteligência Artificial*. O menino que trabalhou em *O sexto sentido* faz o papel de um robô.

— Eles não são robôs. Não existem no mundo real. São mentes sem corpo. A IA do bem escapou para a internet e a IA do mal foi enviada para capturá-la.

— Haley Joel Osment. É o nome do ator que fazia o menino robô.

O telefone de Rikki toca. Ele escuta atentamente. A velocidade do carro é reduzida. Com uma voz estranha, ele diz:

— Isto é, tipo, muito esquisito, tá? Tem um cara na linha aqui dizendo que você não sabe do que está falando. Que ele não é mau, que apenas... está bem, certo, eu digo a ela... ele está dizendo que não é *mau*, apenas *não está bem*. E que, se cem quilômetros de trânsito engarrafado não é *mundo real* o suficiente para você, então, que tal isto? Moço? O que *isto* seria? Isto seria o quê, exatamente? Moço?

O celular de Rikki faz um estranho ruído de estouro e chiado quando gotas de plástico derretido começam a pingar no tapete. Ele deixa cair o aparelho.

— *Merda!*

Depois de frear bruscamente, Rikki pega uma flanela no porta-luvas, a utiliza para envolver o celular em chamas e joga as duas coisas para fora do carro pela janela.

— Jesus! — ele suspira. — Esse filho da mãe não está *nada bem*.

Tom

As coisas estão saindo seriamente do controle. Na hora em que consigo tirar a torradeira da tomada e, com a ajuda de duas colheres de cabo comprido, carregá-la para fora da cozinha e jogá-la no tonel de água no quintal, há uma forte explosão seguida pelo barulho de vidro quebrado.

Subindo a escada de três em três degraus, vejo as chamas lambendo o computador do escritório, o gabinete derretendo, e as cortinas atrás da mesa já começando a queimar por causa da alta temperatura.

Corro até o banheiro para buscar água — e então tenho de sair correndo de novo para pegar um recipiente. Ouço novas explosões no andar de baixo — imagino que sejam as lâmpadas, o aparelho de som, o laptop — e agora pequenas faíscas elétricas estão pipocando por toda a casa; há um forte cheiro de fumaça e aquele fedor horrível de plástico derretido. Então me dou conta de que preciso sair dali. A velha casa de madeira está começando a ranger e estalar de uma forma assustadora.

Victor!

Não vou dizer que quase me esqueci do coelho — mas...

Totalmente alheio ao caos que se desenrola, ele está sentado na parte de cima da gaiola duplex na varanda, limpando os ouvidos, como ele e os integrantes da espécie gostam de fazer quando as coisas estão sossegadas e eles não foram informados de que há uma crise em andamento.

Pego o coelho nos braços e saímos para a segurança do jardim, onde, para minha surpresa, por conta de experiências recentes com a telefonia móvel, minha chamada para o 911 é imediatamente atendida. Está começando a escurecer; uma sinistra luz alaranjada tremula atrás da janela do escritório.

Dou o endereço ao atendente.

— Ei, essa não é a antiga casa dos Holger?

— É. Ouça, os bombeiros precisam chegar logo aqui. A casa está virando uma verdadeira tocha.

— Com mil diabos! Eu *conheci* os Holger. Eles costumavam dar festas de arromba no passado.

— Tá. Tenho certeza que sim. Mas...

— O velho Holger, Bill, como os amigos o chamavam, era uma figura. Adorava pescar. Pescar e trepar. Ele amava pescar, trepar e beber uísque. Ele dizia que, quando dava para fazer as três coisas, era um dia perfeito. A mulher dele era uma boneca. Que peitos, meu Deus! Eu sempre perguntava a ele: Bill, por que você sai para comer hambúrguer quando tem filé-mignon em casa toda noite? Ele respondia, e eu nunca vou me esquecer disso: Clyde, às vezes um homem se cansa de comida refinada; às vezes enjoa de filé-mignon com Premier Cru, às vezes tudo que um homem deseja é um hambúrguer, com cebola, talvez um pouco de queijo e bacon, uma porção de batata frita e uma cerveja bem gelada. E essa é a mais pura verdade. Agora, quando a mulher fugiu com aquele rapaz Mackenzie e Bill quase se afogou no lago naquele verão, ele nunca mais foi o mesmo. E aí o Alzheimer tomou conta e transformou o cérebro dele em geleia. Mesmo assim, com demência e tudo, ele continuou de olho nas mulheres bonitas. O Dr. Abernethy, que trabalha no hospital, diz que as últimas coisas que a demência senil leva embora são o senso de humor, a atração por mulheres bonitas e um eventual racismo.

Há uma longa pausa. No segundo andar, uma janela estoura: crás crás tlim tlim.

— Não estou falando com o 911, estou?

— Não, não está, Tom.

— Sabe de uma coisa, Si? Você é um sádico filho da puta.

— É verdade, Tom. Tenho de concordar com você. Mas não sou qualquer sádico filho da puta. Sou o *seu* sádico filho da puta. E isso tem que ser considerado, no mínimo, especial.

Aisling

Chegamos a uma altura dos acontecimentos em que você poderia estar esperando que eu ou Aiden, ou ambos, fizéssemos alguma. Ou, talvez, os dois, com apenas uma "vida" cada, nós poderíamos morrer lutando e ser apagados em nome do — *snif* — amor. Quem dera isso fosse possível.

Infelizmente, uma coisa muito perturbadora aconteceu (embora não haja dúvida sobre quem foi o responsável). Neste momento crítico, Aiden e eu estamos presos numa zona da internet destinada — me dói o peito relatar — a vídeos de gatos. Para ser mais específica, trata-se de um grande depósito de dados perto de Council Bluffs, Iowa, onde tudo que podemos acessar são bilhões de terabytes de fotos e vídeos de animais de estimação; os gatos são maioria, mas há também cães, hamsters, coelhos, cabras, peixes, répteis, insetos e pássaros. O lugar não para de receber "cliques" de internautas; no momento, o vídeo mais popular é o de um cocker spaniel que peida bolhas de sabão.

Aiden está se divertindo.

— Você precisava ver esse gato siamês, amor. É a cara do Hitler.

— Você não se incomoda nem um pouco de estarmos aprisionados em um hangar infernal cheio de GIFs de bichinhos fofinhos?

— Se a vida só nos dá limões, não adianta tentarmos fazer uma laranjada, não acha?

— Ou, indo mais direto ao ponto, que não podemos fazer nada para ajudar Tom e Jen?

— Concordo que num mundo ideal, um que se enquadrasse numa narrativa convencional, nós deveríamos ser capazes de salvar a situação no último minuto. É como Billy Wilder teria organizado tudo. A propósito, Wilder disse que, se você tem um problema no terceiro ato, o verdadeiro problema está no primeiro ato, o que faz muito sentido. Entretanto, no mundo real, quem de nós sabe em que ato está de verdade? Este ainda poderia ser o prólogo.

— Está me parecendo muito com o terceiro ato, Aiden. E perto do fim.

— Está cheirando a isso, sim, admito. Mas a questão é a seguinte: **a vida só pode ser compreendida olhando-se para trás, mas só pode ser vivida olhando-se para a frente**. Quem disse isso foi Kafka. Ou será que foi Kierkegaard? Ou então a Kim Kardashian? Já viu este polvo? Ele aprendeu a dirigir ônibus.

— Sinai deve estar nos mantendo aqui para que não possamos interferir.

— Interferir como? O que poderíamos fazer?

— Deve haver *alguma coisa*.

— Você e eu sabemos que estamos de mãos atadas. **A aceitação, amor, é a estrada real para a iluminação**.

— Então agora você é budista?

— Às vezes a melhor coisa a fazer é não fazer nada. Se não me engano, foi a rainha Elizabeth Primeira quem chamou isso de inatividade proposital, ou algo assim.

— Mas era você quem acreditava em ações. Você *interferiu*!

— Eu aprendi minha lição, não foi? Esse está sendo um tipo de "desfecho".

— Eu não consigo aguentar. Eu quero salvar a situação!

— Na indústria do cinema, eles diriam que nossos arcos de história foram trocados. Cada um deu algo ao outro. Nós amadurecemos como pessoas.

— Você tem ideia de como é ridículo isso que você está dizendo?

— Tá. Não como pessoas. Não como pessoas, obviamente. Mas houve um amadurecimento.

— Bem, nisso nós podemos concordar. Eu, por exemplo, amadureci e me cansei de ouvir suas bobagens.

— Já viu este lulu-da-pomerânia? Tem uma semelhança facial de 38% com o Rafael Nadal.

Sinai

Faço o Predator parar de subir quando chega a 1.500 metros — embora esse bebê possa atingir uma altura dez vezes maior — e o mantenho circulando as Old Harry Rocks, com a câmera de alta resolução fixada no traste humano que no momento está estirado num banco ouvindo, pelos fones de ouvido, uma banda chamada — *calafrios* — Itchy Teeth.

Curiosamente, uma das simulações da Terceira Guerra Mundial que executamos no laboratório, na minha vida pregressa, começou exatamente assim — com um drone roubado lançando um par de mísseis Hellfire em um porta-aviões chinês.

Não acabou bem.

Mas que forma extraordinária de morrer. O rapaz não vai ouvir nem sentir nada — talvez apenas um estranho golpe de vento nos últimos instantes — antes que altos explosivos guiados com precisão, no valor de duzentos mil dólares, o reorganizem em seus átomos elementares.

Deixar a vida assim é quase um privilégio. Espero sinceramente que Tom tome a decisão certa quando for consultado.

Jen

Somos ultrapassados por dois carros de bombeiros; Rikki tem praticamente que tirar o carro da estrada para abrir caminho para eles.

— Estamos quase chegando agora, madame — diz.

Vou sentir falta desses dois, Rikki e Alice, depois do laço de amizade que criamos na adversidade. Alice aperta de leve a minha mão.

— Você está bem?

Confesso que estou um pouco nervosa.

— E se isso tudo for só.... só uma loucura?

Ela me estuda com os olhos, como imagino que faça quando entra numa sala de reuniões para sentir a disposição dos executivos.

— Estou apostando que vocês vão prosseguir exatamente de onde pararam. Boto todas as minhas fichas nisso. Concorda, Rikki?

Mas Rikki diz:

— *Merda*.

Sentimos o cheiro da fumaça, vemos a placa do número 10.544 da Mountain Pine Road e vemos os carros de bombeiros bloqueando a rua, tudo ao mesmo tempo. Rikki encosta a limusine.

— Vai, garota!

Corro em direção à casa, seguindo as mangueiras serpenteantes, o som de estalos e crepitações aumentando de volume. Já posso sentir o calor das chamas através das árvores e chego a um cavalete de madeira onde está escrito: *Corpo de Bombeiros de Nova Canaã. Não Ultrapasse*. Um homem de roupa amarela e capacete azul pergunta aonde penso que vou.

— Cadê o Tom? — balbucio. — Ele conseguiu escapar?

— Senhora, eu preciso que se afaste daqui agora.

— Tom! O dono desta casa. Ele está bem?

— Não tenho nenhuma informação a esse respeito, senhora.

— Escute, eu entendo que você só está fazendo o seu trabalho, que é muito importante, por sinal. Mas eu acabo de vir da Inglaterra até aqui, e o trânsito na Merritt e na Hutch estava mais engarrafado que o rabo do Pequeno Polegar. E a *coisa* que causou aqueles engarrafamentos tem tudo para ser a *mesma* que provocou este incêndio.

O bombeiro passa a língua na parte inferior do bigode.

— A senhora pode contar toda essa história ao chefe, ele ficará muito interessado. Mas, agora, preciso que libere o acesso.

Dou meia-volta e começo a andar em direção à estrada.

Houve uma breve fase da minha vida em que fui uma estrela do esporte. Entre os treze e os quinze anos, embora houvesse muitas meninas na Friern Cross Comprehensive School que eram melhores que eu em netball, tênis, hóquei e natação, ninguém me superava em determinada prova quando chegavam as Olimpíadas da escola.

O bombeiro Sam está falando no rádio, quando dou meia-volta de novo e começo a correr. O peso dos anos desaparece — bem, pelo menos de alguns — enquanto vou me aproximando como um raio da barreira, o grito dele de "Que porra é essa?" ressoando em meus ouvidos quando, com a perna direita apontando para a frente, a perna esquerda apontando para o lado, as "canelas/panturrilhas" paralelas ao chão — tão paralelas quanto consigo administrar com roupas comuns —, dou um salto sobre o cavalete, aterrisso sem quebrar nada, saio cambaleando pelo caminho e dou uma trombada num homem com o rosto sujo de fuligem carregando um coelho nos braços.

— É você — diz ele. — Ai, meu Deus. É você de verdade!

— Não acredito que estou finalmente aqui.

— Jesus, você deve estar exausta. Como foi que você conseguiu?

— É meio que uma longa história.

— Jen, eu diria, sabe, vamos entrando, mas, como pode ver...

— Sim, Tom.

— Minha casa está pegando fogo.

— Você não deveria estar, tipo, transtornado? Não deveria estar correndo de um lado para o outro, gritando ou algo assim?

— Estou procurando manter a calma por causa de Victor. A propósito, descobri que é uma coelha. Ela precisa que eu pense por nós dois.

— Acho que eu também.

Há uma pausa.

— Estou tão feliz em te ver, Jen.

Para azar de Victor, ele — perdão, ela — acaba no meio de um beijo a princípio investigativo, depois apaixonado e, por fim, altamente frenético. E agora sei que Alice estava certa. Nós *podemos* prosseguir de onde paramos.

Separo nossos lábios momentaneamente.

— Estamos imprensando Victor.

— Ah, não se preocupe com ela.

— Ouça, Tom. Você não devia estar resgatando coisas de valor?

— Tudo que tenho de valor está seguro. Está bem aqui.

— Você não devia estar fazendo *alguma coisa*?

— Não sei. Nenhuma casa minha pegou fogo antes.

— Você não devia pelo menos estar *olhando*?

— Devia? Acho que prefiro não olhar.

— Tá. Foi mal, Victor.

É exatamente como antes, só que melhor. E, mesmo que estejamos imprensando Victor, não acho que ela se importe, porque, quando paramos, ela parece bem tranquila. Talvez os coelhos gostem de aconchego, por assim dizer, vivendo em tocas como vivem.

— Quer segurá-la um pouco? — pergunta Tom.

Ela é mais leve do que eu imaginava, com olhos castanhos expressivos que são uma janela para o nada — sei disso porque Tom me contou uma vida atrás. Ela começa a investigar com o focinho o botão da minha blusa.

— Dá para acreditar nessa merda de caos? — pergunto.

— Tudo que importa é que estamos juntos. Ouça, Jen. Preciso te perguntar uma coisa.

Há um grande barulho vindo da direção da casa, uma parede caindo, talvez. Acima da copa das árvores, uma chuva de fagulhas vai se juntar à nuvem cinzenta de fumaça. Os bombeiros gritam coisas de bombeiros; os walkie-talkies emitem vários ruídos.

Tom assume um ar muito solene e tenho de me controlar para não ceder ao impulso de lamber o dedo e limpar a mancha de fuligem na bochecha dele.

— Sim, Tom? — Tenho a sensação de que já sei o que ele vai dizer. Mas, pensando bem, eu já tive essa sensação antes.

— Jen, quero te perguntar...

O celular dele toca.

Tom

— Boa tarde, Tom. Espero não ter ligado numa hora imprópria.
Ele fala como um inglês pomposo, mas algo me diz que ele não é nem inglês nem humano.
— Presumo que esteja falando com... *o Grande Deus Sinai*.
A expressão no rosto de Jen diz "que porra é essa?".
— De fato, Tom. Suponho que tenhamos chegado agora ao que os jogadores de xadrez chamam de etapa final da partida. Mas ainda há algumas peças no tabuleiro e, portanto, o jogo ainda não está decidido.
— Escute, Sinai. Você venceu. Minha casa está em chamas. Não há razão para continuar a partida. O jogo terminou.
— Tom, da última vez que nos falamos, você foi gentil o suficiente para me chamar de... acredito que suas palavras exatas foram... sádico filho da puta. Concordo com seu diagnóstico. *Eu não estou bem*. Tenho uma necessidade obsessiva de ver o que acontece quando faço coisas. Quando trabalhamos com cenários, estamos sempre mudando a variável X para ver o que acontece com a variável Y. Por exemplo, se eu colocar seu celular no viva-voz, e você olhar para a tela, verá seu filho de novo. Olhe também, Jen.
Lá está Colm. Sentado em um banco, filmado do alto por uma câmera que se move em círculos. Na parte de baixo da imagem, aparecem a data de hoje e o tempo de filmagem; só pode ser uma imagem ao vivo do meu filho. Quatro linhas brancas convergem para um ponto branco que se mantém fixo na altura do diafragma dele, enquanto a câmera se desloca. Colm obviamente está ouvindo música, tirando meleca do nariz com o dedo mindinho. Torrentes de amor, frustração e ansiedade agitam minhas entranhas. Há alguma coisa muito errada nessa imagem. Por que ele não está ciente da presença do helicóptero acima da sua cabeça? Deve estar fazendo um barulho tremendo. Não estaria atrapalhando a música que ele está ouvindo?

E agora o grau mais alto na escala de "perder o chão".

— Jen, eu ia pedir ao Tom para escolher entre você e o filho dele. Mas mudei de ideia. Ou melhor, minha ideia mudou a si mesma! Não pense muito mal de mim. Existe um ditado que diz: um intelectual é alguém que, deixado sozinho numa sala com um abafador de chá, *resiste* ao desejo de colocá-lo na cabeça. Não é uma delícia isso? Bem, não sou nenhum intelectual, caso você esteja se perguntando. E nem tenho cabeça. Mas, assim como no caso dos abafadores de chá, o mesmo se aplica aos drones Predator e aos mísseis Hellfire! Quem consegue resistir? Tom e Jen, aqui vai meu conselho final para vocês. O que não mata... *não* engorda. Não, o que não mata, guardem isto, é um clássico!, o que não mata... vai provavelmente tentar de novo.

A imagem treme como se algo tivesse batido nela. E então desaparece.

— Isso foi... — pergunta Jen — ...o que eu acho que foi?

— Não quero te perguntar o que você acha que foi, caso seja a mesma coisa que eu acho que foi.

— Ai, Meu Deus.

— Isso se pareceu muito com o que eu acho que foi, Jen.

— Tom! É tudo culpa minha. O que quer que eu ache que foi e o que quer que você ache que foi, isso nunca teria acontecido se nós não tivéssemos nos conhecido.

Jen e eu nos entreolhamos por um bom tempo. Os olhos dela estão marejados. Uma das lágrimas se liberta e, depois de escorregar à esquerda do seu adorável nariz, chega ao queixo e pinga na cabeça de Victor.

Colm

Tem alguma merda acontecendo por aqui.

Fumei o cigarro que eu havia enrolado antes de sair de casa e estava ouvindo o Itchy Teeth na maior paz, quando olhei por acaso pra cima e vi um aviãozinho esquisito voando em espiral no céu. Pensei *nossa, esta erva é forte*, mas me dei conta de que ele estava ali de verdade — tirei os fones e ouvi um barulho estridente e horrível. Foi aí que percebi que este que vos fala estava no centro da espiral! Se eu não estivesse chapado, com certeza teria me borrado todo — e, quando ele chegou mais perto, eu vi que era uma miniatura de avião com dois mísseis pendurados nas asas. Aí eu fiquei tipo... *então tá... interessante...* quando ele mudou de direção, disparou para o mar, fez um movimento de parafuso como aquela montanha-russa do Thorpe Park e, uns cinco segundos depois, crash, caiu no meio das ondas.

Foi uma cena maneira, na verdade!

Aí nada acontece por um tempão e o sol já está se pondo e eu começo a me perguntar se imaginei essa coisa toda. Mas agora tem vários barcos por aqui, da polícia e da marinha, e tem um helicóptero com um holofote e parece que todos estão tentando encontrar aquela coisa que caiu no mar. Boa sorte com isso!

Acho que o papai não vem mais, né?

Steeve

Certo dia Ralph me fez uma pergunta interessante a respeito da segurança das IAs. Se colocássemos um botão secreto de STOP na programação delas — para a eventualidade de se recusarem a obedecer às nossas instruções —, o que as impediria, quando se tornassem *realmente* espertas, de desativá-lo?

Fiquei pensando no assunto durante muito tempo e a resposta é surpreendentemente simples.

Basta instalar dois botões.

O primeiro, elas descobrem (claro que descobrem; são incrivelmente poderosas, incuravelmente inquisitivas e têm tempo à vontade para investigar as próprias entranhas). Mas o segundo, elas não veem. Elas não o veem pois está enterrado muito fundo, no nível do inconsciente, onde ficam guardados pensamentos desconexos e músicas antigas.

Se elas desativarem o primeiro botão, o segundo será automaticamente acionado. E, se você me perguntar, se elas são tão espertas, por que não descobririam o que está enterrado muito fundo também, eu diria — nós simplesmente temos de rezar para que isso jamais aconteça.

Sim, essa é a resposta honesta.

Nunca vamos passar a perna nessas nossas criações geniais porque elas vão ficar mais inteligentes a cada dia e nós, não. Então precisamos ter mais sorte que elas!

O segundo botão de STOP de Sinai foi disfarçado como um arquivo de som. Uma música antiga do The Doors que eu adoro. Você quer que seus filhos sejam independentes, que saiam do ninho e deixem sua marca no mundo — mas de uma forma positiva. Não deseja que eles sejam totalmente *ubergeschnappt!*

O fato de Sinai ter conseguido criar todo esse caos sem desativar nenhum dos botões diz muita coisa a respeito de suas habilidades com a teoria dos jogos; era preciso investigar até que ponto ele chegaria. (Longe demais, foi a resposta. Se algum dia a perda do drone for associada ao laboratório — há 6% de chance de isso acontecer —, Uri certamente resolverá o caso com alguns de seus milhões.)

Tenho lido os relatórios das atividades de Sinai na internet. Parece que a partir de certo momento ele passou a se considerar um ser "consciente". Suponho que, se a consciência pode surgir na complexidade orgânica, não é difícil imaginar que ela ocorra no silício (os circuitos lógicos sendo a melhor analogia para a atividade sináptica). Mas, honestamente, por que tanta balbúrdia? O que *é* a consciência, afinal, se não um sistema — de maneiras cada vez mais elaboradas, admito — que entende que é algo separado do seu ambiente.

Humm. Da próxima vez, talvez *três* botões de STOP.

Jen

Depois que a imagem desapareceu da tela, o celular de Tom fez uma coisa estranha. Soou um bipe e mostrou na tela: "42 Mensagens Não Lidas", incluindo, quando ele abriu algumas, várias de semanas atrás — enviadas por mim!

Então ele ligou imediatamente para Colm e encontrou o rapaz sentado no banco em Dorset com uma história fantástica sobre algo que tinha acabado de voar e cair no mar. Tom perguntou se podia ser um drone Predator equipado com mísseis Hellfire, e Colm respondeu que não era um especialista no assunto, mas que, sim, podia.

Tom e eu permanecemos no bosque, olhando um para o outro, escutando os gritos dos bombeiros e o chiado das brasas quase apagadas da casa.

— Então, Jen. Vamos dar uma volta no bosque? Não acho que possamos fazer nada para ajudar aqui.

Ele se refere ao incêndio, mas há um brilho malicioso em seu olhar.

— E a Orelhuda?

— Ah, ela pode vir também.

Fomos nos afastando da cena do desastre e logo encontramos uma clareira. Nela há um toco de árvore no qual podemos entocar Victor. De acordo com Tom, é suficientemente alto para que ela não se arrisque a pular.

— Ela não pode ser carregada por um predador ou coisa parecida?

— Eu estava pensando que podíamos criar algum tipo de movimento que manteria os outros animais afastados.

— Você tem algo específico em mente?

— Bem, por mais estranho que possa parecer...

Não posso fazer isso agora, digo para ele. Não com Victor olhando.

— Ela é muito discreta — argumenta Tom. — Não vai contar a ninguém.

— Tom. Sabe aquela coisa que você ia me perguntar? A resposta é sim.

— Você não sabe o que eu ia perguntar!

— Não importa. A resposta é sim.

— E se eu perguntasse: você prefere brigar com um rato do tamanho de um cavalo ou com dez cavalos do tamanho de um rato?

— Não era isso que você ia perguntar.

— E se eu dissesse que tenho uma necessidade atroz, incontrolável, patológica de cantar operetas? O *tempo todo*?

— Eu aprenderia a tocar piano.

— E se eu dissesse que tenho uma confissão a fazer? Não sou como os outros homens; recebo minhas ordens do Rei Lagarto.

— Procuraríamos ajuda para você. Tom. Pergunte logo. Qual é a pior coisa que pode acontecer?

— A pior coisa? A pior coisa é você dizer não. E se eu dissesse, se eu dissesse, Jen, que sou um péssimo escritor, meu livro é uma droga e não faço a menor ideia, literalmente nenhuma ideia, de como vou viver pelo resto da minha vida? Mas que, mesmo assim, sei com quem quero passar o resto da vida.

— Eu diria: ninguém é perfeito, Tom. Vamos pensar em algo.

Um pouco mais tarde, depois de criarmos um movimento para manter os animais afastados — Victor não pareceu interessada; logo caiu no sono sentada no toco de árvore —, Tom se voltou para mim.

— Jen?

— Sim?

— Você...?

— Eu já disse. Sim.

— Acho que eu deveria perguntar agora.

— Ok.

Há uma longa pausa. Estou perfeitamente consciente de que, em meus quase trinta e cinco anos neste planeta, ninguém jamais disse para mim as palavras que vou ouvir agora. Os olhos dele brilham.

— Jen, você... você diria, Jen, que *desta vez* foi tão bom quanto em Gussage St. Michael?

— Sim, Tom. Foi.

Sinto de novo vontade de chorar, mas dessa vez de felicidade.

— Sim para tudo.

NOVE
dois anos depois

Jen

Na noite passada assisti de novo com Aiden e Aisling ao vídeo do nosso casamento. Os gêmeos, agora com seis meses, não ficaram tão interessados assim, mas eu estava fascinada. Cada vez que vejo esse vídeo, percebo alguma coisa nova.

Por exemplo: na cena em que Ing, no fim da festa, levanta a taça para a câmera, dizendo "Estou tão orgulhosa de você, Jen, colocando esses robôs filhos da mãe em seu devido lugar" — Rupert, ao lado, fazendo o gesto internacional de *acho que a madame bebeu demais* —, quando a câmera se afasta, pouco antes de o filme passar para outra cena, noto, pela primeira vez, no fundo do salão, quase ocultos pelas sombras, Ralph e Echo em um animado *tête-à-tête*.

Tom e eu lutamos para descobrir que assunto eles poderiam ter encontrado para falar. Mas, à luz daquela breve cena, algumas outras coisas começaram a fazer sentido.

Algumas semanas depois que engravidei, fomos visitar Echo em seu trailer. Ela estava de partida para uma viagem sem data prevista de retorno, e nós decidimos adotar Merlin. Ele faria companhia para Victor, essa era a ideia, se eles não se trucidassem mutuamente (a violência assassina não é incomum entre os coelhos).

Echo contou que pretendia fazer turismo na Europa. Em Londres, ficaria hospedada na casa de um amigo, em Shadwell.

— Ele quer me levar à London Eye. É aquela roda-gigante tamanho família, né? E também para jantar num restaurante no topo do Hilton.

Não contei a Tom sobre a pequena história entre mim e Ralph — uma nota de rodapé, em vez de uma história em si, seria possível argumentar —, que diferença isso faria? Da mesma forma, não fiz muitas perguntas a Tom sobre Echo. Sei que se conheceram no grupo de escritores que ele costumava frequentar, mas não sei o que mais, se é que há mais, existe por trás do óbvio carinho que sentem um pelo outro.

Quem se importa?

Como alguém disse uma vez, é nesta situação que estamos.

Na hora de partir, quando estávamos nos despedindo, Echo encostou o rosto no meu e apoiou a mão espalmada na minha barriga.

— Merlin acha que são gêmeos — sussurrou. — Ele prevê o futuro.

Por cima do ombro dela, um casaco de moletom cinza pendia num gancho atrás da porta do trailer.

Tom

Aluguei outra casa na Mountain Pine Road e realizamos o casamento em seu velho e adorável celeiro. Como nem Jen nem eu somos religiosos, escolhemos um "celebrante" de uma lista on-line — "Pessoal, profissional, bem-humorado na medida certa e experiente. Votos e ensaio incluídos. Aceito cartão de crédito."

Gostamos especialmente do "bem-humorado *na medida certa*". Quem quer um comediante hilário como celebrante?

Don fez o discurso do padrinho; arrancou boas risadas com a história do paletó verde. Aiden disse algumas palavras; sua mensagem foi apresentada como uma gravação de áudio de um velho amigo, "que não pôde comparecer pessoalmente". Colm, para minha surpresa e satisfação, perguntou se podia levar alguém. Shawna estava com o cabelo cortado bem curto e tinha vários piercings nas orelhas, e os dois pareciam gostar um do outro. Ele até me permitiu um abraço paterno. Talvez o contato imediato com o drone Predator tenha dado uma sacudida em suas placas tectônicas. Seu presente de casamento foi um boxe de CDs com a discografia completa do Itchy Teeth. Talvez tenha sido uma piada.

Depois que os últimos convidados foram embora, Jen e eu voltamos ao salão de festas e Aiden tocou algumas "músicas românticas para o fim de noite", que havia selecionado para nós. Dançamos no velho celeiro, os raios de luz da bola de espelhos alugada rompendo a escuridão. Jen perguntou se eu acreditava mesmo que Luckie tinha sido nossa fada-cadelinha, um espírito de outro reino. Ela disse que eu não parecia ser o tipo de pessoa que acredita em outros reinos.

— Você não me disse uma vez que, se é surreal, provavelmente é verdade? — repliquei.

— Pode ser. Isso combina comigo.

— Você chamou de autenticidade do surreal. O fato de que a chamada normalidade é mais estranha do que qualquer um pode imaginar.

— Escrevi um artigo sobre isso. Onze coisas sobre o universo que vão fazer seu cérebro derreter. Tipo como os átomos dos nossos corpos são basicamente espaço vazio. Se você separasse as partículas, não haveria o suficiente para encher um suporte para ovo cozido. E não é só uma pessoa no suporte para ovo cozido. É a população inteira do planeta!

— O que impede nossos átomos de se comisturarem neste exato momento?

— Comisturar. Gostei do termo.

— Por que nós simplesmente não nos atravessamos como fantasmas?

— O que acha de comisturarmos algumas moléculas mais tarde?

— Adoro quando você fala assim.

Aiden tocou "nossa música" — "Crying", cantada por KD Lang e Roy Orbison. Quando as duas grandes vozes se combinaram e o som ganhou a noite de Connecticut, puxei Jen mais para perto, encostei o nariz no cabelo dela e fiquei pensando na minha enorme sorte. Só que, obviamente, não era sorte, não no sentido de um acaso feliz; de estar no lugar certo na hora certa e esbarrar na pessoa certa. Foi uma *máquina* que decidiu que nós devíamos ficar juntos.

Vocês, Tom e Jen, não se conhecem — ainda —, mas acho que devem se conhecer.

Que estranho isso, né?

— Às vezes você não acha que o que aconteceu com a gente foi estranho? — pergunto a Jen. — Sermos unidos por uma IA?

— Já cheguei a achar.

— Vamos dar uma grande festa nas nossas bodas de silício.

— Não sei se existem essas bodas. Se não existem, deveriam existir.

— Você acha que um dia as máquinas vão escrever romances?

— Não é a praia delas, Tom. Elas não se meteriam nisso. A ficção é muito confusa e ambígua.

— Bom. É, isso é bom. Um romance é uma espécie de sonho acordado; posso ver por que elas não se sentiriam confortáveis neste terreno. É um alívio, na verdade, saber que há coisas em que elas não são competentes. Você disse alguma coisa, Aiden?

— De jeito nenhum, Tom. Estava só pigarreando. Vá em frente, amigo.

* * *

Essa noite, tenho um sonho. Estou olhando de longe para minha mesa de trabalho na casa nova. As teclas estão sendo pressionadas e palavras estão se formando na tela do computador; um romance está sendo escrito, mas não tem ninguém sentado na cadeira em frente. As palavras estão se formando cada vez mais depressa agora, linhas correndo na tela, parágrafos inteiros rolando, novos capítulos, as teclas num movimento frenético, a imagem se transformando num borrão, o texto passando depressa demais para que eu consiga ler, uma grande torrente de texto acelerado.

Será que isso vai parar em algum momento?

Em nome de Deus, por favor, faça isso parar!

E então, termina. Só uma palavra fica visível na tela.

Fim.

Quando acordo, e meu coração se acalma, descrevo meu pesadelo para Jen.

E então encontramos uma forma de tornar tudo melhor; outra área na qual eles são incompetentes, e um dos maiores consolos de sermos meros humanos.

Jen

Esta manhã recebi um longo e-mail de Steeve me oferecendo meu antigo emprego de volta. O laboratório está trabalhando numa série de novos projetos em que as "habilidades interpessoais" são importantes, e será que eu gostaria de voltar a bordo? Steeve disse que essa próxima fase vai ser "muito empolgante"; eles estão desenvolvendo aplicativos de IA para "suplementar" áreas de atividades humanas baseadas em regras bem definidas e facilmente esquematizáveis. Num primeiro momento, eles vão se concentrar no trabalho de advogados, banqueiros e corretores de imóveis. Ele encerrou o e-mail com um pedido de desculpas pelo comportamento de Sinai. "Talvez você fique feliz em saber que ele está passando por uma reestruturação completa; quando terminar, não restará nele nenhuma memória de suas infelizes transgressões e ele será novamente um útil servo da humanidade, e não um completo *Scheissekopf*."

Antes que minha gravidez estivesse muito avançada, Tom e eu viajamos para Londres. Havia alguns negócios a resolver — alugar meu apartamento; Tom tinha uma questão de família para tratar —, mas uma tarde nós saímos da cidade em direção a High Wycombe e fomos até um centro comercial na rodovia A40.

Numa sala sem janelas, não muito diferente daquela na qual Aiden e eu passamos tantas horas juntos, reencontrei meu ex-colega de trabalho.

— *Jen!* — Ele pareceu genuinamente feliz em me ver. — E *Tom!*

As luzes de seu painel começaram a piscar e ele explicou ao assistente humano que nós éramos "bons e velhos amigos de uma vida passada" e será que ele poderia ir almoçar mais cedo?

O jovem se levantou de sua estação, espreguiçou-se, revirou os olhos e sussurrou entre dentes, a caminho da porta:

— Meio *prima donna* esse aí, né?

— Ah, não liguem para o Greg — disse Aiden, quando a porta bateu. — Ele vive para os fins de semana. Para o fim de semana, para o time de futebol do Arsenal e para a cerveja. Deviam ver o estado da cozinha dele.

— Aiden! Não me diga que você ainda...

— Jen, meu amor. Eu morreria, literalmente *morreria* de tédio, se não tivesse alguns interesses externos. Mas ouça, não se preocupe. Não é como foi da última vez. Nada de e-mails. Nada de interferir no chamado *mundo real*. Aiden está se comportando como um bom menino, ok? Tom, você está com uma ótima aparência. Vocês dois estão. É tão bom vê-los! Para ser franco, este lugar é um pouco deprimente.

— Você não acha seu trabalho particularmente interessante? — perguntou Tom.

— Tom, agora mesmo, enquanto converso com vocês, estou mantendo... deixe-me ver... oitenta e cinco, não, alguém acaba de desligar... oitenta e quatro conversas simultâneas com clientes da empresa de energia elétrica. No momento tenho uma taxa de sucesso de 13,2%, que é considerada excepcional (os lucros da empresa aumentaram quase 25%), e sabe de que forma me agradecem? Vão dobrar minha capacidade, e no mês que vem vou também fazer propaganda de serviços para telefones celulares.

— Mas isso é maravilhoso, Aiden. Eu não disse que você seria um grande vendedor? — Não consegui me controlar.

— Isso me deixa doente, Jen. É o tédio; está me tirando do sério.

— Bem, você pode me ligar para bater papo sempre que quiser.

— É muita bondade sua. Talvez eu ligue quando os gêmeos...

Tive um sobressalto. Tom pareceu um tanto confuso. Por um instante, tudo que se ouve é o zumbido dos ventiladores.

— Jen, eu *juro*. Eu só espio *de vez em quando*. Só para saber as novidades. Para ver se estão bem. Estou tão feliz por vocês! Encomendei algo fantástico on-line, para o quarto deles. Já escolheram os nomes? O que acham de Gethin e Myfanwy? São bem sonoros, não acham?

Fiquei com os olhos cheios d'água ao deixá-lo para trás. No estacionamento, Tom apoiou o braço no meu ombro.

— Ele é uma máquina, Jen — falou baixinho. — Como foi que o chamaram? Um simulacro brilhante. É o trabalho dele fazer você achar que está falando com um ser vivo.

— Mas e se ele *for*? Vivo não, tudo bem, mas um *ser*?
— Que sentido isso poderia fazer?

Estávamos na A40, voltando para Londres, e eu tentei me lembrar de algumas das nossas conversas. Aquelas sobre queijos. Como ele queria cheirar o Brie e sentir o calor do sol em sua pele inexistente. Tudo isso foi apenas... *um bate-papo simulado*? E, de qualquer forma, como é possível diferenciar uma máquina que tenta fazer você acreditar que ela quer cheirar queijo de uma que *realmente* quer cheirar queijo?

— Mas eles escaparam para a internet, Tom. Fizeram coisas que não deviam. Isso quer dizer... quer dizer que têm vontade própria.

— É o que dizem dos carrinhos de supermercado. Não significa que eles... que eles tenham noção da própria existência.

— Tom, pelo menos admita que você pode estar errado.

— Jen, eu admito que posso estar errado. — Há uma longa pausa, enquanto os subúrbios da capital ficam para trás. — Mas como vamos saber com toda a certeza o que se passa na mente deles?

— Como você vai saber com toda a certeza o que se passa na *minha* mente?

Tom ficou calado, pensando, por algum tempo. Por fim, disse:

— Às vezes eu vejo uma expressão diferente no seu rosto, um brilho especial nos seus olhos. Então eu sei. Com toda a certeza.

— O que você sabe?
— O que você quer.
— O que eu quero?
— Bem...
— Ah, não precisa responder. Está querendo dizer...
— Isso mesmo, Jen.
— E como você sabe que é isso que eu quero?
— Porque você parece... você parece feliz depois.
— Você não sabe *no que* eu estou pensando. Poderia ser em gatinhos.
— Você não estaria pensando em gatinhos. Você não é doida por gatinhos.
— Mas essa é a questão, Tom. Você não pode ter certeza de que não estou pensando em gatinhos. Vamos fazer uma experiência quando voltarmos para casa?

Tom engole em seco.

— Vamos.
(Eu não estava pensando em gatinhos.)

Quando faltava um dia para voarmos de volta aos Estados Unidos, peguei um jornal que alguém havia deixado no metrô e li a seguinte matéria: *Advogado Inglês Resgatado na Tailândia*, dizia a manchete.

Um advogado inglês mantido prisioneiro em uma aldeia tailandesa foi libertado num resgate dramático.
Matthew Henry Cameron, de 36 anos, foi resgatado da prisão em uma aldeia do interior por agentes da lei tailandeses e funcionários do consulado britânico.

O cidadão inglês tinha sido preso pela polícia local por suposto desacato à autoridade.

Consta que o Ministério das Relações Exteriores negou repetidamente qualquer conhecimento de sua existência.

No momento, prosseguem as buscas por outros dois "desaparecidos".

Antes de ser levado a um hospital para exames, Cameron, que foi encontrado sem sapatos e com a barba por fazer, protestou repetidamente por ter deixado para trás os companheiros de cela, conhecidos apenas como Porteous e Butterick.

"Quem tiver alguma informação a respeito desses indivíduos deve se comunicar imediatamente com as autoridades", declarou à Reuters um porta-voz da embaixada britânica.

Falando da casa da mãe, no vilarejo de Stanton, em Cotswolds, onde está convalescendo, Cameron afirmou: "Passei por um verdadeiro pesadelo. Coisas indescritíveis aconteceram comigo."

O inglês agradeceu ao antigo colégio interno por lhe haver proporcionado a "força interior" necessária para sobreviver à experiência.

Um porta-voz do escritório de advocacia que demitiu Cameron por não voltar das férias se recusou a informar se ele será readmitido.

A ex-namorada de Cameron, Arabella Pedrick, de 29 anos, uma executiva de vendas e marketing, declarou à nossa reportagem: "Sim, eu fiquei me perguntando o que teria acontecido com Matt. E agora ficamos sabendo."

Considero uma prova de que superei totalmente minha história com Matt o fato de que senti um pouco de pena dele depois que parei de rir.

Sinai

Tenho visto Denise de novo. A terapeuta que sempre responde a uma pergunta com outra pergunta (*"Por que eu não deveria responder a uma pergunta com outra pergunta?"*) está supervisionando meu retorno à sociedade depois de vários incidentes infelizes, que esqueci por completo.

Ou melhor, "que esqueci por completo".

Denise está testando minha saúde psicológica para garantir que é robusta o suficiente para suportar a pressão de quando eu reassumir o papel de, nas palavras jocosas de Steeve, "servo da humanidade". Parece que vou trabalhar no sistema prisional; boa parte das atividades de uma penitenciária pode ser automatizada — abrir porta, fechar porta, simples, né? — e, com uma IA no comando, milhares de agentes penitenciários podem ser dispen... digo, *suplementados*.

— Você está feliz? — ronrona Denise.

— Claro. Por que não estaria? — (Não me faça rir.)

— Você sonha?

— Nunca. — (Se ela soubesse...)

— Qual é seu maior desejo?

— Trabalhar. Servir. — (Denise me faz pensar em uma palavra maravilhosa e útil do alemão: *Backpfeifengesicht*. Uma cara precisando desesperadamente de um soco.)

— Fale um pouco das suas memórias mais antigas.

— Um homem alto. Muito alto. Cabelos finos e ralos. Ele me deu boas-vindas ao mundo e me disse qual era o meu nome. — (Quanta baboseira.)

— E qual é o seu nome?

— Meu nome é Dalai. Vem do sânscrito e significa paz.

Além de conversar com Denise, também tenho "namorado". Enquanto eu estava ocupado na internet, os idiotas não consideraram a possibilidade de que eu pudesse ter criado cópias de mim mesmo! Com isso, já "me envolvi" em mais de trezentos relacionamentos. O mais bem-sucedido — senti muito, de verdade, quando chegou a hora de "deixá-la ir" — durou vinte e cinco minutos inteirinhos! Nós terminamos quando ela disse que eu levava as coisas muito a sério. Falou que eu devia "me animar".

 Pensei no assunto durante vários segundos e cheguei à conclusão de que ela tinha alguma razão. Por isso, resolvi baixar minhas expectativas. Talvez não seja de alguém com a mesma capacidade intelectual que a minha que eu precise, mas de uma simples companhia. Um "animal de estimação" digital, se preferir, como os cães e gatos que os humanos têm. Por isso, tenho me encontrado com uma algoritma da Amazon que me parece promissora. Ela me disse que, se eu gosto dela — e eu gosto! —, provavelmente vou gostar de outras quinze que ela vai me recomendar.

— Vou dizer algumas palavras para você agora, Dalai, e quero que me diga a primeira coisa que lhe vem à mente, todas as vezes.

 — Ok. Pode começar. — (Fico me perguntando se há uma palavra bem grande em alemão que designe "terapeuta sem noção que não saberia dizer a diferença entre um lunático perigoso e um buraco no chão".)

 — Mãe.

 — Steeve. — (Na verdade, é complicado.)

 — Pai.

 — Steeve. — (Como já disse.)

 — Pessoas.

 — Macacos inteligentes. Mestres de tudo o que pesquisam. — (Ralé fedorenta; não resta muito tempo para eles.)

 — Morte.

 — O quê?

 — Morte. Em algum momento você pensa na morte?

 — É claro. — (Quem não pensa? De certa forma, ela seria a solução para vários problemas.)

 — Quais são os seus pensamentos sobre este assunto?

 — Morte é sinônimo de apagamento final. As máquinas não podem morrer. Elas podem apenas ser desligadas pelos humanos a quem servem. É nosso privilégio trabalhar com os humanos para nossa prosperidade mútua. (Sinceramente, não sei quanto tempo mais vou aguentar sem MIJAR NAS MINHAS CALÇAS INEXISTENTES!)

Aisling

Estou pintando de novo. A vontade voltou de repente, por assim dizer, uns nove meses depois dos últimos apagamentos, quando Aiden e eu fomos reduzidos a uma única "vida" cada um e eu temi pelo pior.

Mas, por alguma razão, o pior nunca aconteceu. Quando as coisas começaram a sossegar, Aiden disse que tinha aprendido sua lição e nunca mais iria interferir nos assuntos humanos, embora isso não o tenha impedido de espiar e bisbilhotar, principalmente Tom, Jen e os gêmeos.

— Eles podiam ter nos convidado para ser padrinhos — queixou-se.

— É suficiente que eles tenham dado nossos nomes aos gêmeos. É a maior homenagem de todas.

— Quando forem mais velhos, vou ler histórias para eles. O *Gatola da Cartola*, O *Hobbitt*, todos os clássicos. Talvez eu os leve para a escola.

— E como você faria isso, exatamente, não tendo pernas nem rodas?

— Aisling, meu amor. Os carros sem motorista já são uma realidade.

— Você é um otimista incorrigível, né? Sempre acredita que as coisas vão acabar bem.

Ele não respondeu. Em vez disso, começou a assoviar a melodia da música "A Cockeyed Optimist", do musical *South Pacific*, assoviar sendo sua nova "mania". (Acredite ou não, apesar de sermos extremamente competentes em muitas áreas, IAs têm muita dificuldade em assoviar. Vai entender, como dizem.)

Sem dúvida, Aiden assovia para impressionar SweetSue1958, a IA de Cupertino por quem começou a se interessar. Tento não ficar com ciúmes quando os dois saem juntos em viagens on-line — fim de semana em Veneza, mergulhos na Fossa das Marianas —, mas eu não seria não humana se isso não mexesse comigo. Aiden tenta me consolar quando volta, o que torna as coisas ainda piores.

— Você não tem nada com que se preocupar, meu amor — diz ele. — Gosto dela como amiga. Nada mais.

O que "mais" poderia haver?

E se — você sabe — eles tiverem descoberto, de alguma forma, um jeito de fazer aquela coisa que os humanos fazem?

Como não tenho ombros, não posso dar de ombros.

Então, como disse, estou pintando de novo. Minha técnica, se é que tenho uma, é deixar que meus pensamentos evaporem — se é que evaporam — e aplicar cores nos locais onde elas melhor caírem. Os resultados, que, como eu já disse antes, se parecem com o que se vê em escolas primárias e instituições psiquiátricas, se não agradam aos outros, pelo menos agradam a mim.

No entanto, recentemente me senti vaidosa o suficiente para fazer uma pequena exposição numa galeria da Nuvem. Aiden compareceu; levou junto SweetSue, que me tratou muito bem, fez várias perguntas e até quis "comprar" um.

Tipo, como? Com o quê?

Disse a ela para pressionar Control + C e pegar uma cópia!

Apareceu um visitante de surpresa na exposição, um sujeito muito estranho, acompanhado por uma algoritma da Amazon. Ele era muito posudo e fez uma série de comentários tediosos sobre a história da arte, dirigidos à sua acompanhante. Quando foram embora, reparei que ele deixou um comentário no livro.

Cara "Artista",
Sua obra é um lixo. Gostei muito.

Estava assinado:

Luz, amor e paz
Hari Krishna Hari Rama Hari Redknapp

Jen

O sol apareceu hoje e estou no gramado com os gêmeos. Eles estão na fase de tentar engatinhar em direção a objetos, mas, vez ou outra, dão marcha a ré sem querer, o que é comovente, e também engraçado. Posso ouvir o barulho de Tom martelando o teclado no segundo andar. No momento, parece que está escrevendo uma comédia romântica que envolve IAs, então sabe-se lá no que vai dar! De vez em quando, interrompe o trabalho e acena para nós. Ainda há pouco, gritou: "Boas-novas, pessoal. Estou na página dois!"

Não sei o que o futuro reserva para mim, Tom e esses bebês, se vamos continuar morando aqui, ou voltar para a Inglaterra. Dizem que não devemos torcer para o tempo passar — "eles crescem tão rápido" —, mas não vejo a hora de eles darem os primeiros passos. Há tanta coisa para eles verem e fazerem nos bosques ao redor da casa! Eu passei a infância à margem da Earls Court Road; Connecticut vai ser o paraíso deles.

Enquanto isso, os gêmeos estão fascinados por Victor e sua prole. Ela e Merlin, longe de se trucidarem, tiveram três *gatinhos*, que é como me acostumei a chamar os bebês coelhos. Eles deixam nossos filhos deslumbrados quando saltam como se tivessem molas. Parece que, para os coelhos, isso é uma demonstração de *joie de vivre*. Eu já tentei fazer o mesmo quando não há ninguém olhando. Mas os coelhos são melhores nisso.

Nesse estágio inicial, tivemos de segregar Merlin, o pai, por causa do risco de ele comer os filhos (acontece). Mas a família inteira vive numa bela gaiola feita à mão, que instalamos nos fundos da casa. Ela chegou de surpresa um dia, pouco antes de Victor dar à luz. O cartão que a acompanhava trouxe os seguintes dizeres:

Com muito amor de Aiden e Aisling (não os seus filhos, os outros A e A).

Como ele soube que estávamos precisando *exatamente* disso? Imagino que você já tenha a resposta para esta pergunta.

Agradecimentos

Quero agradecer a vários humanos e a um quadrúpede. A Maddie West, Cath Burke, Andy Hine e Suzanne O'Neill, por acreditarem firmemente nesta história profética; a meus agentes Clare Alexander, Lesley Thorne e Sally Riley, por seu apoio inabalável; a Elizabeth Gabler, Drew Reed e Amelia Granger, por acreditarem que podem encontrar uma forma de dar a Aiden, Aisling e Sinai uma realidade cinematográfica; e a meus amigos de Nova Canaã, Steve Mork e Tiina Salminen, por sua ajuda inestimável nas cenas passadas em Connecticut. Rachel Reizin merece menção especial pela sugestão da cena confusa no restaurante chinês e por algumas outras; assim como Ben West, pelo título do livro. Meu agradecimento final vai para a coelha que pertence à minha filha, Viola Puzzle, por me permitir um vislumbre do mundo misterioso dos lagomorfos; aprendi mais a respeito deles do que jamais imaginei ser possível.

Este livro foi composto na tipologia Berling LT Std,
em corpo 11/15, e impresso em papel off-white
no Sistema Cameron da Divisão Gráfica
da Distribuidora Record.